코바늘 뜨개로 완성하는 실용 소품 50

Crochet 크로셰

/ 도안과 해설 /

박정현 지음

코바늘 뜨개로 완성하는 실용 소품 50

Crochet 크로셰

초판 1쇄 인쇄 2019년 03월 28일
초판 1쇄 발행 2019년 04월 15일

지은이 박정현
펴낸이 한준희
발행처 (주)아이콕스

기획·편집 박윤선
디자인 김보라(inn1519@naver.com)
도안 일러스트 이지선
영업 김남권, 조용훈
영업지원 김진아

주소 경기도 부천시 중동로 443번길 12, 1층(삼정동 297-5)
홈페이지 http://www.icoxpublish.com
인스타그램 @ thetable_book
이메일 thetable_book@naver.com
전화 032) 674-5685
팩스 032) 676-5685
등록 2015년 07월 09일 제2017-000067호
ISBN 979-11-6426-000-3
979-11-6426-004-1 (세트)

- 더테이블은 일상에 감성을 더하는 (주)아이콕스의 출판 브랜드입니다.
- 더테이블은 독자 여러분의 도서에 대한 의견과 투고를 기다리고 있습니다.
  책 출간을 원하시는 분은 더테이블 이메일 thetable_book@naver.com으로 간략한 기획안과 성함, 연락처를 보내주세요.

이 책을 활용하는 방법

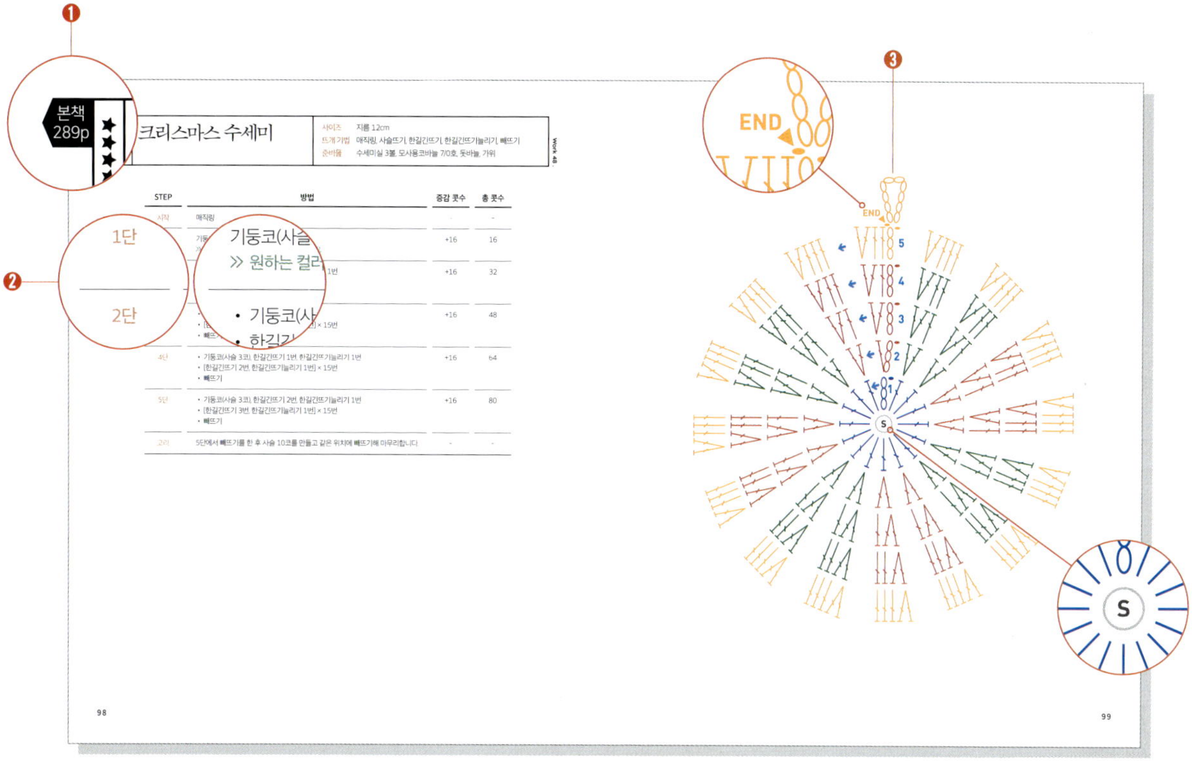

❶ 도안에 해당하는 작품 이미지와 설명은 표시된 페이지 본책에 있습니다.

❷ 도안을 읽기 어려운 초보자를 위한 도안해설표입니다. 전체 도안의 시작 단부터 마지막 단까지 설명합니다.

❸ 도안은 이해하기 쉽게 배색 부분을 컬러로 표현했습니다. 시작은 'S(start)'로 끝은 'END'로 표시했습니다.

본책 85p

★☆☆☆☆

8각 토파즈 모티브

사이즈 지름 9cm
뜨개 기법 매직링, 사슬뜨기, 짧은뜨기, 짧은뜨기늘리기, 빼뜨기
응용 소품 컵받침, 냄비받침, 원형 바구니
준비물 피사코튼 2볼, 모사용코바늘 7/0호, 돗바늘, 가위
(완성 이미지는 얇은 실(피사코튼) 2가닥을 함께 잡고 뜬 형태입니다.)

STEP	방법	증감 콧수	총 콧수
시작(S)	매직링	-	-
1단	기둥코(사슬 1코), 짧은뜨기 8번, 빼뜨기	+8	8
2단	기둥코(사슬 1코), 짧은뜨기늘리기 8번, 빼뜨기	+8	16
3단	기둥코(사슬 1코), [짧은뜨기 1번, 짧은뜨기늘리기 1번] × 8번, 빼뜨기	+8	24
4단	기둥코(사슬 1코), [짧은뜨기 2번, 짧은뜨기늘리기 1번] × 8번, 빼뜨기	+8	32
5단	기둥코(사슬 1코), [짧은뜨기 3번, 짧은뜨기늘리기 1번] × 8번, 빼뜨기	+8	40
6단	기둥코(사슬 1코), [짧은뜨기 4번, 짧은뜨기늘리기 1번] × 8번, 빼뜨기	+8	48
7단	기둥코(사슬 1코), [짧은뜨기 5번, 짧은뜨기늘리기 1번] × 8번, 빼뜨기 >> 7단에서 실 컬러를 변경합니다.	+8	56

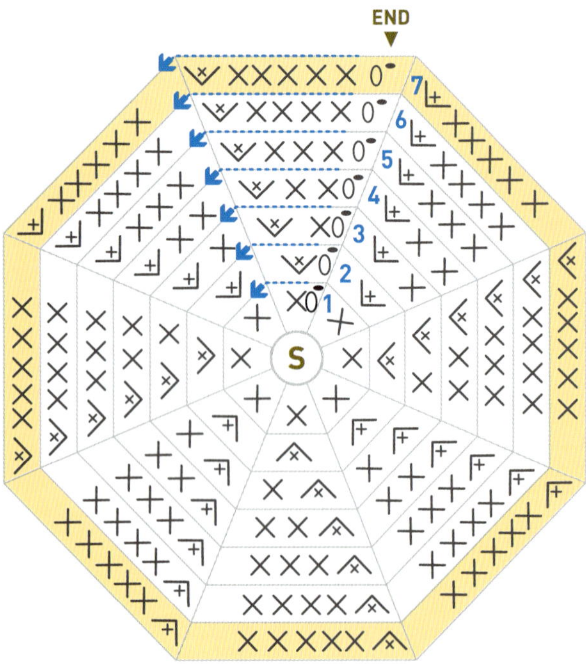

8각 토파즈 모티브

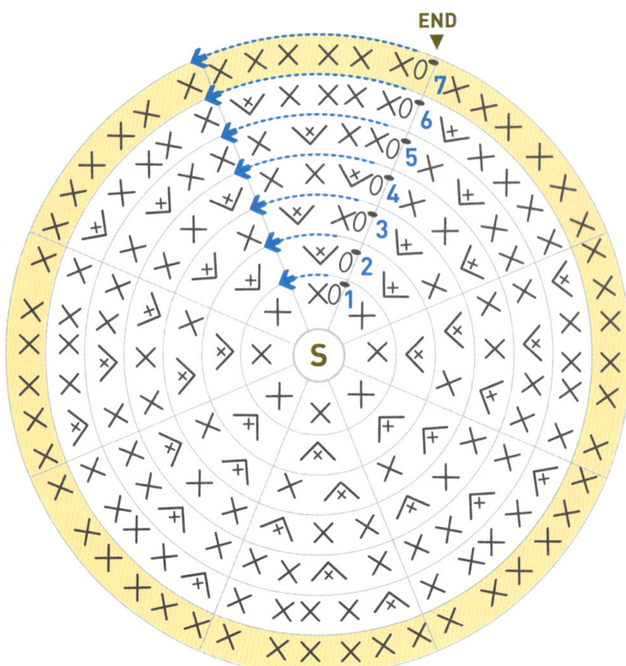

[응용] 원형 모티브

본책 91p

★☆☆☆☆

4각 트위드 모티브

사이즈 9cm×9cm
뜨개 기법 매직링, 사슬뜨기, 짧은뜨기, 한길긴뜨기, 빼뜨기
응용 소품 컵받침, 파우치, 블랭킷
준비물 코튼볼 2볼, 모사용코바늘 5/0호, 돗바늘, 가위

STEP	방법	증감 콧수	총 콧수
시작(S)	매직링	-	-
1단	기둥코(사슬 1코), 짧은뜨기 8번, 빼뜨기	+8	8
2단	• [기둥코(사슬 3코), 기둥코와 같은 위치에 한길긴뜨기 1번, 한길긴뜨기늘리기 1번, 사슬 3코] • [한길긴뜨기늘리기 2번, 사슬 3코] × 3번 • 빼뜨기	+20	28
3단	• 기둥코(사슬 3코) • 모든 한길긴뜨기 머리에 한길긴뜨기 1번씩 뜨기 • 모서리 부분은 [한길긴뜨기 2번, 사슬 3코, 한길긴뜨기 2번]으로 뜨기 • 빼뜨기	+16	44
4단	• 기둥코(사슬 3코) • 모든 한길긴뜨기 머리에 한길긴뜨기 1번씩 뜨기 • 모서리 부분은 [한길긴뜨기 2번, 사슬 3코, 한길긴뜨기 2번]으로 뜨기 • 빼뜨기	+16	60
5단	• 기둥코(사슬 3코) • 모든 한길긴뜨기 머리에 한길긴뜨기 1번씩 뜨기 • 모서리 부분은 [한길긴뜨기 2번, 사슬 3코, 한길긴뜨기 2번]으로 뜨기 • 빼뜨기 ≫ 5단에서 실 컬러를 변경합니다.	+16	76

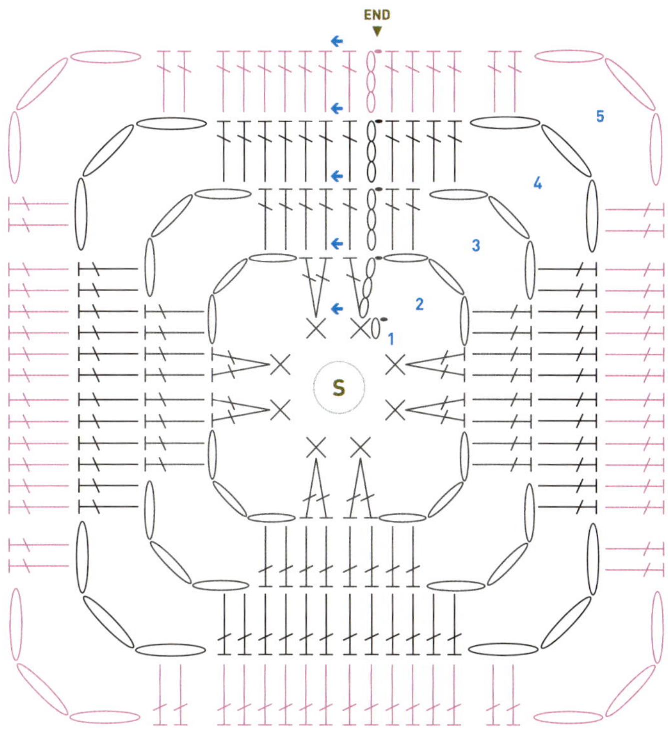

본책 95p

★☆☆☆☆

6각 스노우 모티브

사이즈 10cm×9cm
뜨개 기법 매직링, 사슬뜨기, 한길긴뜨기, 빼뜨기
응용 소품 컵받침, 블랭킷, 쿠션
준비물 코튼볼 2볼, 모사용코바늘 5/0호, 돗바늘, 가위

STEP	방법
시작(S)	매직링
1단	기둥코(사슬 3코), 한길긴뜨기 1번, [사슬 3코, 한길긴뜨기 2번] × 5번, 사슬 3코, 빼뜨기
2~4단	• 기둥코(사슬 3코), 모든 한길긴뜨기 머리에 한길긴뜨기 1번씩 뜨기 • 모서리 부분은 [한길긴뜨기 1번, 사슬 3코, 한길긴뜨기 1번]으로 뜨기 • 빼뜨기 ≫ 3단에서부터 실 컬러를 변경합니다.

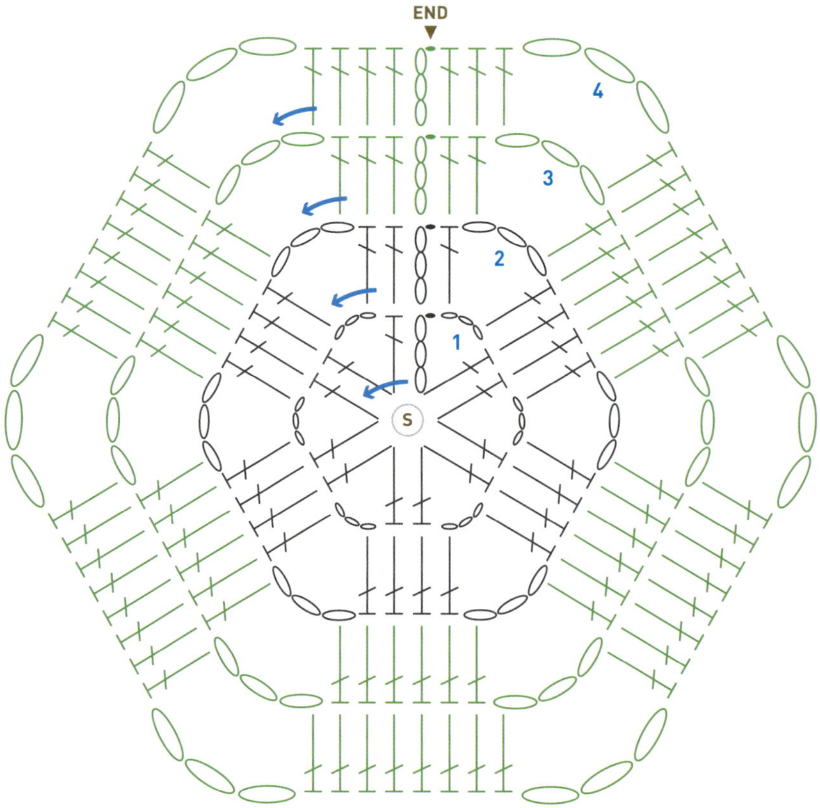

본책 101p ★☆☆☆☆

크래커 양면 컵받침

사이즈	지름 9cm
뜨개 기법	매직링, 사슬뜨기, 한길긴뜨기, 한길긴뜨기늘리기, 빼뜨기
응용 소품	컵받침, 냄비받침, 원형 러그
준비물	피사코튼 2볼, 모사용코바늘 5/0호, 돗바늘, 가위

STEP	방법	증감 콧수	총 콧수
시작(S)	매직링	-	-
1단	기둥코(사슬 3코), 한길긴뜨기 14번, 빼뜨기 ≫ 모든 단은 기둥코(사슬 3)로 시작합니다. 기둥코 자체가 1코의 역할을 하므로 기둥코를 잊어 코가 줄거나 늘어나지 않도록 주의합니다.	+15	15
2단	• 기둥코(사슬 3코), 기둥코와 같은 위치에 한길긴뜨기 1번 • 한길긴뜨기늘리기 14번 • 빼뜨기	+15	30
3단	• [기둥코(사슬 3코), 한길긴뜨기늘리기 1번] • [한길긴뜨기 1번, 한길긴뜨기늘리기 1번] × 14번 • 빼뜨기	+15	45
4단	• [기둥코(사슬 3코), 한길긴뜨기 1번, 한길긴뜨기늘리기 1번] • [한길긴뜨기 2번, 한길긴뜨기늘리기 1번] × 14번 • 빼뜨기	+15	60
편물 연결	총 2장을 뜬 후 가장 바깥 사슬을 1가닥씩 주워 감침질로 연결 ≫ 편물 2장 중 1장의 마지막 실을 20cm 남기고 잘라 연결할 때 사용하세요.	-	-

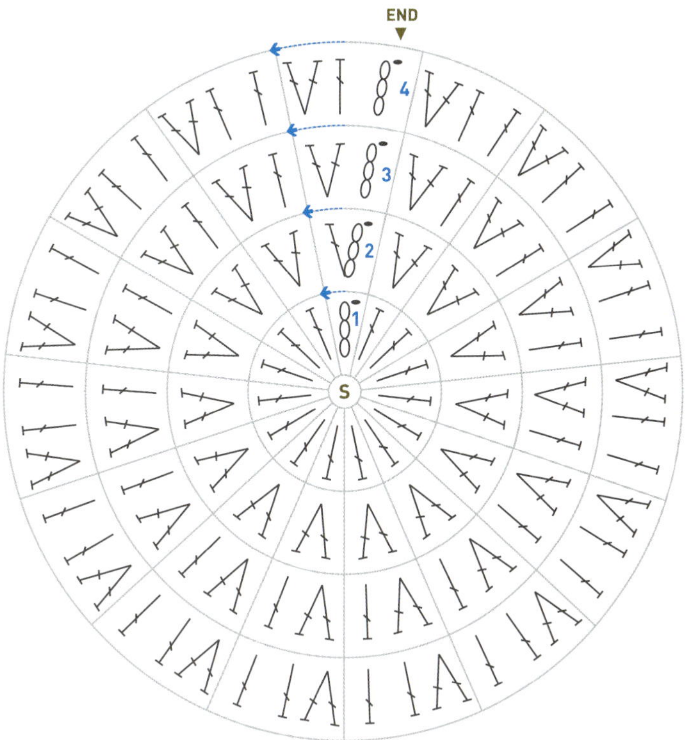

본책 107p

★☆☆☆☆

제이드 바스켓

사이즈 20cm×21cm
뜨개 기법 매직링, 사슬뜨기, 짧은뜨기, 짧은뜨기늘리기, 이랑뜨기, 빼뜨기
준비물 패브릭얀 700g, 점보코바늘 10mm, 단수링, 돗바늘, 가위

STEP	구분	방법	증감 콧수	총 콧수
시작(S)		매직링	-	-
1단	바닥	기둥코(사슬 1코), 짧은뜨기 7번	+7	7
2단	바닥	짧은뜨기늘리기 7번 ≫ 모든 단은 기둥코와 빼뜨기를 뜨지 않으므로 매 단 첫 코에 단수링으로 체크해야 헷갈리지 않습니다.	+7	14
3단	바닥	[짧은뜨기 1번, 짧은뜨기늘리기 1번] × 7번	+7	21
4단	바닥	[짧은뜨기 2번, 짧은뜨기늘리기 1번] × 7번	+7	28
5단	바닥	[짧은뜨기 3번, 짧은뜨기늘리기 1번] × 7번	+7	35
6단	바닥	[짧은뜨기 4번, 짧은뜨기늘리기 1번] × 7번	+7	42
7단	바디	이랑뜨기 42번	-	42
8~19단	바디	짧은뜨기 42번	-	42
20단	손잡이	[짧은뜨기 7번, 사슬 7코, 짧은뜨기 7번] × 2번	-	42
21단	손잡이	짧은뜨기 42번, 빼뜨기 후 돗바늘로 마무리	-	42

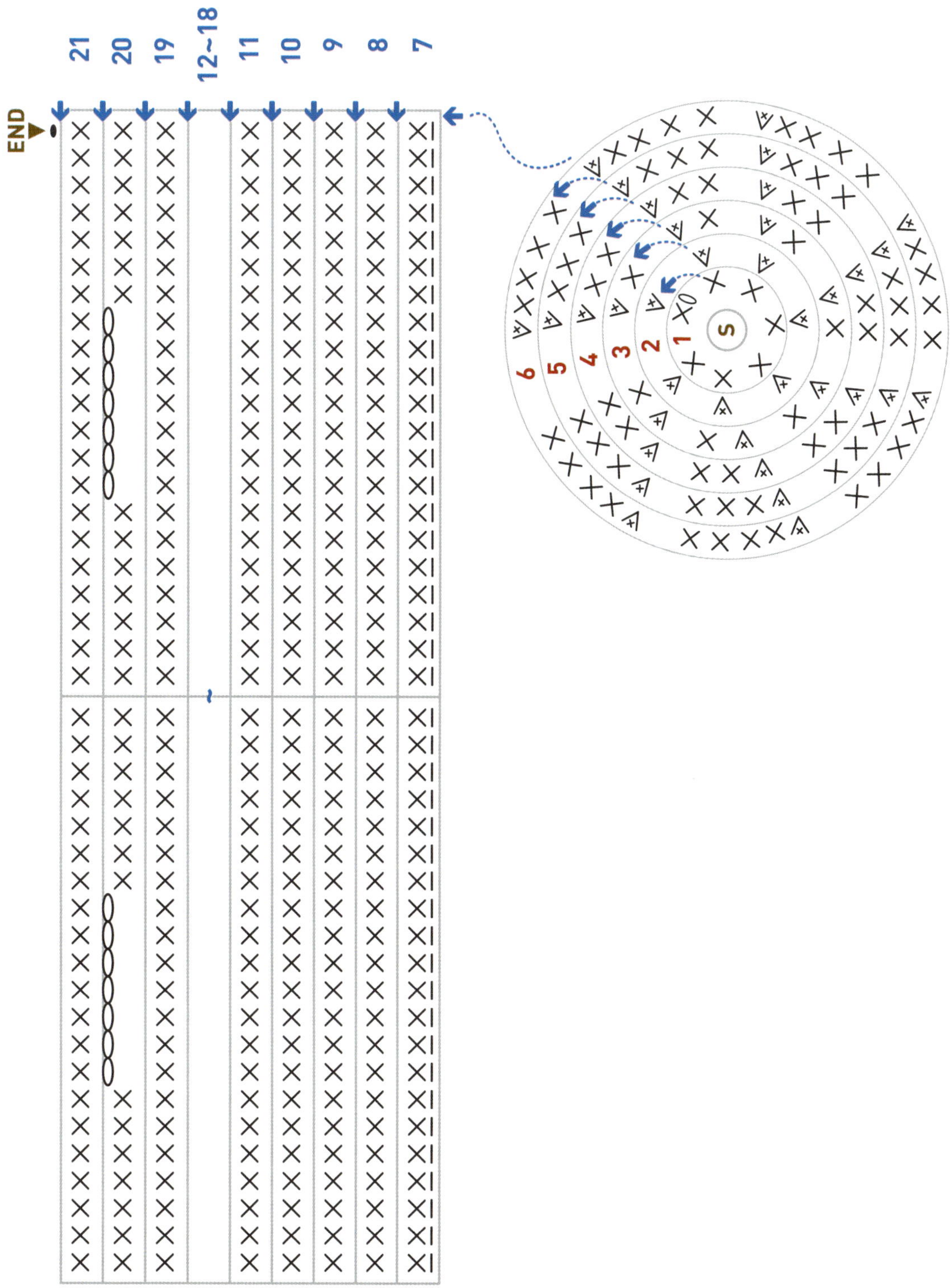
END
21
20
19
12~18
11
10
9
8
7
S
1
2
3
4
5
6

본책 113p

★☆☆☆☆

그래니 카드지갑

사이즈 12cm×8cm

뜨개 기법 매직링, 사슬뜨기, 짧은뜨기, 한길긴뜨기, 한길긴3코늘리기, 빼뜨기

준비물 포지타노 3볼, 모사용코바늘 5/0호, 단추 1개, 돗바늘, 가위

구분	STEP	방법
사각 편물 2장	시작(S)	사슬 9코
	1단	기둥코(사슬 3코), 도안을 따라 한길긴뜨기와 사슬뜨기를 반복, 빼뜨기, 실을 끊어 마무리
	2단	1단 모서리에 새로운 실로 기둥코(사슬 3코) 만들기, 한길긴뜨기와 사슬뜨기 반복, 빼뜨기, 실을 끊어 마무리
	3단	2단 모서리에 새로운 실로 기둥코(사슬 3코) 만들기, 한길긴뜨기와 사슬뜨기 반복, 빼뜨기, 실을 끊어 마무리
테두리 (편물 연결)		• 편물 2장을 포개 좌측 상단에 새로운 실을 걸고 기둥코(사슬 1코) 만들기 • 우측 상단 사슬 공간까지 도안을 따라 짧은뜨기 반복(사슬 공간은 짧은뜨기 1번, 한길긴뜨기 머리마다 짧은뜨기 1번, 모서리 공간은 짧은뜨기 2번) • 남은 테두리는 앞 편물에만 짧은뜨기 • 빼뜨기, 실을 끊어 마무리
덮개 & 테두리	덮개	• 중앙의 한길긴뜨기 기준 우측 사슬에서 시작 • [기둥코(사슬 3코), 한길긴뜨기 4번]을 반복해 4단까지 완성 • [기둥코(사슬 3코), 한길긴뜨기 1번, 사슬 1코, 한길긴뜨기 2번]으로 단춧구멍 만들기 • [기둥코(사슬 3코), 한길긴뜨기 4번], 실을 끊어 마무리
	테두리	• 우측 상단 사슬 공간에 실을 걸고 기둥코(사슬 1코) 만들기 • 뚜껑 부분을 지나 반대쪽까지 짧은뜨기를 반복 • 빼뜨기

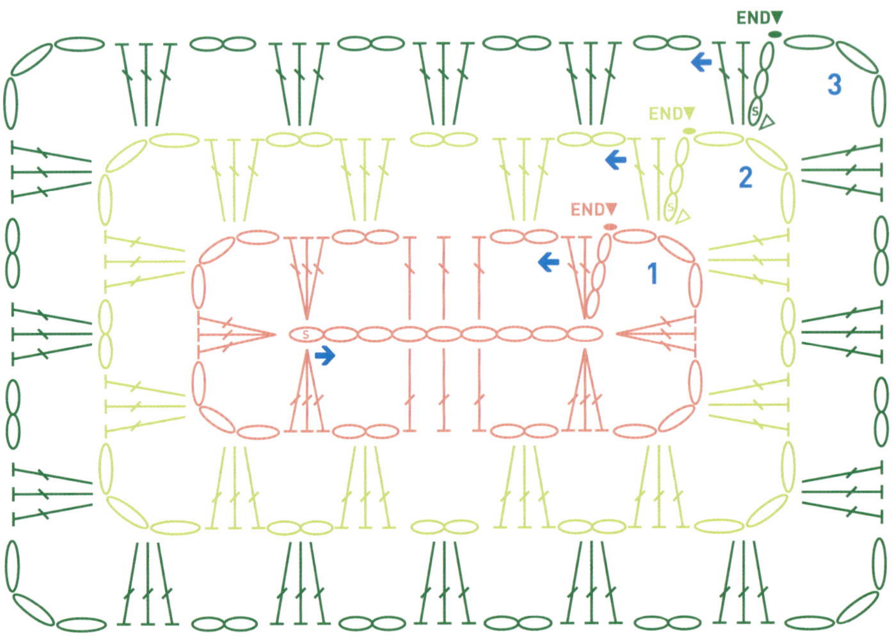

사각 편물 2장

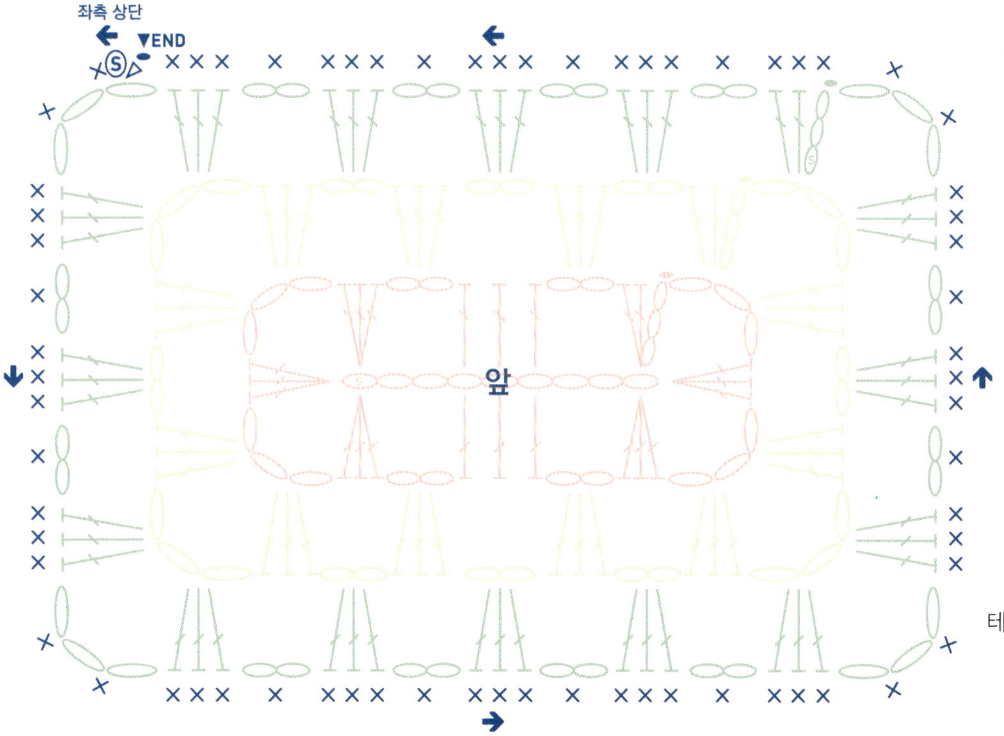

테두리(편물 2장 연결)

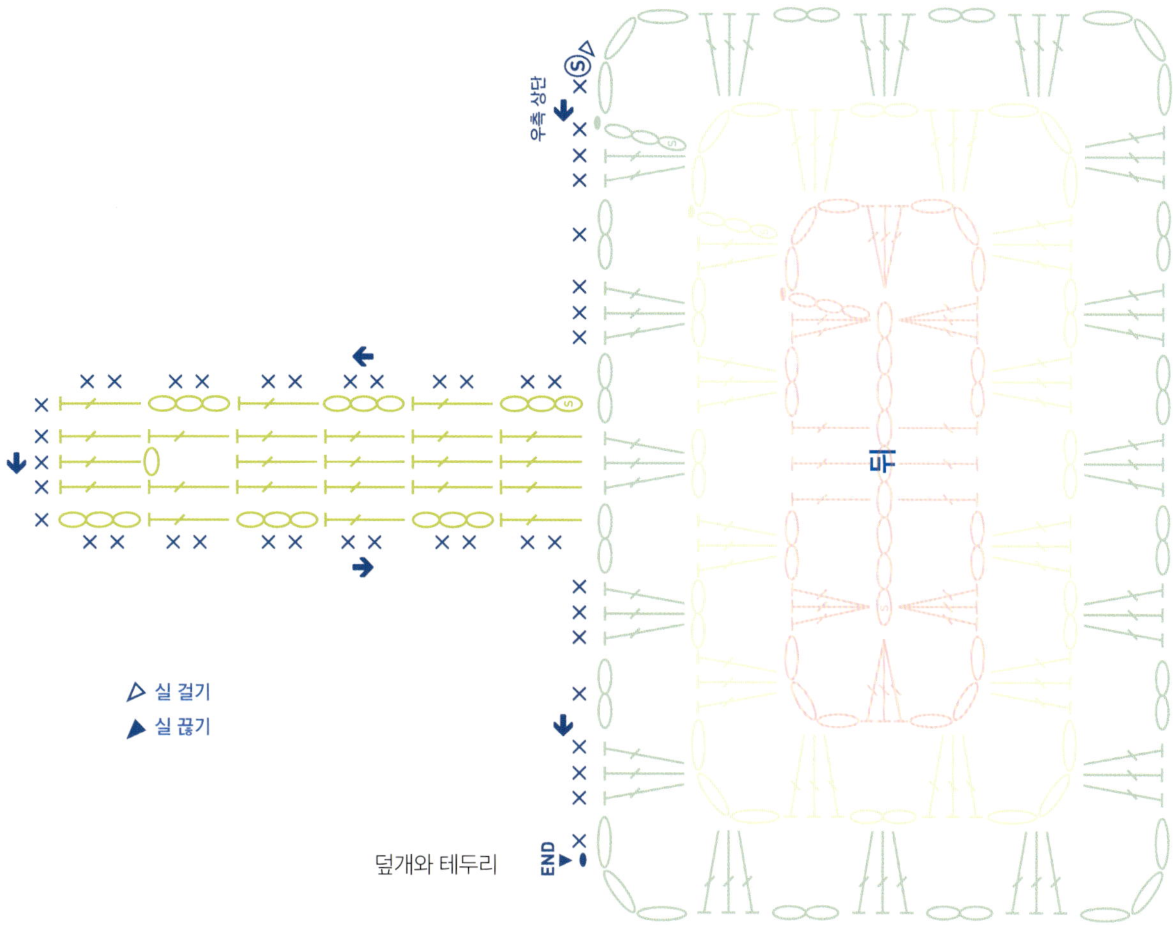

덮개와 테두리

본책 121p ★☆☆☆☆

식빵 냄비받침

사이즈	11.5cm×11.5cm
뜨개 기법	사슬뜨기, 짧은뜨기, 짧은뜨기늘리기, 긴뜨기, 한길긴뜨기, 한길긴뜨기늘리기, 두길긴뜨기, 빼뜨기
준비물	포지타노 2볼, 모사용코바늘 5/0호, 돗바늘, 가위

STEP	방법
시작(S)	사슬 20코
1~8단	기둥코(사슬 3코), 한길긴뜨기 19번
9단	• 기둥코(사슬 1코), • [짧은뜨기 1번, 긴뜨기 1번, 한길긴뜨기 1번, 두길긴뜨기 4번, 한길긴뜨기 1번, 긴뜨기 1번, 짧은뜨기 1번] × 2번
10단	• 기둥코(사슬 1코), • [짧은뜨기 1번, 긴뜨기 1번, 한길긴뜨기 1번, 한길긴뜨기늘리기 4번, 한길긴뜨기 1번, 긴뜨기 1번, 짧은뜨기 1번] × 2번, 실을 끊어 마무리
테두리	• 2단의 우측에 실을 걸어 사슬을 만든 후 짧은뜨기 • 한길긴뜨기 1단: 짧은뜨기 3번 • 1단을 제외한 한길긴뜨기 다리 공간: 짧은뜨기 2번 • 짧은뜨기 2단: 짧은뜨기 1번 • 봉우리: [짧은뜨기 5번, 짧은뜨기늘리기 4번, 짧은뜨기 5번] × 2번 • 시작단 사슬: 사슬 코마다 짧은뜨기 1번

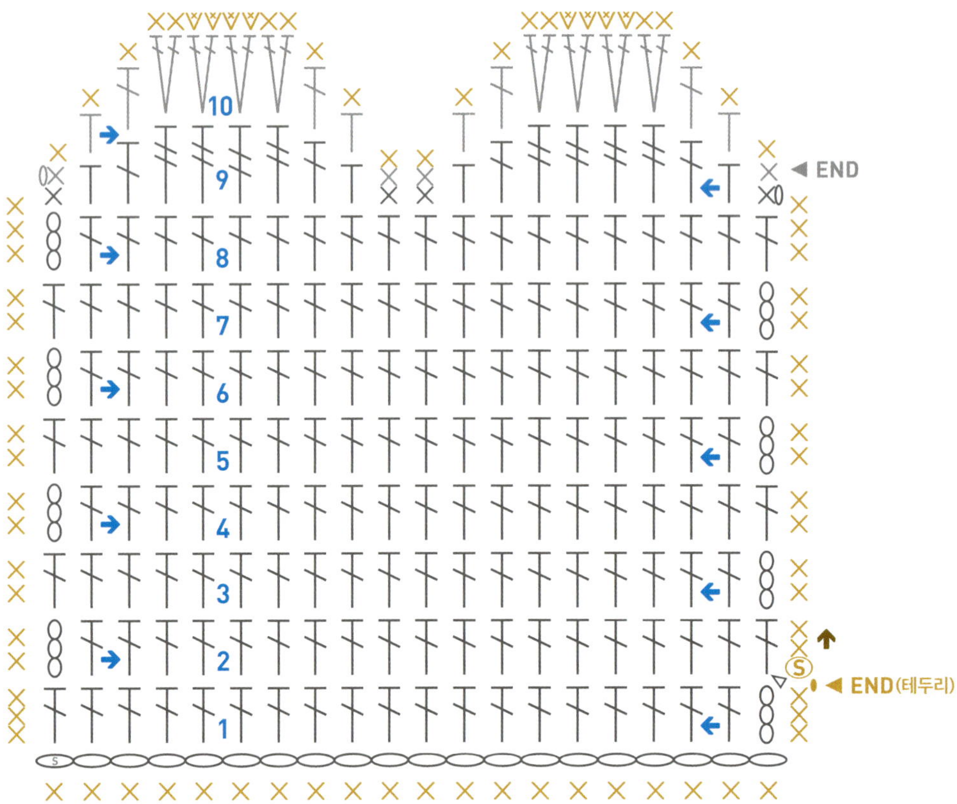

본책 163p ★★☆☆☆

심플스퀘어 러그 방석

사이즈 40cm×40cm
뜨개 기법 사슬뜨기, 짧은뜨기, 한길긴뜨기, 한길긴2코늘리기(사이 사슬 1코), 빼뜨기
준비물 패브릭얀 600g, 점보코바늘 10mm, 돗바늘, 가위

STEP	방법
시작(S)	사슬 28코
1~12단	기둥코(사슬 3코), [한길긴2코늘리기(사이 사슬 1코)] × 9번, 한길긴뜨기 1번
테두리	• 12단 마지막 한길긴뜨기 단계에서 이어서 기둥코(사슬 1코) 세우기 • 좌우 테두리: 모든 단의 한길긴뜨기 다리 공간에 짧은뜨기 2번씩 뜨기 • 상하 테두리: 모든 코에 짧은뜨기 1번씩 뜨기 • 모서리: 도안을 따라 사슬 공간에 사슬 1코를 추가해 뜨기 • 빼뜨기

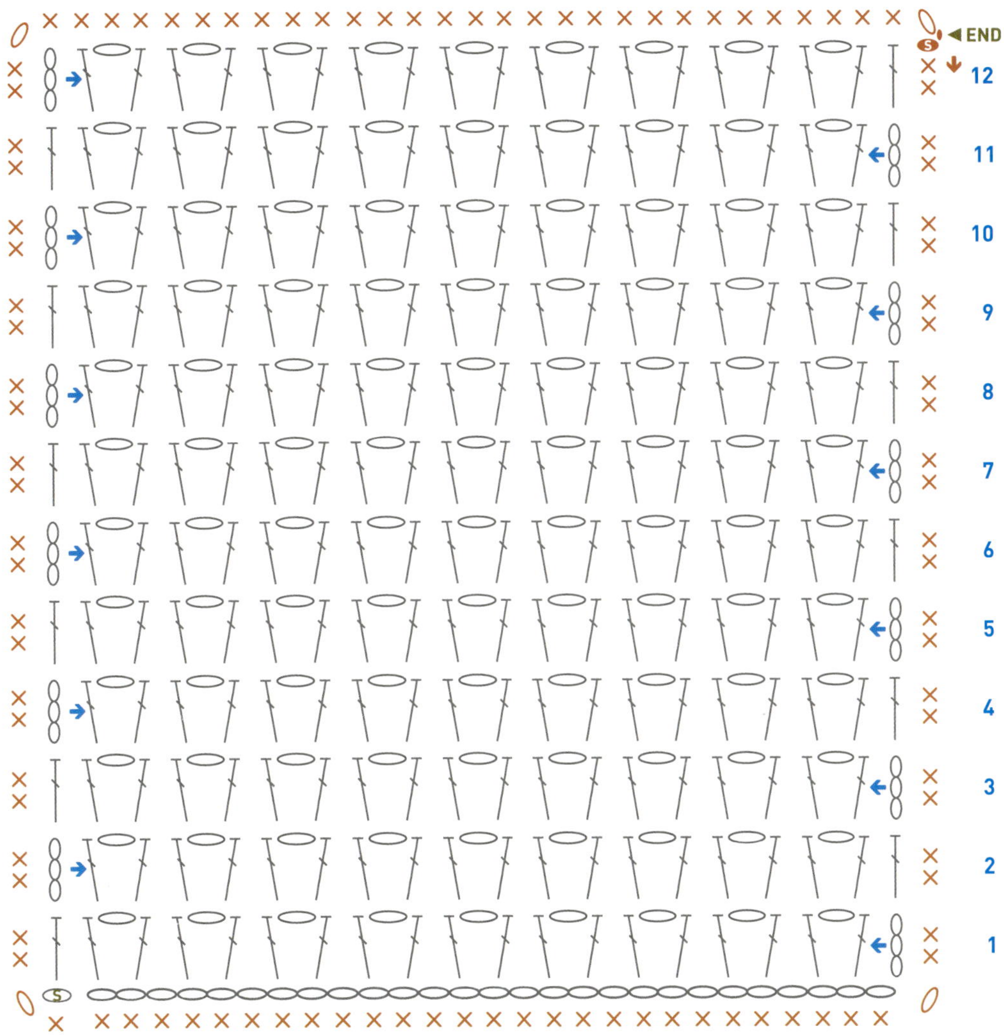

본책 127p ★★☆☆☆

폴딩 버킷햇

사이즈 두상 폭 28cm, 챙 폭 42cm, 높이 22cm
뜨개 기법 매직링, 사슬뜨기, 짧은뜨기, 짧은뜨기늘리기, 이랑뜨기, 이랑뜨기줄이기, 빼뜨기
준비물 피사코튼 2볼, 모사용코바늘 8/0호, 돗바늘, 가위
〔 완성 이미지는 얇은 실(피사코튼) 2가닥을 함께 잡고 뜬 형태입니다. 〕

구분	STEP	방법	증감 콧수	총 콧수
정수리	시작(S)	매직링	-	-
	1단	기둥코(사슬 1코), 짧은뜨기 8번 ≫ 2단부터는 기둥코와 빼뜨기를 뜨지 않으므로 매 단 첫 코에 단수링으로 체크해야 헷갈리지 않습니다.	+8	8
	2단	짧은뜨기늘리기 8번	+8	16
	3단	[짧은뜨기 1번, 짧은뜨기늘리기 1번] × 8번	+8	24
	4단	[짧은뜨기 2번, 짧은뜨기늘리기 1번] × 8번	+8	32
	5단	짧은뜨기 32번	-	32
	6단	[짧은뜨기 3번, 짧은뜨기늘리기 1번] × 8번	+8	40
	7단	[짧은뜨기 4번, 짧은뜨기늘리기 1번] × 8번	+8	48
	8단	짧은뜨기 48번	-	48
	9단	[짧은뜨기 5번, 짧은뜨기늘리기 1번] × 8번	+8	56
	10단	[짧은뜨기 6번, 짧은뜨기늘리기 1번] × 8번	+8	64
	11단	짧은뜨기 64번	-	64
	12단	[이랑뜨기 14번, 이랑뜨기줄이기 1번] × 4번	-4	60
챙	13단	[짧은뜨기 9번, 짧은뜨기늘리기 1번] × 6번	+6	66
	14~15단	짧은뜨기 66번	-	66
	16단	[짧은뜨기 10번, 짧은뜨기늘리기 1번] × 6번	+6	72
	17단	짧은뜨기 72번	-	72
	18단	[짧은뜨기 11번, 짧은뜨기늘리기 1번] × 6번	+6	78
	19~21단	짧은뜨기 78번	-	78
	22단	[짧은뜨기 12번, 짧은뜨기늘리기 1번] × 6번	+6	84
	23~25단	짧은뜨기 84번	-	84
	26단	[짧은뜨기 13번, 짧은뜨기늘리기 1번] × 6번	+6	90
	27단	짧은뜨기 90번	-	90
	28단	[짧은뜨기 14번, 짧은뜨기늘리기 1번] × 6번	+6	96
	29단	[짧은뜨기 15번, 짧은뜨기늘리기 1번] × 6번	+6	102
	30~31단	짧은뜨기 102번	-	102
	32단	[짧은뜨기 2번, 짧은뜨기늘리기 1번] × 34번	+34	136
	33~36단	짧은뜨기 136번, 빼뜨기	-	136

〔 챙 만들기를 시작하는 13단은 정수리가 끝나는 12단에서 에서 바로 이어 뜹니다. 〕
〔 정수리 부분은 8각 형태로 코 늘림이 규칙적이었지만 챙 부분은 코 늘림이 불규칙적이니 도안을 잘 확인하면서 뜹니다. 〕

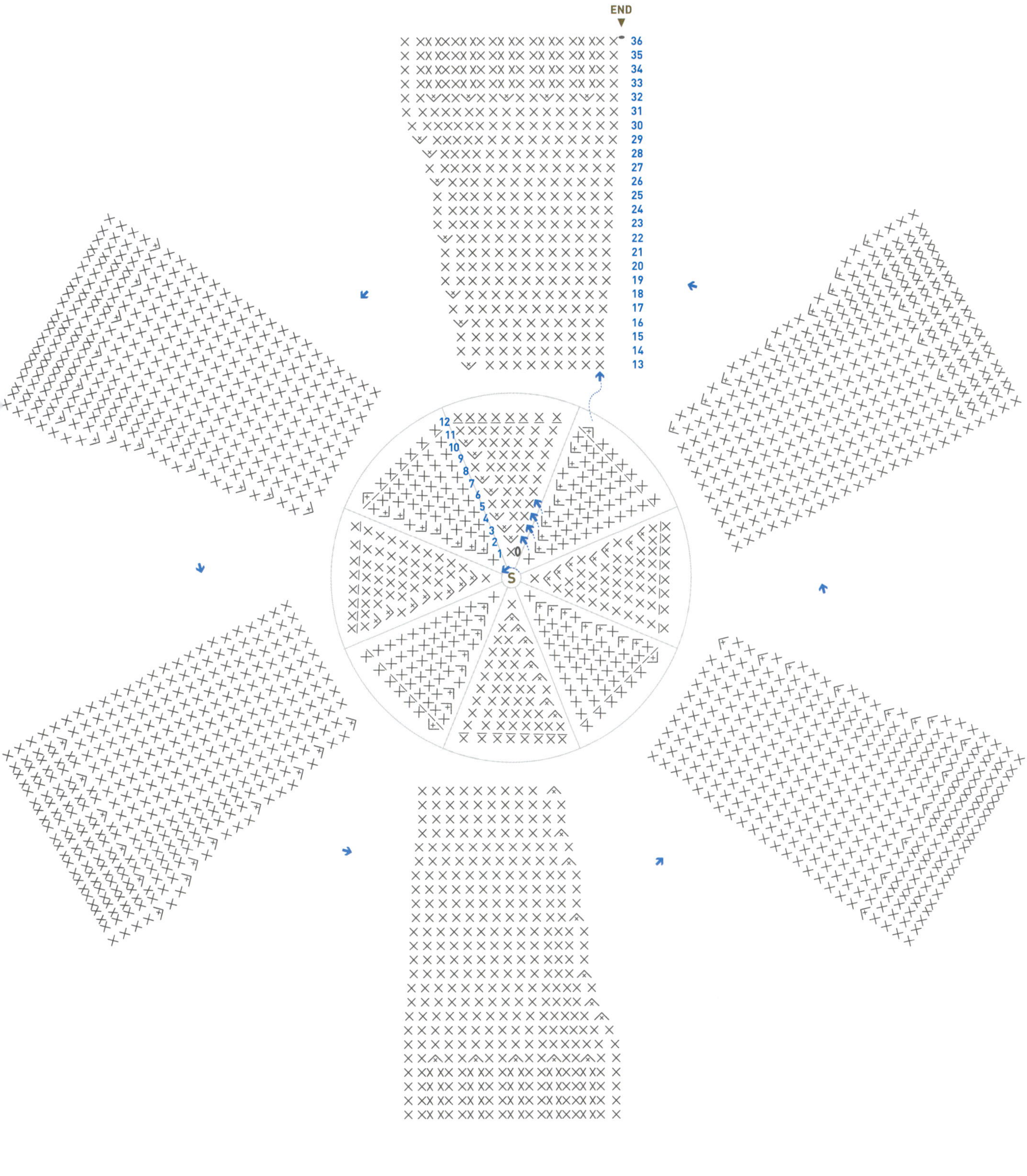
END
36
35
34
33
32
31
30
29
28
27
26
25
24
23
22
21
20
19
18
17
16
15
14
13
12
11
10
9
8
7
6
5
4
3
2
1
0
S

본책 131p ★☆☆☆☆

구름 슈즈

사이즈 235mm
뜨개 기법 매직링, 사슬뜨기, 짧은뜨기, 한길긴뜨기, 빼뜨기
준비물 클라우드얀 2볼, 점보코바늘 10mm, 돗바늘, 가위

STEP	방향	방법	증감 콧수	총 콧수
시작(S)	원형	매직링	-	-
1단	원형	기둥코(사슬 3코), 한길긴뜨기 9번, 빼뜨기	+10	10
2단	원형	• [기둥코(사슬 3코), 한길긴뜨기늘리기 1번] • [한길긴뜨기 1번, 한길긴뜨기늘리기 1번] × 4번 • 빼뜨기	+5	15
3단	원형	기둥코(사슬 3코), 한길긴뜨기 14번, 빼뜨기	-	15
4단	평면	기둥코(사슬 3코), 한길긴뜨기 9번 ≫ 4단부터는 평면뜨기 단(발바닥 부분)으로 편물을 뒤집어가며 뜹니다.	-5	10
5~8단	평면	• 기둥코(사슬 3코), 한길긴뜨기 9번 • 실을 15cm 남겨 자르고 뒤꿈치 연결	-	10
슈즈 옆면		• 마지막 단 첫 코에 실을 새로 걸어 기둥코(사슬 1코) 세우기 • 모든 한길긴뜨기 다리 공간에 짧은뜨기를 2번씩 떠 테두리 만들기	-	-
스트랩		• [사슬 8코, 기둥코(사슬 1코)]를 뜬 후 사슬마다 빼뜨기하면서 돌아와 마무리 • 스트랩 끝을 신발 몸체에 연결	-	-

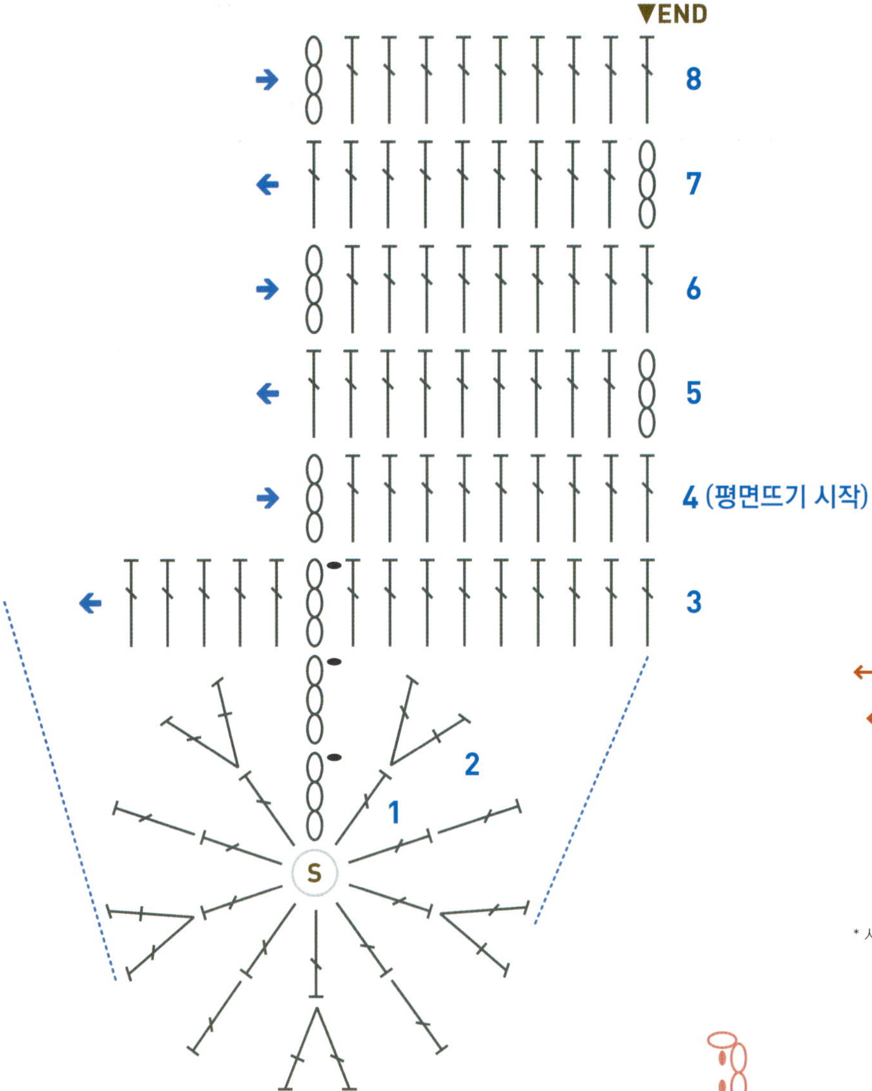

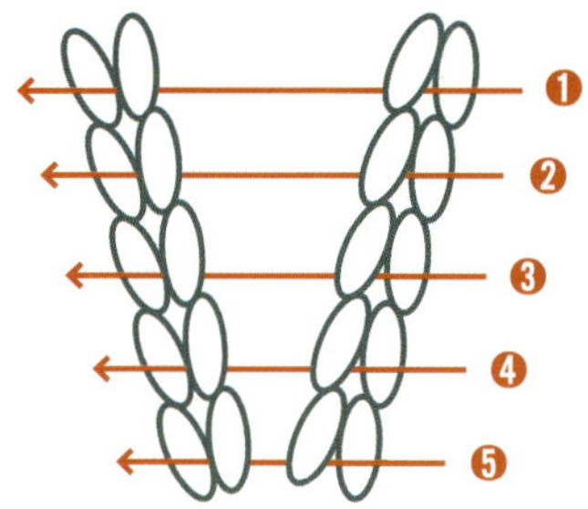

* 사슬을 반 코씩 주워가며 감침질합니다.

뒤꿈치 연결

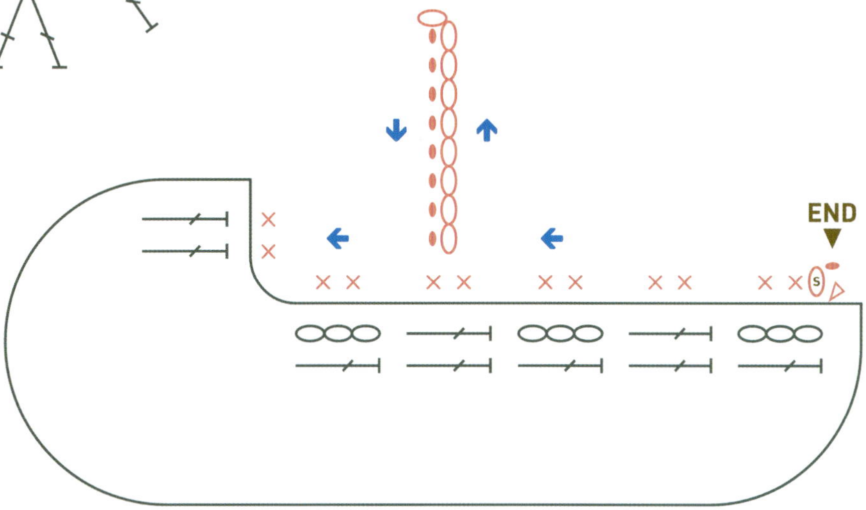

슈즈 옆면과 스트랩

본책 137p ★☆☆☆☆

솔리드 바스켓

사이즈 가로 16cm, 세로 16cm, 높이 10cm
뜨개 기법 매직링, 사슬뜨기, 짧은뜨기, 겹짧은뜨기, 빼뜨기
준비물 치앙마이 3볼, 모사용코바늘 5/0호, 돗바늘, 가위

STEP	방법
시작(S)	매직링
1단	기둥코(사슬 1코), [짧은뜨기 1번, 사슬 2코] × 4번, 빼뜨기
2~12단	• 기둥코(사슬 1코) • 모든 짧은뜨기 머리에 짧은뜨기 1번씩 뜨기 • 모든 모서리에 [짧은뜨기 1번, 사슬 2코, 짧은뜨기 1번] 뜨기 • 빼뜨기
13단	기둥코(사슬 1코), 짧은뜨기 92번, 빼뜨기 ≫ 13단 모서리 4곳(사슬 부분)은 모서리 각을 세우기 위해 짧은뜨기를 하지 않습니다.
14~32단	짝수단: 기둥코(사슬 1코), [짧은뜨기 1번, 겹짧은뜨기 1번] × 46번, 빼뜨기 홀수단: 기둥코(사슬 1코), [겹짧은뜨기 1번, 짧은뜨기 1번] × 46번, 빼뜨기

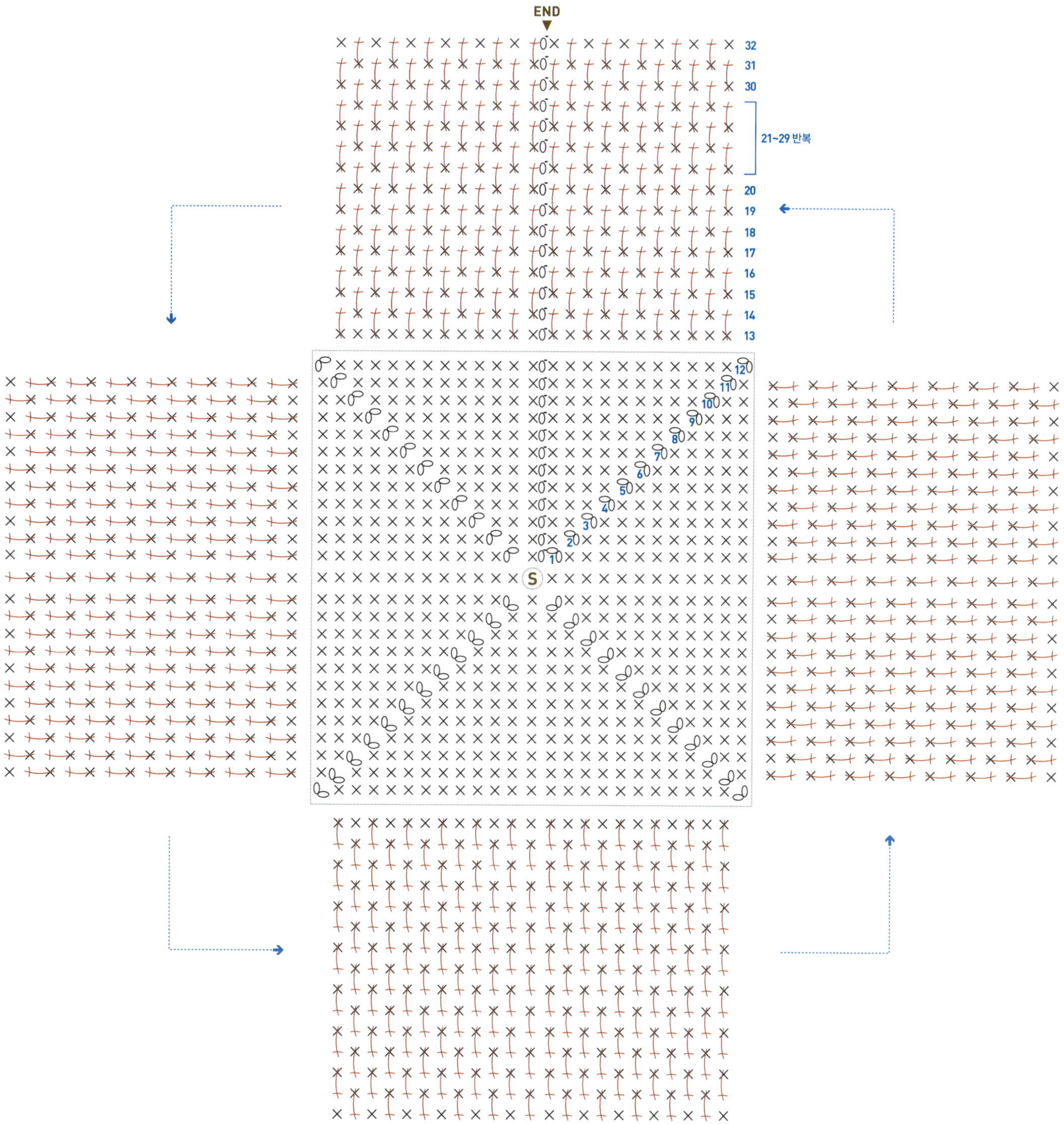
END
32
31
30
21~29 반복
20
19
18
17
16
15
14
13
12
11
10
9
8
7
6
5
4
3
2
1
S

본책 143p ★☆☆☆☆

크라운 보틀워머

사이즈 지름 7cm, 높이 15cm
뜨개 기법 매직링, 사슬뜨기, 한길긴뜨기, 한길긴뜨기늘리기, 한길긴1코교차뜨기(사이 사슬 1코), 피코뜨기, 빼뜨기
준비물 피사코튼 2볼, 모사용코바늘 4/0호, 돗바늘, 가위

STEP	구분	방법	증감 콧수	총 콧수
시작(S)	바닥	매직링	-	-
1단	바닥	기둥코(사슬 3코), 한길긴뜨기 14번, 빼뜨기	+15	15
2단	바닥	• [기둥코(사슬 3코), 기둥코와 같은 위치에 한길긴뜨기 1번] • 한길긴뜨기늘리기 14번 • 빼뜨기	+15	30
3단	바닥	• [기둥코(사슬 3코), 한길긴뜨기늘리기 1번] • [한길긴뜨기 1번, 한길긴뜨기늘리기 1번] × 14번 • 빼뜨기	+15	45
4단	바디	기둥코(사슬 3코), 한길긴뜨기 44번, 빼뜨기	-	45
5단	바디	• [기둥코(사슬 3코), 한길긴1코교차뜨기(사이 사슬 1코), 한길긴뜨기 1번] • [한길긴뜨기 1번, 한길긴1코교차뜨기(사이 사슬 1코), 한길긴뜨기 1번] × 8번 • 빼뜨기	-	45
6단	바디	기둥코(사슬 3코), 한길긴뜨기 44번, 빼뜨기	-	45
홀수단	바디	5단과 동일	-	45
짝수단	바디	6단과 동일	-	45
20단	바디	• [기둥코(사슬 3코), 한길긴뜨기 4번, 피코뜨기 1번] • [한길긴뜨기 5번, 피코뜨기 1번] × 8번 • 빼뜨기	-	45

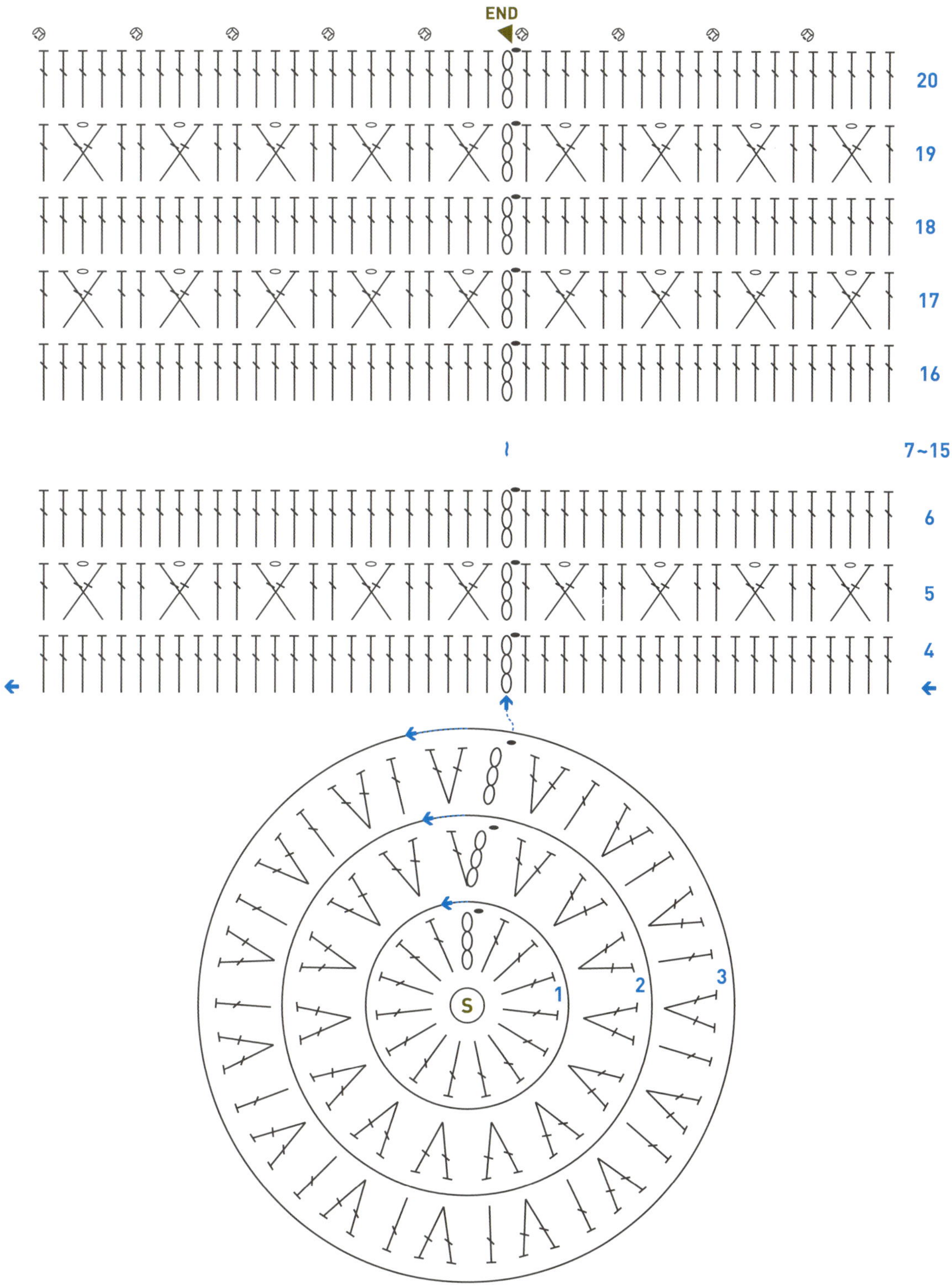
END
20
19
18
17
16
7~15
6
5
4
S
1
2
3

본책 145p ★★☆☆☆

테이블매트

사이즈 42cm×30cm
뜨개 기법 사슬뜨기, 짧은뜨기, 한길긴뜨기, 피코뜨기, 빼뜨기
준비물 라스베가스 3볼, 모사용코바늘 4/0호, 돗바늘, 가위

STEP	방법
시작(S)	사슬 69코
1~5단	• [기둥코(사슬 3코), 한길긴뜨기 8번, 사슬 1코] • [한길긴뜨기 9번, 사슬 1코] × 5번 • 한길긴뜨기 9번
6단	• [기둥코(사슬 3코), 사슬 1코] • [한길긴뜨기 1번, 사슬 1코] × 33번 • 한길긴뜨기 1번
7~36단	1~6단을 반복
37~41단	1~5단과 동일
테두리	• 도안을 따라 사슬뜨기, 짧은뜨기, 피코뜨기를 반복 • 빼뜨기 ≫ 41단 마지막 한길긴뜨기 단계에서 실을 끊지 않고 이어서 테두리를 뜹니다.

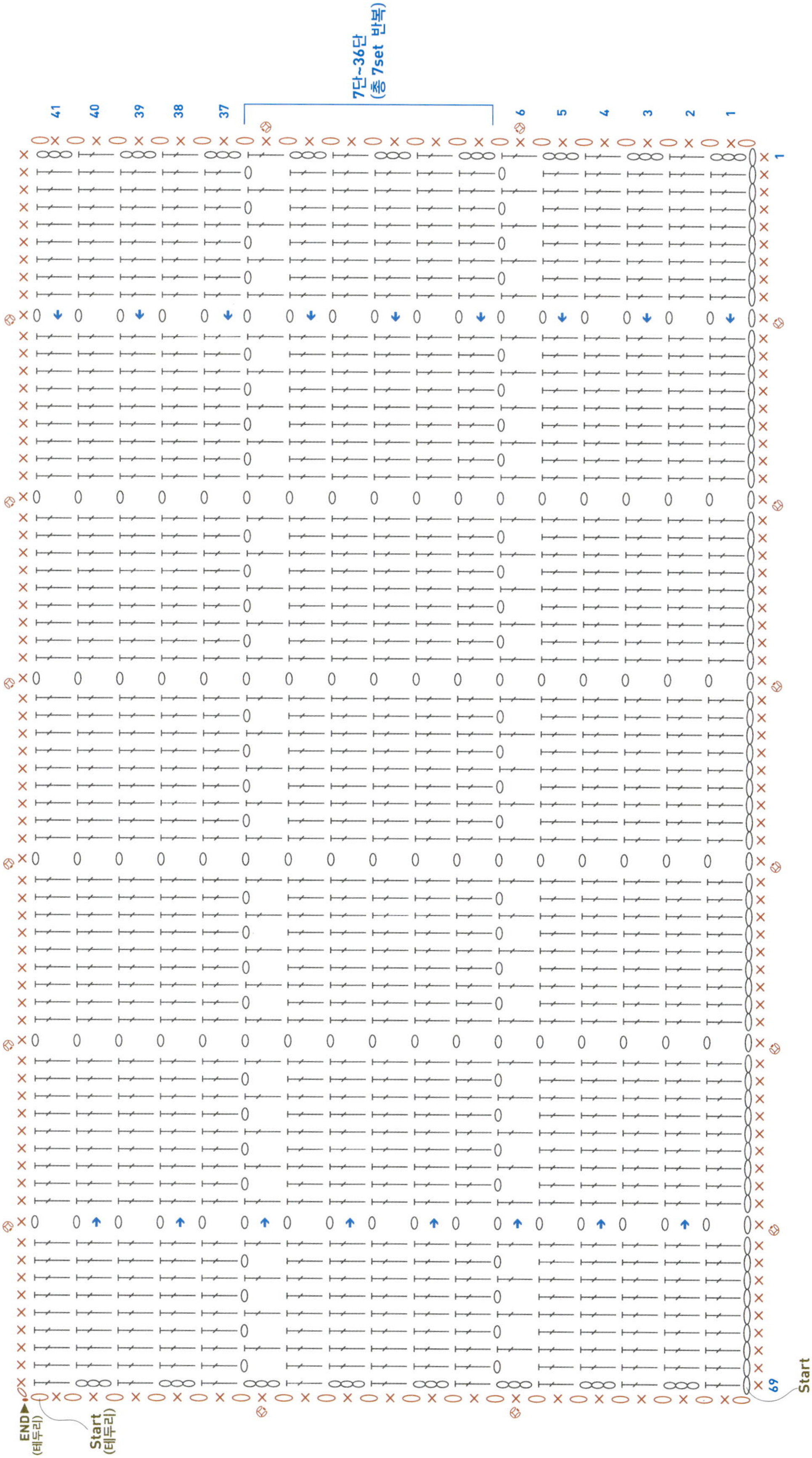

7단~36단
(총 7set 반복)
41
40
39
38
37
6
5
4
3
2
1
1
69
Start
END▶
(테두리)
Start
(테두리)

본책 149p

★★☆☆☆

가죽손잡이 썸머백

사이즈 가로 28cm, 높이 29cm, 바닥 폭 10cm

뜨개 기법 사슬뜨기, 짧은뜨기, 짧은뜨기늘리기, 겹짧은뜨기, 이랑뜨기, 빼뜨기

준비물 패브릭얀 500g, 트윙클 1볼, 가죽패치, 점보코바늘 10mm, 돗바늘, 가위

〔 완성 이미지는 패브릭얀과 트윙클 2가닥을 함께 잡고 뜬 형태입니다. 〕

Work 13.

STEP	구분	방법
시작(S)		사슬 12코
1단	바닥	기둥코(사슬 1코), [짧은뜨기늘리기 1번, 짧은뜨기 10번, 짧은뜨기늘리기 1번] × 2번, 빼뜨기 ≫ 총 28코가 됩니다.
2단	바닥	기둥코(사슬 1코) 후 [짧은뜨기늘리기 2번, 짧은뜨기 10번, 짧은뜨기늘리기 2번] × 2번, 빼뜨기 ≫ 총 36코가 됩니다.
3단	바닥	기둥코(사슬 1코) 후 [짧은뜨기늘리기 2번, 짧은뜨기 14번, 짧은뜨기늘리기 2번] × 2번 ≫ 빼뜨기를 하지 않습니다. 총 44코가 됩니다.
4~17단	바디	이랑뜨기 44번 ≫ 앞 단의 마지막 코에서 빼뜨기하지 않고 바로 시작합니다. 앞으로의 모든 단은 기둥코와 빼뜨기 없이 나선형으로 뜹니다.
18단	손잡이	[이랑뜨기 8번, 사슬 7코, 여섯 코 건너뛰고 이랑뜨기 8번] × 2번
19단	손잡이	이랑뜨기 44번
20단	손잡이	[이랑뜨기 8번, 겹짧은뜨기 7번, 이랑뜨기 8번] × 2번, 빼뜨기
마무리		8cm 정사각형 인조 가죽 패치를 손잡이에 대고 버튼홀 스티치로 꿰매어 마무리

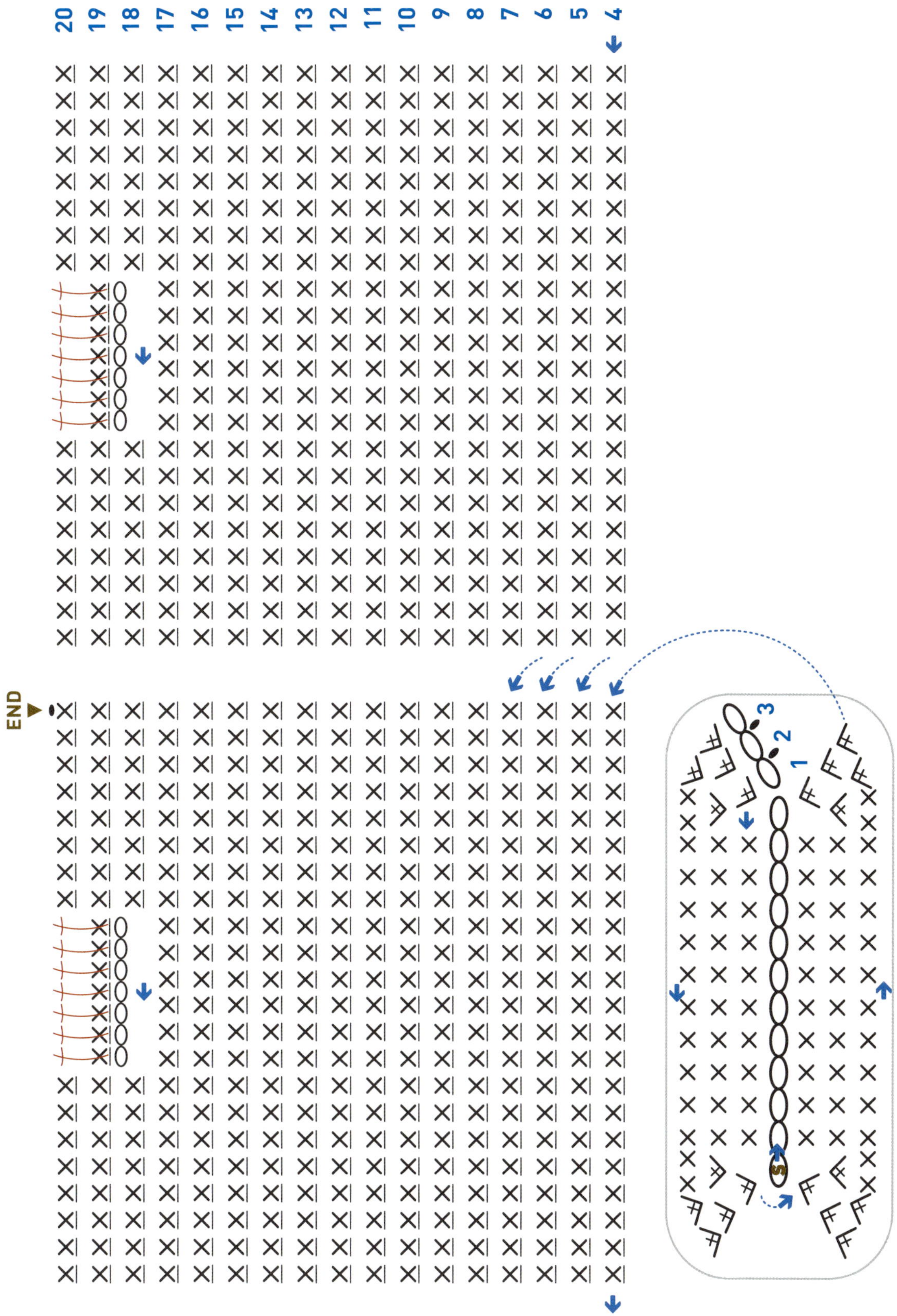
20
19
18
17
16
15
14
13
12
11
10
9
8
7
6
5
4
END
1
2
3
S

본책 153p ★★☆☆☆

사각 그물 캔들커버

사이즈 지름 13cm, 높이 7cm
뜨개 기법 사슬뜨기, 짧은뜨기, 한길긴뜨기, 한길긴뜨기늘리기, 빼뜨기
준비물 포지타노 1볼, 모사용코바늘 5/0호, 돗바늘, 가위

STEP	방법
시작	사슬 48코를 만들고 첫 코에 빼뜨기 ≫ 가지고 있는 캔들의 지름만큼 사슬의 콧수를 조절하세요. (단, 총 사슬 개수는 2의 배수여야 합니다.) 실이 늘어나므로 사슬을 팽팽하게 당겨 캔들을 둘렀을 때 양끝이 겨우 닿는 정도가 좋습니다.
1단	• 기둥코(사슬 3코), 사슬 1코, • [한길긴뜨기 1번, 사슬 1코] × 23번 • 빼뜨기 ≫ 기초코 사슬을 한 코씩 주워가며 떠주세요.
2단	• 사슬 공간에 빼뜨기하여 코를 옮긴 후 시작 • 기둥코(사슬 1코), [짧은뜨기 1번, 사슬 2코] × 24번 • 빼뜨기
3단	• 사슬 공간에 빼뜨기하여 코를 옮긴 후 시작 • 기둥코(사슬 3코), 사슬 1코, [한길긴뜨기 1번, 사슬 1코] × 23번 • 빼뜨기
4단	• 사슬 공간에 빼뜨기하여 코를 옮긴 후 시작 • 기둥코(사슬 3코), 동일한 사슬 공간에 한길긴뜨기 1번 • 사슬 공간마다 [한길긴뜨기늘리기] × 23번 • 빼뜨기 ≫ 한길긴뜨기 머리에 뜨지 않고 사슬 공간에만 한길긴뜨기를 2번씩 뜹니다.
5~8단	1~4단과 동일한 방법으로 완성해 빼뜨기로 마무리합니다. ≫ 가지고 있는 캔들의 높이만큼 조절해보세요.

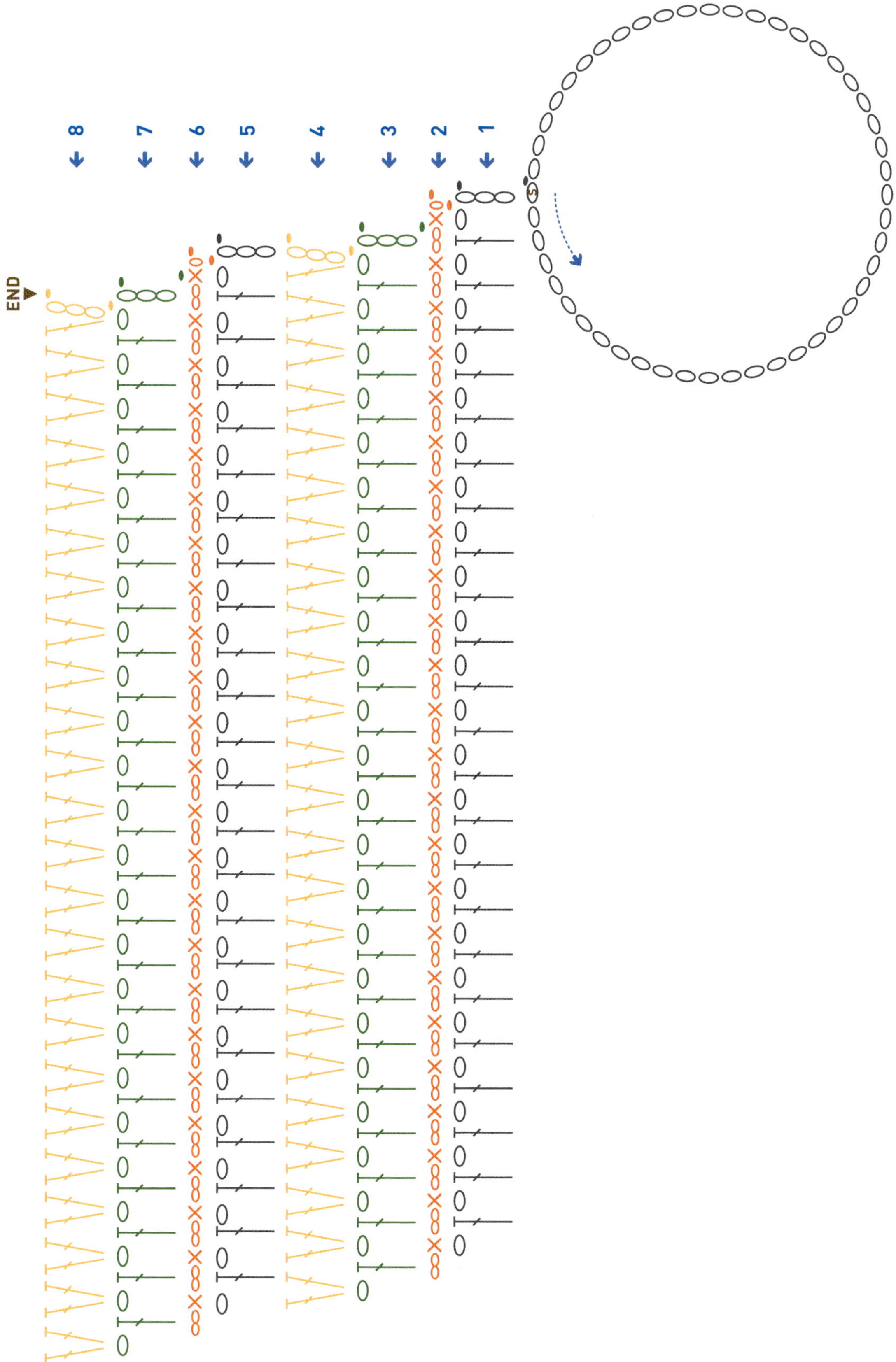
1
2
3
4
5
6
7
8
END

본책 157p

★★☆☆☆

눈꽃 러그 방석

사이즈 지름 42cm

뜨개 기법 매직링, 사슬뜨기, 짧은뜨기, 짧은뜨기늘리기, 한길긴뜨기, 한길긴뜨기늘리기, 한길긴뜨기줄이기, 피코뜨기, 빼뜨기

준비물 패브릭얀 600g, 점보코바늘 10mm, 돗바늘, 가위

Work 15.

STEP	방법
시작(S)	매직링
1단	• 기둥코(사슬 3코), 한길긴뜨기 14번 • 빼뜨기
2단	• [기둥코(사슬 3코), 사슬 1코] • [한길긴뜨기 1번, 사슬 1코] × 14번 • 빼뜨기
3단	• [기둥코(사슬 3코), 사슬 공간에 한길긴뜨기늘리기 1번 • [한길긴뜨기 머리에 한길긴뜨기 1번, 사슬 공간에 한길긴뜨기늘리기 1번] × 14번 • 빼뜨기
4단	• 기둥코(사슬 1코), 한 코 건너뛰고 한길긴뜨기 1번, 사슬 2코 • [한길긴뜨기줄이기 1번, 사슬 2코] × 20번 • 한길긴뜨기줄이기 1번, 사슬 1코 • 시작코에 짧은뜨기로 마무리
5단	• [기둥코(사슬 3코), 사슬 2코] • [한길긴뜨기 2번, 사슬 2코] × 21번 • 한길긴뜨기 1번 • 빼뜨기
6단	• 기둥코(사슬 3코), 한길긴뜨기 65번 • 빼뜨기
7단	• 기둥코(사슬 1코), [짧은뜨기 2번, 짧은뜨기늘리기 1번, 피코뜨기 1번] × 22번 • 빼뜨기

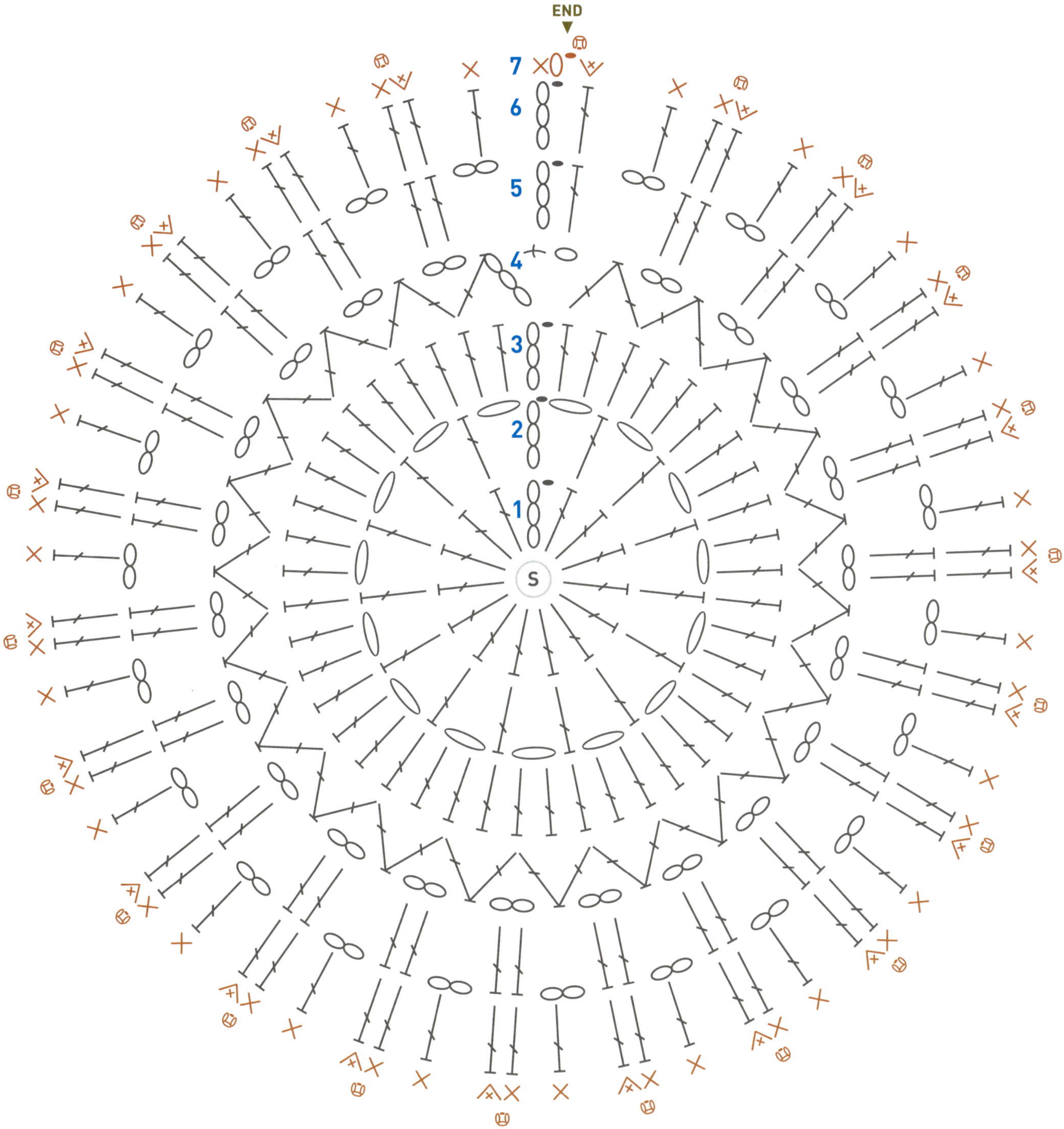
END
7
6
5
4
3
2
1
S

본책 167p ★★☆☆☆

트라이앵글 가랜드

사이즈 삼각 모티브 폭 12cm

뜨개 기법 매직링, 사슬뜨기, 짧은뜨기, 긴뜨기, 한길긴뜨기, 한길긴뜨기늘리기, 빼뜨기

준비물 코튼볼 3볼, 모사용코바늘 5/0호, 돗바늘, 가위

STEP	방법
시작(S)	매직링
1단	• 기둥코(사슬 3코), 한길긴뜨기 4번, 사슬 3코 • 한길긴뜨기 5번, 사슬 3코 • 한길긴뜨기 5번, 사슬 1코, 긴뜨기로 마무리 ≫ 원하는 컬러로 다양하게 배색해보세요.
2~3단	• 기둥코(사슬 3코), 긴뜨기 다리에 한길긴뜨기 2번 • 모든 한길긴뜨기 머리(전 단의 기둥코인 사슬 머리 포함): 한길긴뜨기 1번씩 뜨기 • 첫 번째, 두 번째 모서리: [한길긴뜨기 3번, 사슬 3코, 한길긴뜨기 3번] 뜨기 • 마지막 모서리: [한길긴뜨기 3번, 사슬 1코], 긴뜨기로 마무리
4단	• 기둥코(사슬 3코), 긴뜨기 다리에 한길긴뜨기 2번 • 모든 한길긴뜨기 머리(전 단의 기둥코인 사슬 머리 포함): 한길긴뜨기 1번씩 뜨기 • 첫 번째, 두 번째 모서리: [한길긴뜨기 3번, 사슬 3코, 한길긴뜨기 3번] 뜨기 • 마지막 모서리: [한길긴뜨기 3번, 사슬 3코], 빼뜨기로 마무리
연결 끈	• 사슬 40코 만들기(원하는 길이만큼 조절) • 모티브 1장을 잡고 도안을 따라 사슬 공간까지 짧은뜨기 • 사슬 10코를 만들어 모티브 사이 연결 • 다음 모티브 모서리 사슬 공간에 짧은뜨기로 뜨기 시작 • 동일한 방법으로 모티브를 연결한 후 사슬뜨기 40코로 마무리 • 사슬 양끝에 태슬을 만들어 부착해 완성(본책 169p)

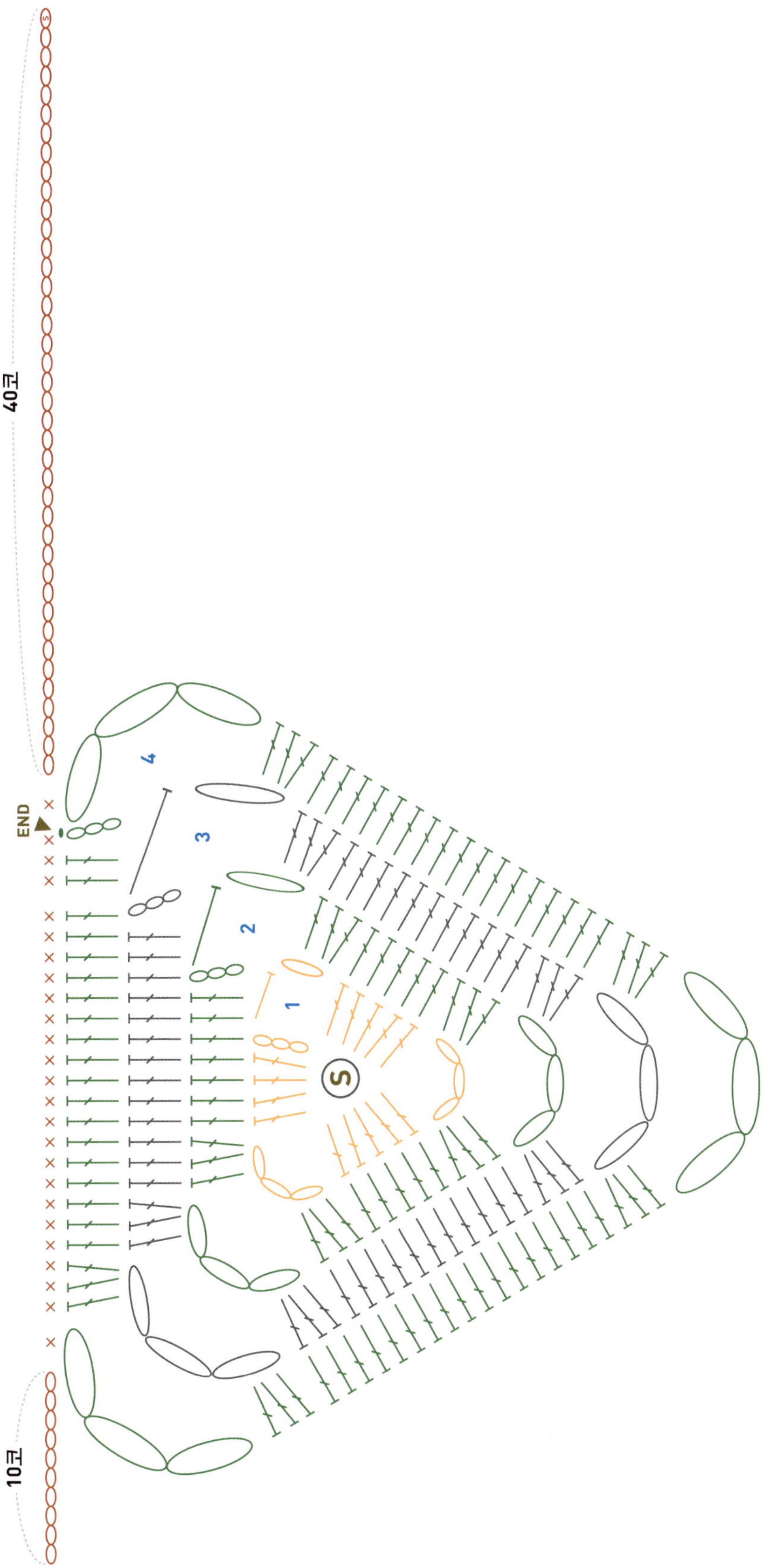
40코
END
4
3
2
1
S
10코

본책 173p ★★☆☆☆

스트라이프 가랜드

사이즈 삼각 모티브 폭 11cm
뜨개 기법 사슬뜨기, 짧은뜨기, 짧은뜨기늘리기, 겹짧은뜨기, 빼뜨기
준비물 비엔나 2볼, 모사용코바늘 5/0호, 돗바늘, 가위

STEP	방법
시작	사슬 1코
1단	기둥코(사슬 1코), 짧은뜨기늘리기 1번
2~14단	• 기둥코(사슬 1코) • 마지막 코를 제외한 코에 짧은뜨기 1번씩 뜨기 • 마지막 코는 짧은뜨기늘리기 1번
테두리 1단	• 14단 윗면: 기둥코(사슬 1코) 후 짧은뜨기 1번씩 뜨기 • 좌측단 부분: 14단 부분은 짧은뜨기 2번 뜨기, 매 단마다 짧은뜨기 1번씩(총 13번) 뜨기 • 삼각형 하단 모서리: 사슬 1코에 짧은뜨기 3번 뜨기 • 우측단 부분: 매 단마다 짧은뜨기 1번씩(총 13번) 뜨기, 14단 부분은 짧은뜨기 2번, 빼뜨기
테두리 2단	• 기둥코(사슬 1코) • 전 단 짧은뜨기에 겹짧은뜨기 1번씩 뜨기 • 빼뜨기
연결 끈	• 사슬 40코 만들기 • 모티브 1장을 잡고 상단의 짧은뜨기 머리 17코에 짧은뜨기 1번씩 뜨기 • 사슬 10코 만들기 • 동일한 방식으로 모티브를 연결한 후 다시 사슬 40코를 만들어 마무리 • 사슬 양끝에 태슬을 만들어 부착해 완성(본책 169p)

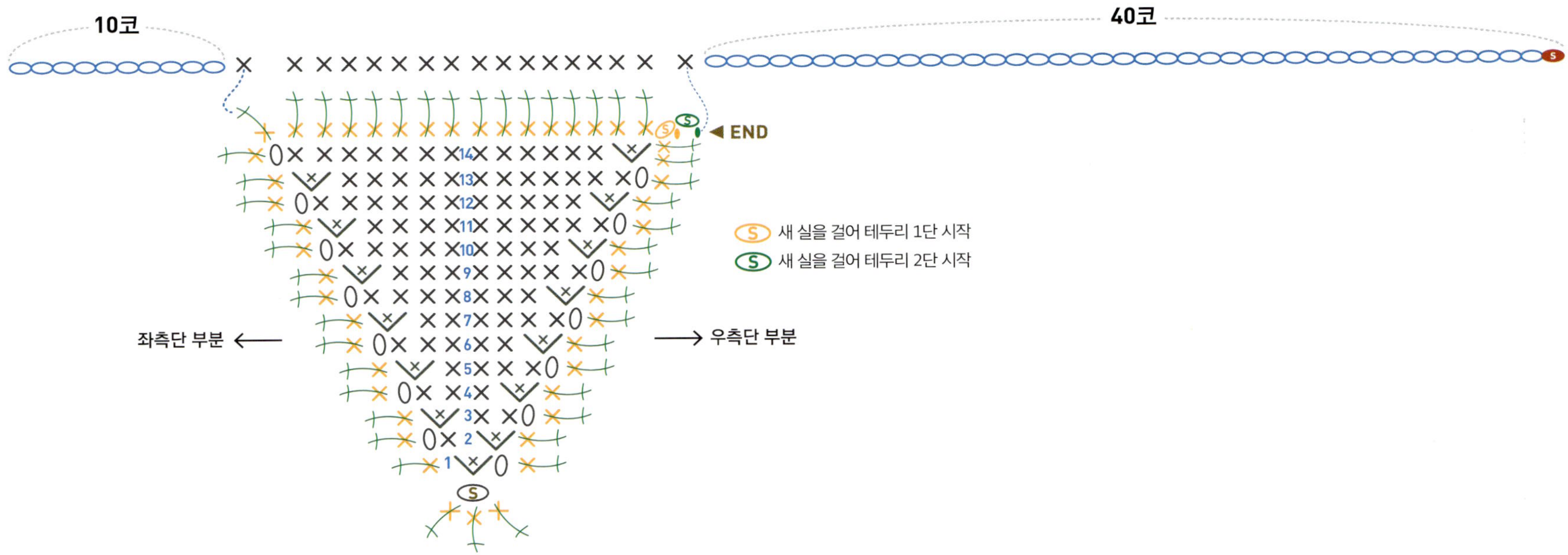

10코
40코
END
1
2
3
4
5
6
7
8
9
10
11
12
13
14
S 새 실을 걸어 테두리 1단 시작
S 새 실을 걸어 테두리 2단 시작
좌측단 부분
우측단 부분

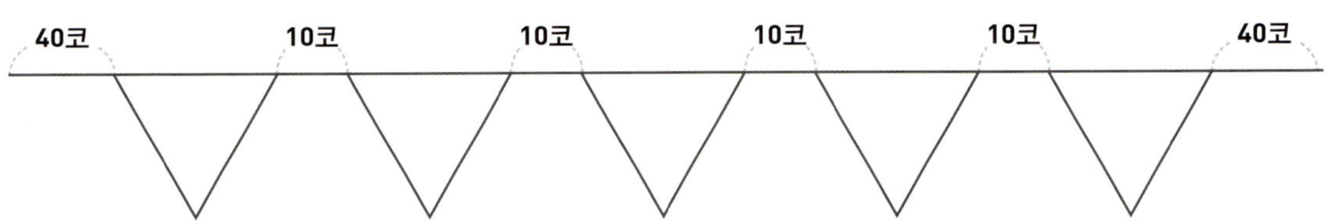

40코
10코
10코
10코
10코
40코

본책 177p ★★☆☆☆

라라 네트백

사이즈	바닥 지름 9cm, 높이 35cm
뜨개 기법	매직링, 사슬뜨기, 짧은뜨기, 짧은뜨기늘리기, 빼뜨기
준비물	라스베가스 3볼, 모사용코바늘 4/0호, 돗바늘, 가위

STEP	구분	방법
시작(S)	바닥	매직링
1~9단	바닥	도안을 따라 코를 늘려가며 원형 바닥 만들기(본책 48p)
10단	바닥	기둥코(사슬 1코), 모든 코에 짧은뜨기 1번씩 뜨기, 빼뜨기 ≫ 10단은 코를 늘리지 않고 한 코에 한 번씩만 떠 원형 바닥과 그물 사이를 잇는 낮은 기둥을 만들어줍니다.
1단	바디	• 기둥코(사슬 1코), 짧은뜨기 1번, 사슬 6코 • [한 코 건너뛰고 짧은뜨기 1번, 사슬 6코] × 31번 • 빼뜨기
2~27단	바디	• 첫 번째 사슬 6코 중 3개에 빼뜨기 • 기둥코(사슬 1코), 사슬 공간 아래에 짧은뜨기 1번, 사슬 6코 • [다음 사슬 공간에 짧은뜨기 1번, 사슬 6코] × 31번 • 빼뜨기 ≫ 시작 단계에서 빼뜨기를 3번 뜰 때는 사슬 공간이 아닌 '사슬 중앙'에 뜹니다. ≫ 사슬 6코를 뜬 후 다음 사슬에 짧은뜨기할 때는 사슬 아래 공간에 바늘을 넣어 뜹니다.
28단	봉우리	• 첫 번째 사슬 6코 중 3개에 빼뜨기 • 기둥코(사슬 1코), 짧은뜨기 1번, 사슬 6코 • [다음 사슬 공간에 짧은뜨기 1번, 사슬 6코] × 14번 • 짧은뜨기 후 편물 뒤집기 ≫ 28단부터는 손잡이를 만들기 위해 편물을 뒤집어가며 뜹니다.
29~31단	봉우리	28단과 동일한 방식으로 사슬을 하나씩 줄여가며 뜨기
32단	봉우리	• 첫 번째 사슬 6개 중 3개에 빼뜨기 • 기둥코(사슬 1코), 짧은뜨기 1번, 사슬 6코 • [다음 사슬 공간에 짧은뜨기 1번, 사슬 6코] × 4번 • 짧은뜨기 후 편물 뒤집기
33~36단	봉우리	32단과 동일한 방식으로 사슬을 하나씩 줄여가며 36단까지 떠 오른쪽 봉우리 완성 ≫ 28~36단과 동일한 방식으로 왼쪽 봉우리를 완성하고, 동일한 방식으로 반대쪽 봉우리 2개도 완성합니다.
	손잡이& 테두리 (총 3단)	• 테두리 시작 부분에 실을 걸고 기둥코(사슬 1코) 세우기 • 35단까지 짧은뜨기 3번씩 뜨기 • 36단은 짧은뜨기 2번 뜨기 • 사슬 60코를 뜨고 다음 봉우리 좌측 36단 사슬에 짧은뜨기 2번 뜨기 • 35~27단까지 짧은뜨기 3번씩 뜨기 • 동일한 방식으로 다시 한 바퀴 돌아 빼뜨기로 마무리

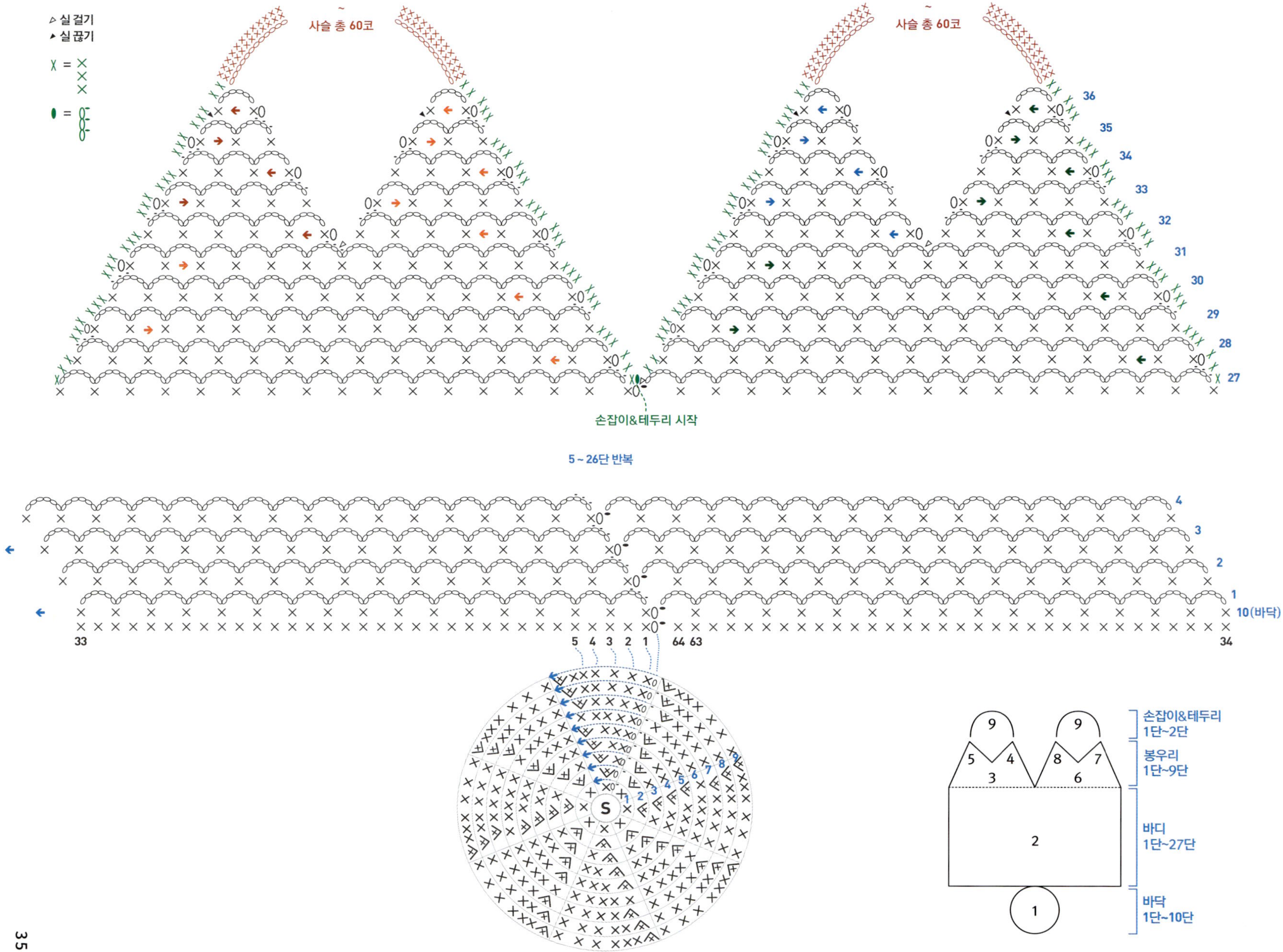

▹ 실 걸기
▸ 실 끊기
사슬 총 60코
사슬 총 60코
36
35
34
33
32
31
30
29
28
27
손잡이&테두리 시작
5 ~ 26단 반복
4
3
2
1
10(바닥)
33
5 4 3 2 1
64 63
34
S
9
9
5
4
3
8
7
6
2
1
손잡이&테두리 1단~2단
봉우리 1단~9단
바디 1단~27단
바닥 1단~10단

본책 181p ★★★☆☆

라탄 슬리퍼

사이즈	바닥폭 10cm, 길이 245mm
뜨개 기법	매직링, 사슬뜨기, 짧은뜨기, 짧은뜨기늘리기, 겹짧은뜨기, 빼뜨기
준비물	치앙마이 4볼, 모사용코바늘 5/0호, 돗바늘, 가위

STEP	구분	방법
시작	앞코	매직링
1~8단		도안대로 코를 늘려가며 원형 만들기(본책 48p)
9~16단	발등	기둥코(사슬 1코), 짧은뜨기 42번, 빼뜨기
17단		기둥코(사슬 1코), [짧은뜨기 1번, 겹짧은뜨기 1번] × 21번, 빼뜨기
18단		기둥코(사슬 1코), [겹짧은뜨기 1번, 짧은뜨기 1번] × 21번, 빼뜨기
19~25단		• 홀수단: 17단과 동일 • 짝수단: 18단과 동일
26~28단		기둥코(사슬 1코), 짧은뜨기 42번, 빼뜨기
태슬		태슬 2개를 만들어 부착(본책 169p)
29단	발바닥	기둥코(사슬 1코), [짧은뜨기 1번, 겹짧은뜨기 1번] × 7번, 짧은뜨기 1번 ≫ 29단부터는 평면뜨기로 단이 바뀔 때마다 편물을 뒤집어가며 뜹니다.
30단		기둥코(사슬 1코), [겹짧은뜨기 1번, 짧은뜨기 1번] × 7번, 겹짧은뜨기 1번
31~50단		• 홀수단: 29단과 동일 • 짝수단: 30단과 동일
51~54단		도안을 따라 코를 줄여가며 둥근 바닥을 만들어 돗바늘로 마무리

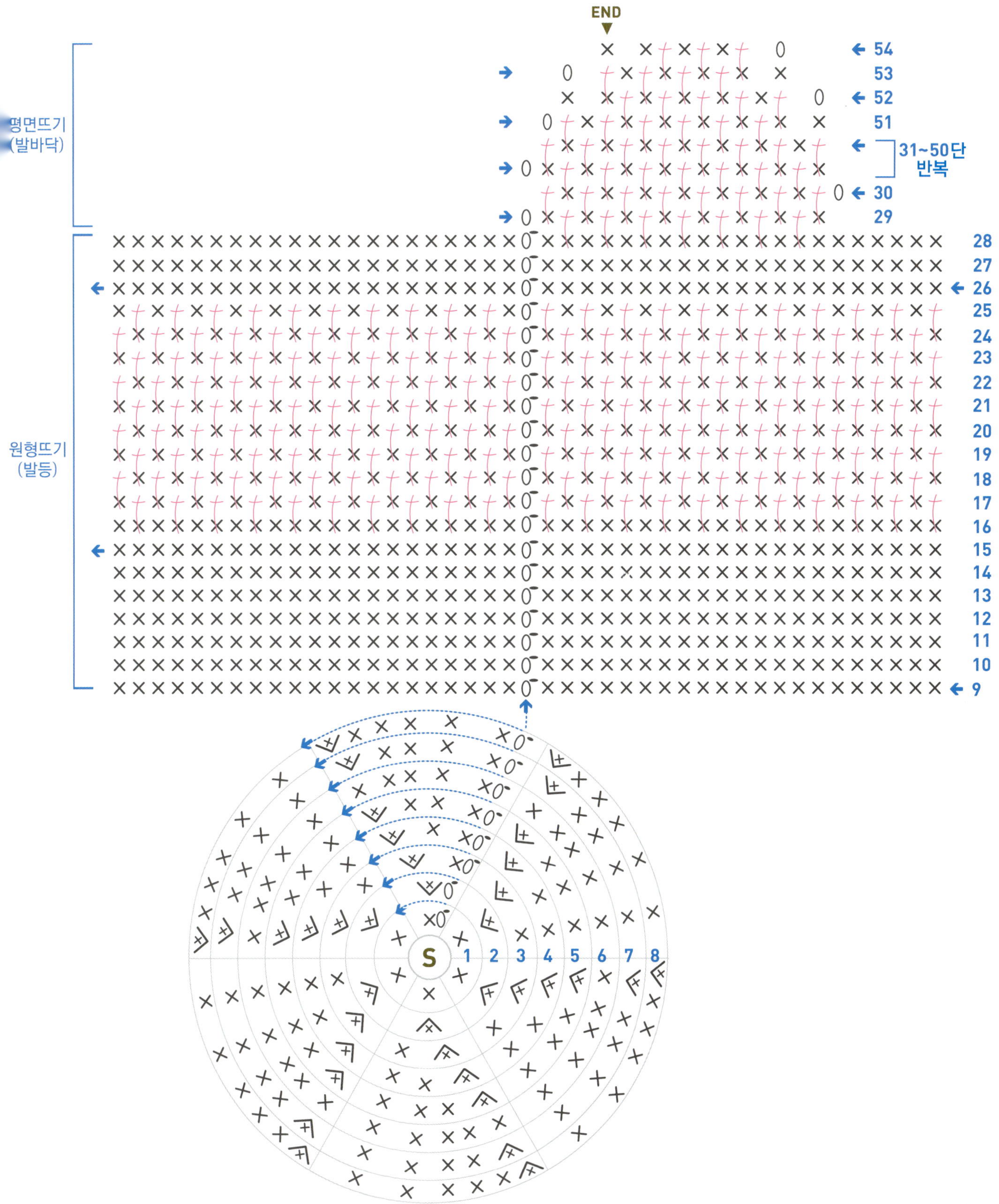

END
평면뜨기
(발바닥)
31~50단
반복
원형뜨기
(발등)
54
53
52
51
30
29
28
27
26
25
24
23
22
21
20
19
18
17
16
15
14
13
12
11
10
9
S
1
2
3
4
5
6
7
8

본책 185p ★★★☆☆

프릴 러그

사이즈 지름 105cm

뜨개 기법 매직링, 사슬뜨기, 짧은뜨기, 한길긴뜨기, 한길긴뜨기늘리기(2코, 3코, 5코), 한길긴4코늘리기(사이 사슬 1코), 빼뜨기

준비물 글로우패브릭얀 1000g, 점보코바늘 10mm, 돗바늘, 가위

STEP	방법
시작	매직링
1단	• 기둥코(사슬 3코), 사슬 1코 • [한길긴뜨기 1번, 사슬 1코] × 11번 • 빼뜨기
2단	• 사슬 공간에 빼뜨기 1회로 시작코 옮기기 • 기둥코(사슬 3코), 동일한 위치에 한길긴뜨기 1번, 사슬 1코 • [한길긴뜨기늘리기, 사슬 1코]를 끝까지 반복 • 빼뜨기
3단	• 전 단의 한길긴뜨기 머리와 사슬 공간에 빼뜨기를 1회씩, 총 2회로 시작코 옮기기 • 기둥코(사슬 3코), 동일한 위치에 한길긴뜨기 2번, 사슬 1코 • [한길긴3코늘리기, 사슬 1코]를 끝까지 반복 • 빼뜨기
4단	• 전 단의 한길긴뜨기 머리와 사슬 공간에 빼뜨기를 1회씩, 총 3회로 시작코 옮기기 • 기둥코(사슬 3코), 한길긴뜨기 1번, 사슬 1코, 한길긴뜨기 2번, 사슬 1코 • [한길긴4코늘리기(사이 사슬 1코), 사슬 1코]를 끝까지 반복 • 빼뜨기
5단	2단과 동일
6~7단	3단과 동일
8단	4단과 동일
9~10단	2단과 동일
11~14단	3단과 동일
15단	4단과 동일
16단	• 전 단의 한길긴뜨기 머리와 사슬 공간에 빼뜨기를 1회씩, 총 2회를 해 시작코 옮기기 • 기둥코(사슬 3코), 동일한 위치에 한길긴뜨기 4번, 짧은뜨기 • [한길긴5코늘리기, 짧은뜨기]를 끝까지 반복 • 빼뜨기 ≫ 짧은뜨기는 사슬 공간에 뜹니다.

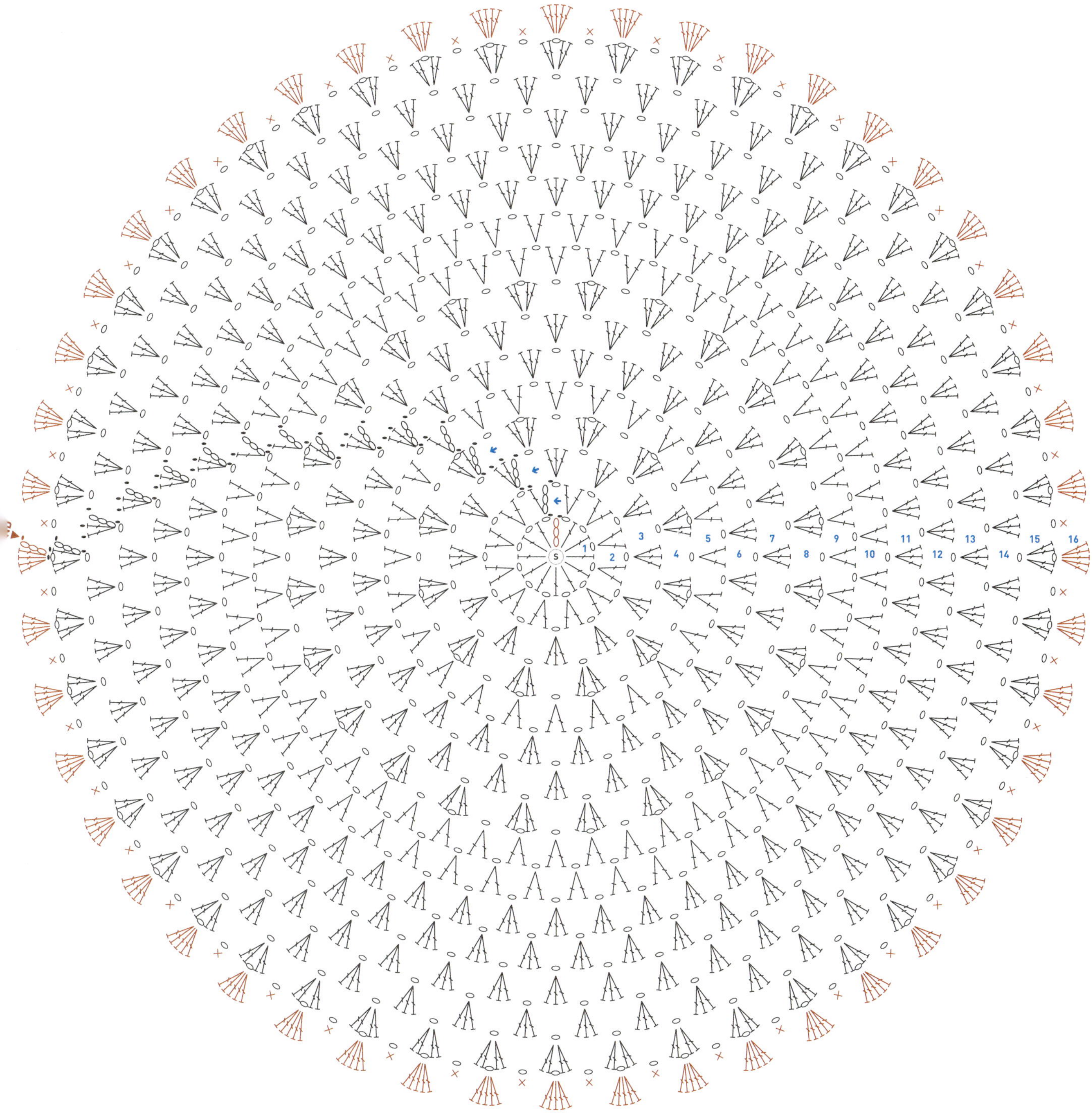
S
1
2
3
4
5
6
7
8
9
10
11
12
13
14
15
16

본책 189p

★★★☆☆

주방매트

사이즈 95cm × 40cm

뜨개 기법 사슬뜨기, 짧은뜨기, 한길긴뜨기, 한길긴4코늘리기(사이 사슬 1코), 빼뜨기

준비물 린넨100 5볼, 모사용코바늘 7/0호, 돗바늘, 가위

STEP	방법
시작	사슬 77코
1단	• 기둥코(사슬 3코), 7번째 사슬에 한길긴4코늘리기(사이 사슬 1코) • 4코 건너뛰고 [한길긴4코늘리기(사이 사슬 1코)] × 14번 • 마지막 사슬에 한길긴뜨기로 마무리
2~54단	• 기둥코(사슬 3코) • 전 단에서 만든 사슬 공간에 [한길긴4코늘리기(사이 사슬 1코)] × 15번 • 전 단의 기둥코에 한길긴뜨기로 마무리
55단	• 기둥코(사슬 1코), 전 단의 한길긴뜨기 머리에 짧은뜨기 1번 • 사슬 2코, 사슬 공간에 빼뜨기 • [사슬 4코, 사슬 공간에 빼뜨기] × 14번 • 사슬 2코, 전 단의 기둥코에 짧은뜨기로 마무리
술 달기	• 도서의 짧은 면에 실을 5회 감은 후 가위로 자릅니다. • 책에서 실 뭉치를 빼서 절반으로 접습니다. • 접은 실의 윗부분을 정해진 위치(★)의 '아래에서 위'로 뺍니다. • 빼낸 고리에 아래 술 부분을 넣어 고정합니다 • 실 끝 부분을 다듬어 마무리합니다.

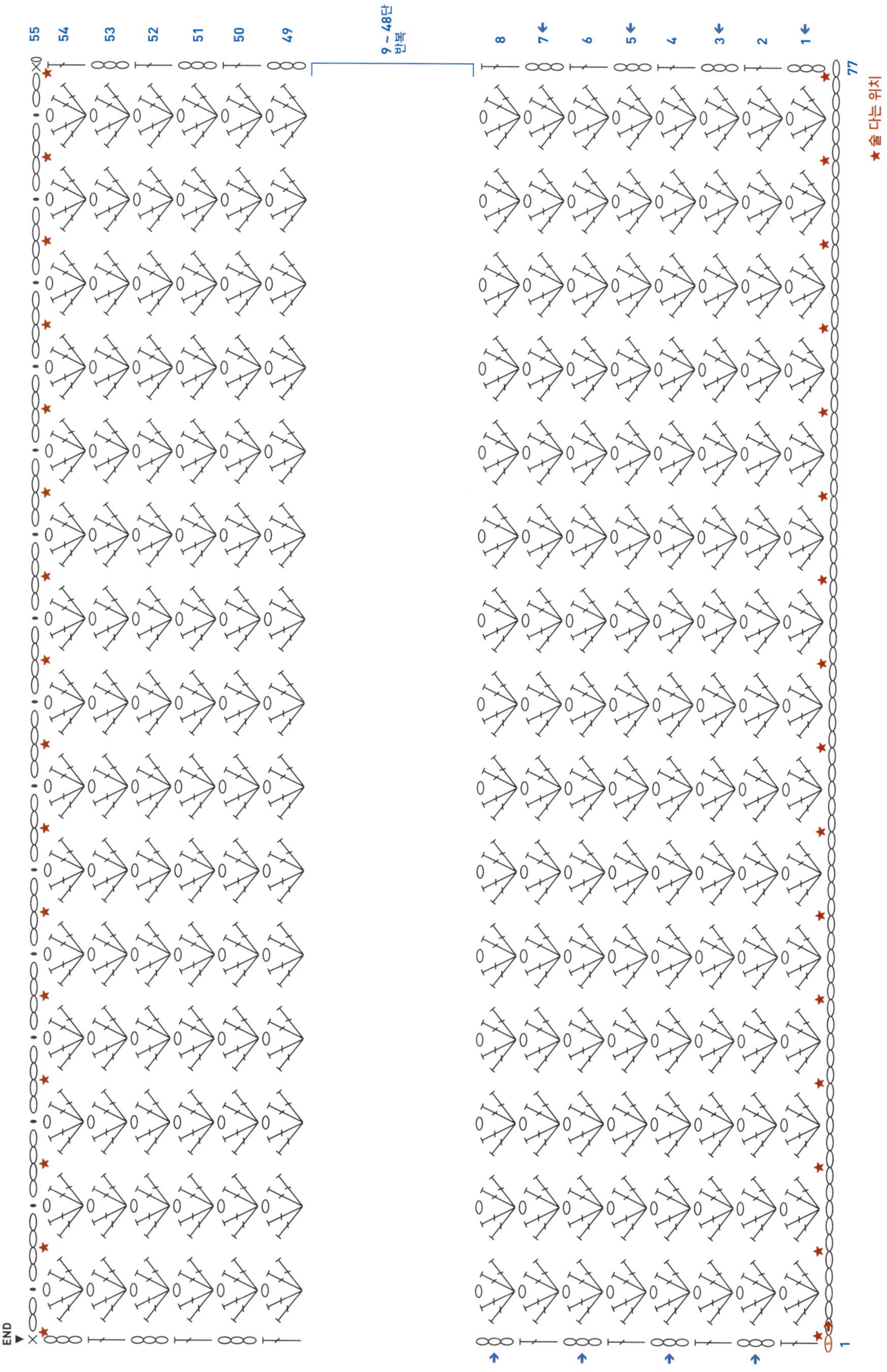

55
54
53
52
51
50
49
9 ~ 48단 반복
8
7
6
5
4
3
2
1
77
1
★ 술 다는 위치
END

본책 191p

★★★☆☆

블록 스티치 쿠션

사이즈 40cm × 40cm
뜨개 기법 사슬뜨기, 짧은뜨기, 한길긴뜨기, 한길긴3코늘리기
준비물 포지타노(메인 컬러) 4볼, 포지타노(배색 컬러) 4볼, 나무단추 3개, 쿠션솜 40cm, 모사용코바늘 5/0호, 돗바늘, 가위
메인 컬러 아이보리
배색 컬러 오트밀, 카멜, 머스터드, 브라운

STEP	구분	방법
시작	아이보리	사슬 80코
1단	아이보리	• 기둥코(사슬 3코) • 한길긴뜨기 79번 ≫ 메인 컬러는 단이 바뀔 때마다 편물을 뒤집어가며 뜹니다.
2단	오트밀	• 첫 번째 코와 두 번째 코 사이에 기둥코(사슬 1코)를 걸어 짧은뜨기 1번 • [사슬 2코, 3코 건너 짧은뜨기]를 끝까지 반복한 후 실 끊기 ≫ 모든 배색 컬러는 단이 바뀌어도 편물을 뒤집어가며 뜨지 않고 우측→좌측 방향으로만 뜹니다.
3단	아이보리	• 기둥코(사슬 3코) • 모든 사슬 공간에 한길긴뜨기 3번 • 마지막 코에 한길긴뜨기 1번 ≫ 전 단에서 자른 배색 실을 숨겨가며 뜹니다.
4단	카멜	2단과 동일
5단	아이보리	3단과 동일
6단	머스타드	2단과 동일
7단	아이보리	3단과 동일
8단	브라운	2단과 동일
9~140단	-	같은 순서대로 컬러를 바꿔가며 140단까지 반복합니다.
연결 및 테두리	아이보리	❶ 단 구성대로 편물을 접어 겹칩니다. ❷ 우측 하단부터 실을 끼워 두 단에 [짧은뜨기 2번, 사슬 1코]를 뜹니다. (한길긴뜨기 다리 부분) ❸ 덮개 부분은 편물 1장에만 테두리를 뜹니다. ❹ 모서리 부분은 사슬 2코를 만들어 라운드 처리합니다. ❺ 상단 부분은 모두 짧은뜨기로 뜹니다. ❻ 같은 방식으로 끝까지 뜹니다. ❼ 뒷면에 단추 3개를 달아 완성합니다.

[단 구성]

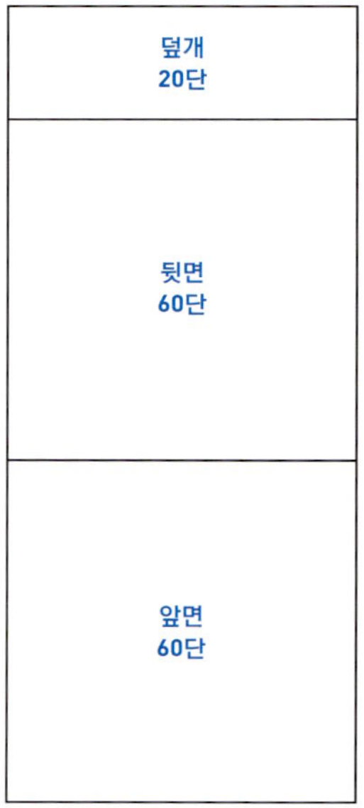
덮개
20단
뒷면
60단
앞면
60단

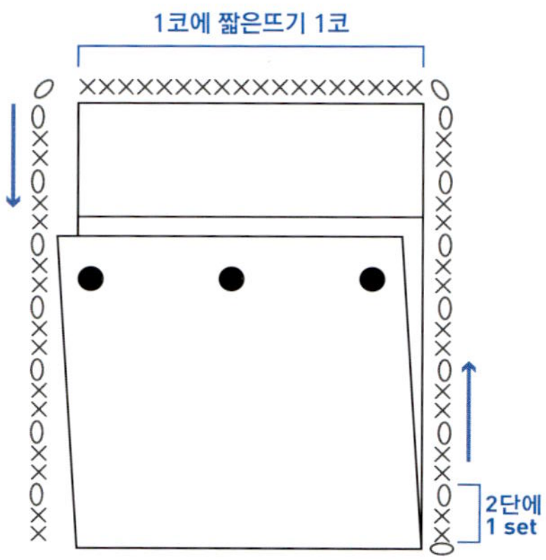
1코에 짧은뜨기 1코
2단에
1 set

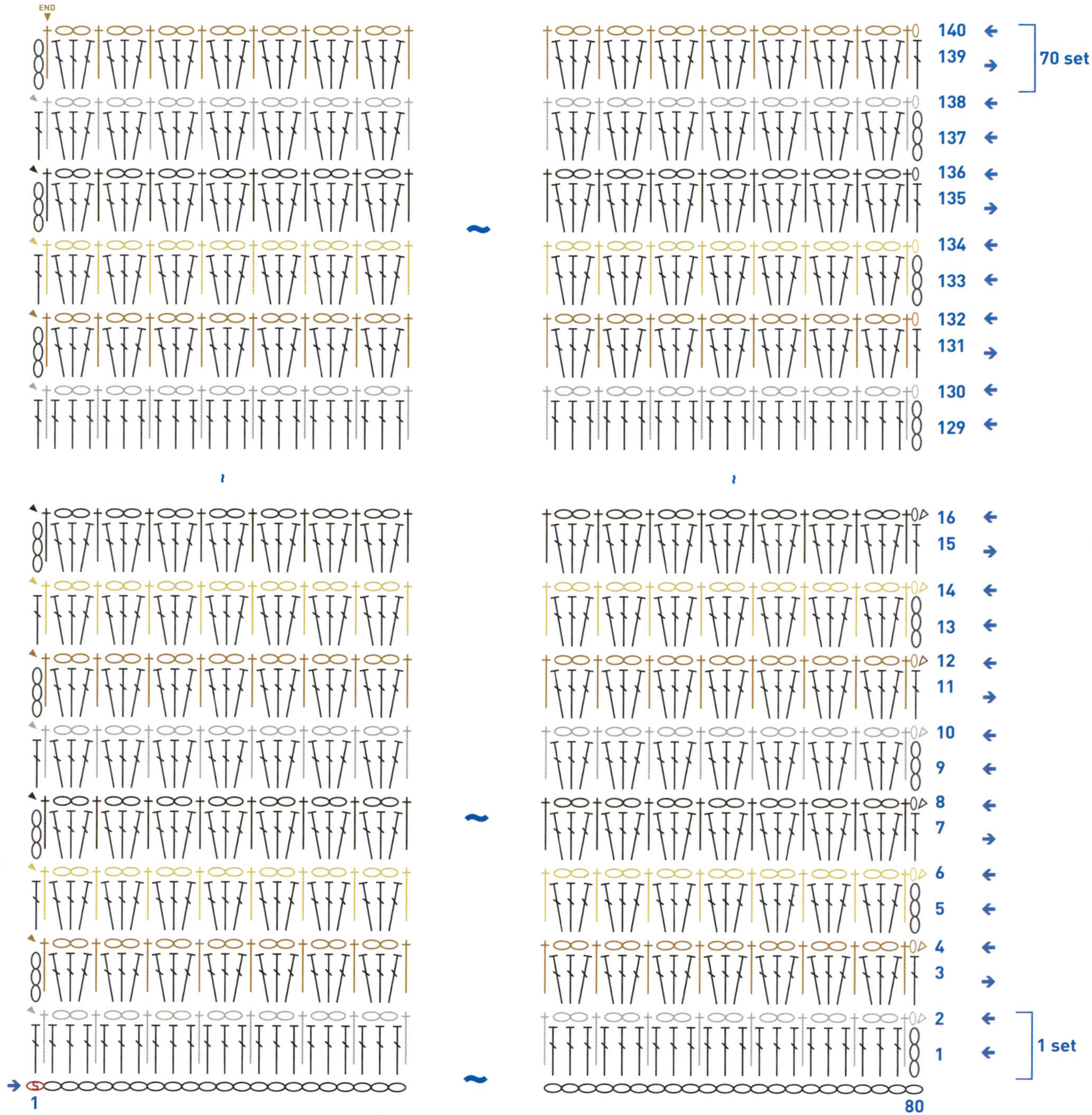
END
140
139
70 set
138
137
136
135
134
133
132
131
130
129
16
15
14
13
12
11
10
9
8
7
6
5
4
3
2
1
1 set
1
80

본책 195p

★★★☆☆

여권커버

사이즈 13cm × 18cm
뜨개 기법 사슬뜨기, 짧은뜨기
준비물 포지타노 2볼, 모사용코바늘 5/0호, 돗바늘, 가위

STEP	방법
시작	사슬 65코
1~29단	기둥코(사슬 1코), 짧은뜨기 65번 ≫ 중간중간 도안을 따라 컬러를 바꿔가며 배색합니다.
편물 연결	• 도안에 표기된 코의 수대로(점선 부분) 편물을 접어 연결 • 버튼홀 스티치로 위, 아래를 꿰매어 마무리(본책 196p)

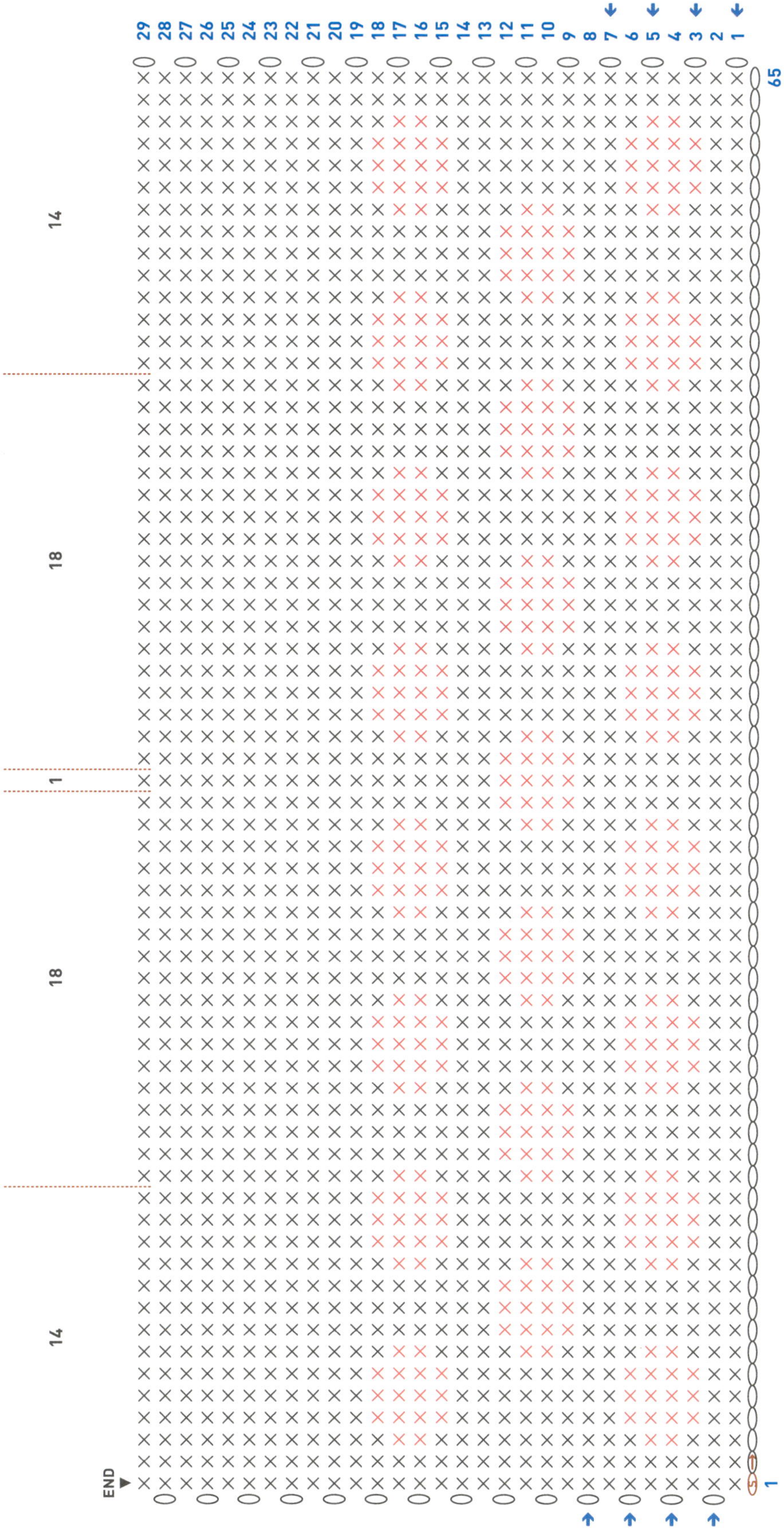
14
18
1
18
14
END
65
1

본책 199p ★★★☆☆

목걸이 카드지갑

사이즈 7cm × 11cm
뜨개 기법 사슬뜨기, 짧은뜨기, 짧은뜨기늘리기, 한길긴뜨기, 빼뜨기
준비물 린넨100 10g, 인조가죽 끈, 모사용코바늘 6/0호, 돗바늘, 가위

STEP	구분	방법
시작	바닥	사슬 8코
1단	바닥	기둥코(사슬 1코), 짧은뜨기늘리기 1번, 짧은뜨기 6번, 짧은뜨기늘리기 2번, 짧은뜨기 6번, 짧은뜨기늘리기 1번, 빼뜨기 ≫ 사슬 반 코씩 주워가며 한 바퀴를 떠줍니다.
2단	바닥	기둥코(사슬 1코), 짧은뜨기늘리기 1번, 짧은뜨기 8번, 짧은뜨기늘리기 2번, 짧은뜨기 8번, 짧은뜨기늘리기 1번, 빼뜨기로 마무리
3~9단	바디	• 기둥코(사슬 3코), 한길긴뜨기 1번, 사슬 1코 • [한길긴뜨기 2번, 사슬 1코] × 7번 • 빼뜨기
1단	뚜껑	• 9단의 한길긴뜨기 머리와 사슬 공간에 빼뜨기(총 2번) 해 시작코 옮기기 • 첫 번째 사슬 공간에 기둥코(사슬 1코), 짧은뜨기 1번 • 짧은뜨기 11번
2~3단	뚜껑	기둥코(사슬 1코), 짧은뜨기 12번
4단	뚜껑	기둥코(사슬 1코), 짧은뜨기 5번, 사슬 2코, 짧은뜨기 5번 ≫ 사슬 2코를 뜨고 2코를 지나 짧은뜨기를 해 단춧구멍을 만들어줍니다.
5단	뚜껑	• 기둥코(사슬 1코), 짧은뜨기 12번, 돗바늘로 마무리 • 중앙에 단추를 부착하고 양쪽에 스트랩을 달아 마무리

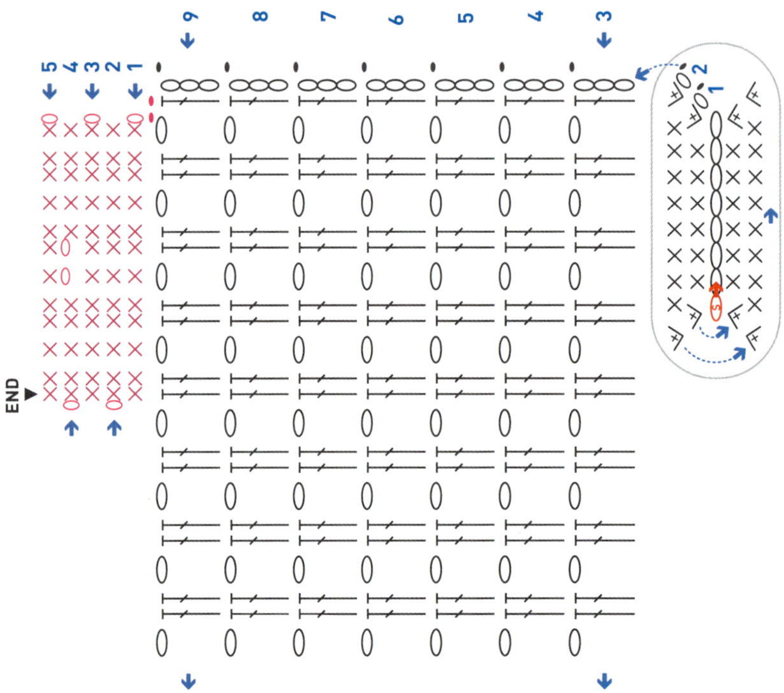

본책 233p ★★★☆☆

도토리 책갈피

사이즈 도토리 길이 3cm, 스트랩 길이 자율
뜨개 기법 매직링, 짧은뜨기, 짧은뜨기늘리기, 긴뜨기, 한길긴뜨기, 빼뜨기
준비물 피사코튼(2가지 컬러) 각각 10g씩, 모사용코바늘 5/0호, 돗바늘, 가위

Work 34.

구분	STEP	방법	증감 콧수	총 콧수
도토리 바디	시작	매직링	-	-
	1단	기둥코(사슬 1코), 짧은뜨기 6번, 빼뜨기	+6	6
	2단	기둥코(사슬 1코), 짧은뜨기늘리기 6번, 빼뜨기	+6	12
	3~5단	기둥코(사슬 1코), 짧은뜨기 12번, 빼뜨기	-	12
도토리 모자	시작	매직링	-	-
	1단	기둥코(사슬 1코), 짧은뜨기 8번, 빼뜨기	+8	8
	2단	기둥코(사슬 1코), 짧은뜨기늘리기 8번, 빼뜨기	+8	16
	3단	기둥코(사슬 1코), 짧은뜨기 16번, 빼뜨기 ≫ 실을 15cm 자르고 남겨주세요.	-	16
스트랩	시작	원하는 책갈피 끈 길이가 되도록 사슬뜨기	-	-
	나뭇잎	• 사슬 1가닥만 주으며 [빼뜨기, 짧은뜨기, 긴뜨기, 한길긴뜨기, 긴뜨기, 짧은뜨기, 빼뜨기] 순서로 반쪽 잎 완성 • 사슬 1코를 만든 후 동일한 방법으로 나머지 반쪽 잎 완성	-	-
끈과 도토리 연결	시작	• 도토리 바디 안쪽으로 책갈피 끈을 넣고 빠지지 않게 매듭 짓기 • 바디에 끈이 연결되었다면 모자를 덮어 감침질 연결	-	-

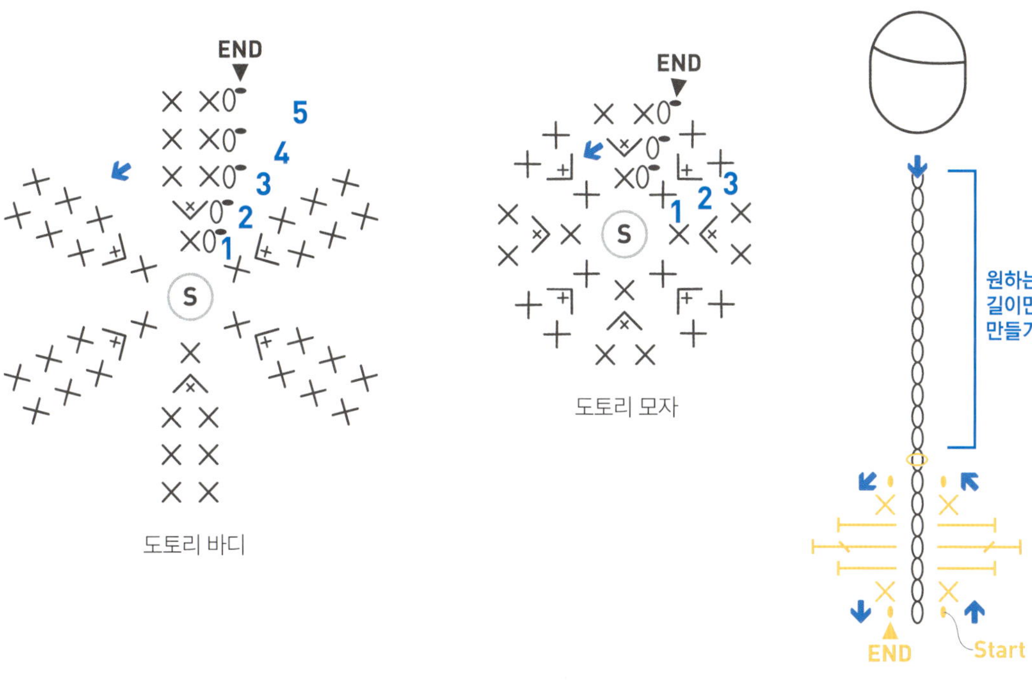

도토리 바디

도토리 모자

스트랩

본책 201p

★★★☆☆

미니 숄

사이즈 길이 110cm, 높이 40cm
뜨개 기법 사슬뜨기, 짧은뜨기, 한길긴뜨기, 빼뜨기
준비물 클라우드얀 2볼, 점보코바늘 10mm, 돗바늘, 가위

STEP	방법
시작	사슬 69코
1단	• 사슬 5코, 10번째 사슬에 짧은뜨기 1번 • [사슬 4코, 사슬 3코 건너뛰고 짧은뜨기 1번] × 15번 • 사슬 2코, 마지막 사슬에 한길긴뜨기로 마무리
2~16단	• 사슬 5코, 다음 사슬 공간에 짧은뜨기 • [사슬 4코, 다음 사슬 공간에 짧은뜨기]를 마지막 사슬 공간 1개가 남을 때까지 반복 • 사슬 2코, 마지막 사슬 공간의 가운데 코에 한길긴뜨기로 마무리 » 한길긴뜨기로 마무리할 때는 사슬 공간에 뜨지 않고 반드시 가운데 사슬 머리에 떠야 반듯한 역삼각형 모양으로 완성할 수 있습니다.
17단	• 사슬 5코 후 실 자르기 • 돗바늘에 실을 꿴 후 중앙 사슬에 꿰매어 마무리

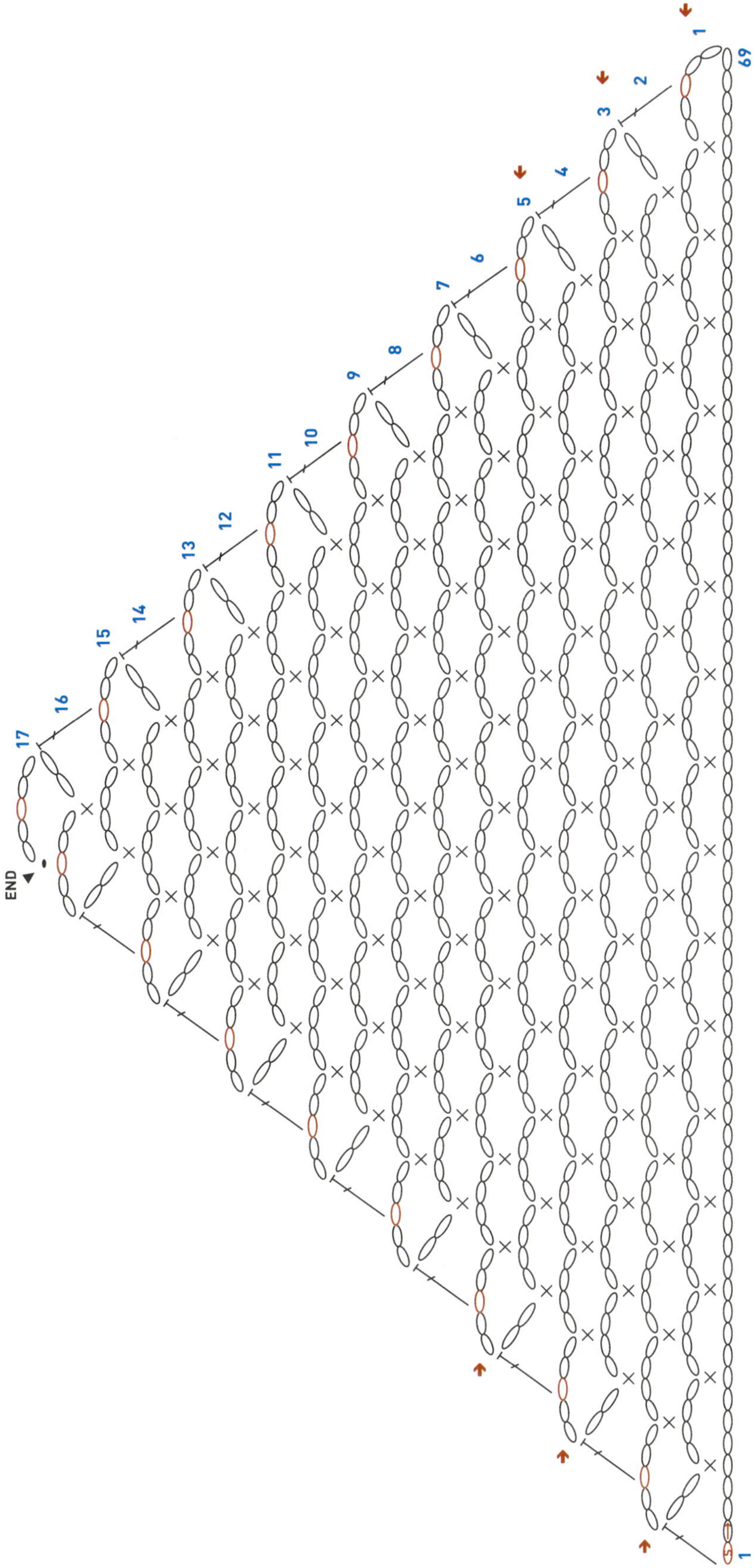

END
1
2
3
4
5
6
7
8
9
10
11
12
13
14
15
16
17
69
1

본책 205p ★★★☆☆

바스티유 클러치

사이즈 26cm × 20cm
뜨개 기법 사슬뜨기, 짧은뜨기, 이랑뜨기, 빼뜨기
준비물 패브릭얀 500g, 트윙클 1볼, 점보코바늘 12mm, 스냅단추 2쌍, 돗바늘, 가위
(완성 이미지는 패브릭얀과 트윙클 2가닥을 함께 잡고 뜬 형태입니다.)

Work 27.

STEP	방법
시작	사슬 30코
1단	기둥코(사슬 1코), 짧은뜨기 30번
2~13단	기둥코(사슬 1코), 이랑뜨기 30번 ≫ 실을 끊지 않고 바로 테두리를 두릅니다.
덮개 테두리 (본책 205p)	❶ 입구에서 6번째 코에 바늘을 넣습니다. ❷ 13단에서 마무리한 실을 꺼냅니다. ❸ 왼쪽 코로 이동하면서 빼뜨기합니다. ❹ 빼뜨기 6번을 떴다면 사슬 1코(모서리)를 만듭니다. ❺ 상단으로 이동해 빼뜨기를 1번씩 총 13번 뜬 후 사슬 1코(모서리)를 만듭니다. ❻ 우측 덮개 부분에도 빼뜨기를 6번 뜹니다. ❼ 실을 끊지 않고 바로 우측을 연결합니다. ≫ 13단에서 바로 이어 테두리를 뜹니다.
옆면 잇기 우측/좌측 (본책 206p)	❶ 도안을 따라 가방의 몸통이 될 부분의 편물을 접어줍니다. ❷ 우측: 앞뒤 편물의 코를 한꺼번에 잡고 모서리까지 빼뜨기를 12번 뜹니다. ❸ 끝까지 뜬 후 실을 잘라 마무리하고 클러치 안쪽에 실을 숨깁니다. ❹ 좌측: '바닥'부터 실을 걸어 뜨기 시작합니다. ❺ 12번 빼뜨기한 후 돗바늘로 마무리합니다. ≫ 덮개 테두리를 마무리한 후 이어서 가방의 옆면을 이어줍니다. ≫ 태슬 장식을 만들어 달면 더 예쁩니다. (본책 169p)

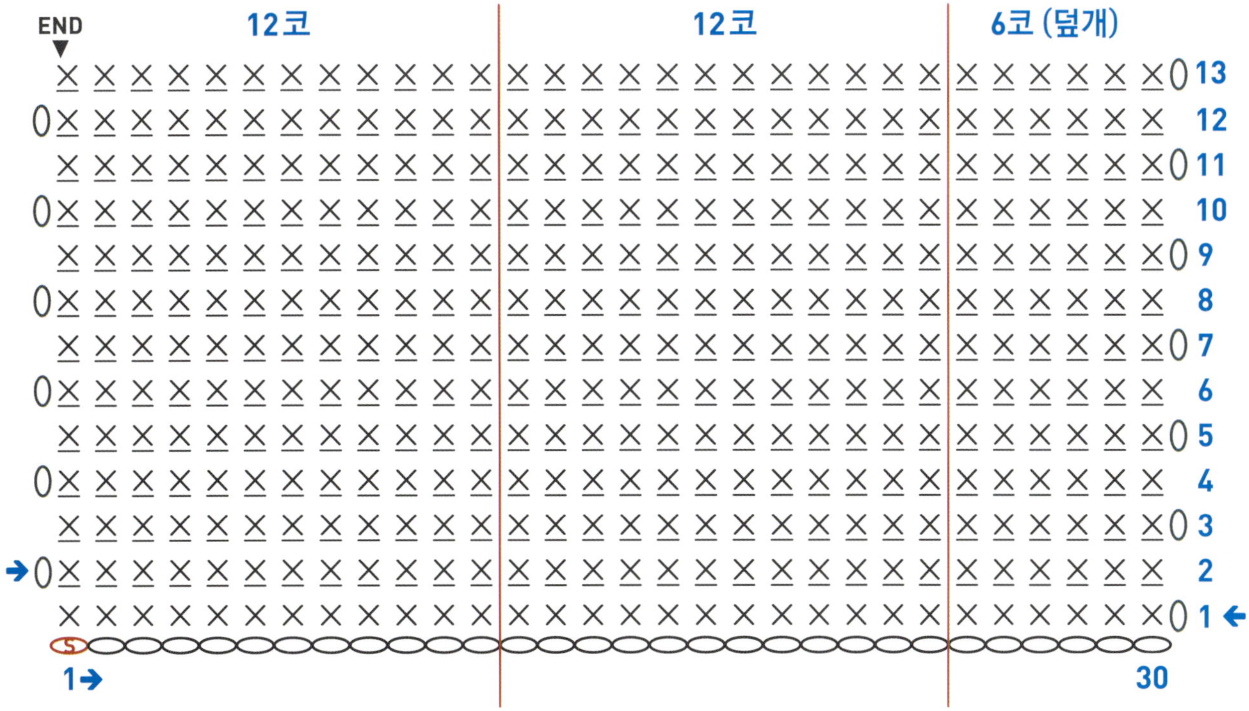

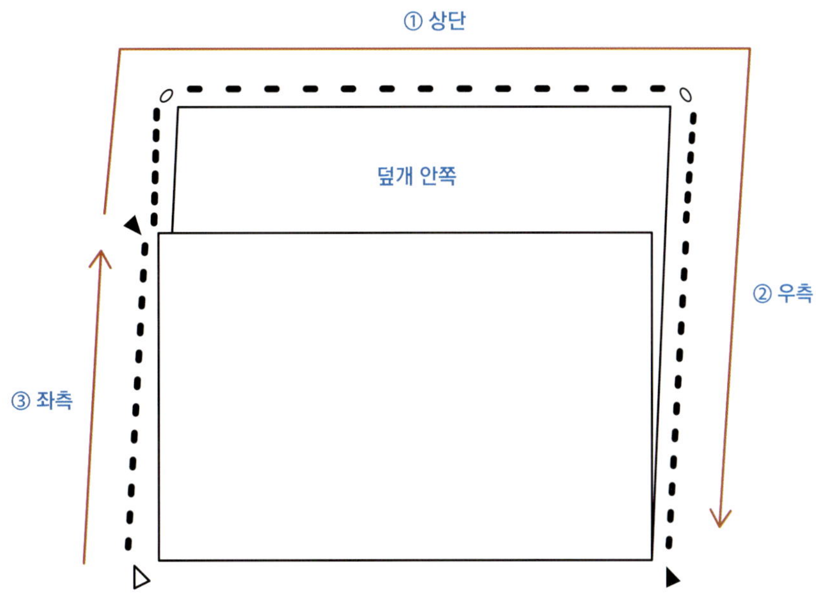

연결 방법

본책 209p

★★★☆☆

하비스트 복조리백

사이즈 지름 9.5cm, 높이 16.5cm

뜨개 기법 매직링, 사슬뜨기, 짧은뜨기, 짧은뜨기늘리기, 짧은뜨기줄이기, 겹짧은뜨기, 되돌아짧은뜨기, 빼뜨기

준비물 치앙마이 2볼, 안감 면, 가방 바닥 부자재, 모사용코바늘 5/0호, 돗바늘, 가위, 일반 실과 바늘

STEP	구분	방법	증감 콧수	총 콧수
시작	바닥	매직링	-	-
1단	바닥	기둥코(사슬 1코), 짧은뜨기 8번, 빼뜨기 ≫ 1~8단은 도안대로 코를 늘려가며 원형을 만들어줍니다. (본책 48p)	+8	8
2단	바닥	기둥코(사슬 1코), 짧은뜨기늘리기 8번, 빼뜨기	+8	16
3단	바닥	• 기둥코(사슬 1코) • [짧은뜨기 1번, 짧은뜨기늘리기 1번] × 8번 • 빼뜨기	+8	24
4단	바닥	• 기둥코(사슬 1코) • [짧은뜨기 2번, 짧은뜨기늘리기 1번] × 8번 • 빼뜨기	+8	32
5단	바닥	• 기둥코(사슬 1코) • [짧은뜨기 3번, 짧은뜨기늘리기 1번] × 8번 • 빼뜨기	+8	40
6단	바닥	• 기둥코(사슬 1코) • [짧은뜨기 4번, 짧은뜨기늘리기 1번] × 8번 • 빼뜨기	+8	48
7단	바닥	• 기둥코(사슬 1코) • 짧은뜨기 48번 • 빼뜨기	-	48
8단	바닥	• 기둥코(사슬 1코) • [짧은뜨기 5번, 짧은뜨기늘리기 1번] × 8번 • 빼뜨기	+8	56
9단	바닥	• 기둥코(사슬 1코) • [짧은뜨기 5번, 짧은뜨기줄이기 1번] × 8번 • 빼뜨기	-8	48
10단	바디	• 기둥코(사슬 1코) • 짧은뜨기 48번, 빼뜨기	-	48
11~42단	바디	홀수단: 기둥코(사슬 1코), [짧은뜨기 1번, 겹짧은뜨기 1번] × 24번, 빼뜨기 짝수단: 기둥코(사슬 1코), [겹짧은뜨기 1번, 짧은뜨기 1번] × 24번, 빼뜨기	-	48
43~46단	바디	• 기둥코(사슬 1코) • 짧은뜨기 48번, 빼뜨기	-	48
47단	바디	• 기둥코(사슬 1코) • 되돌아짧은뜨기 48번, 빼뜨기	-	48
마무리		• 새우뜨기로 원하는 길이만큼 스트랩을 제작하여 안쪽에 부착(본책 272p) • 가방 바닥 부자재를 둥글게 잘라 바닥에 부착 • 일반실과 바늘을 이용해 안감 부착	-	-

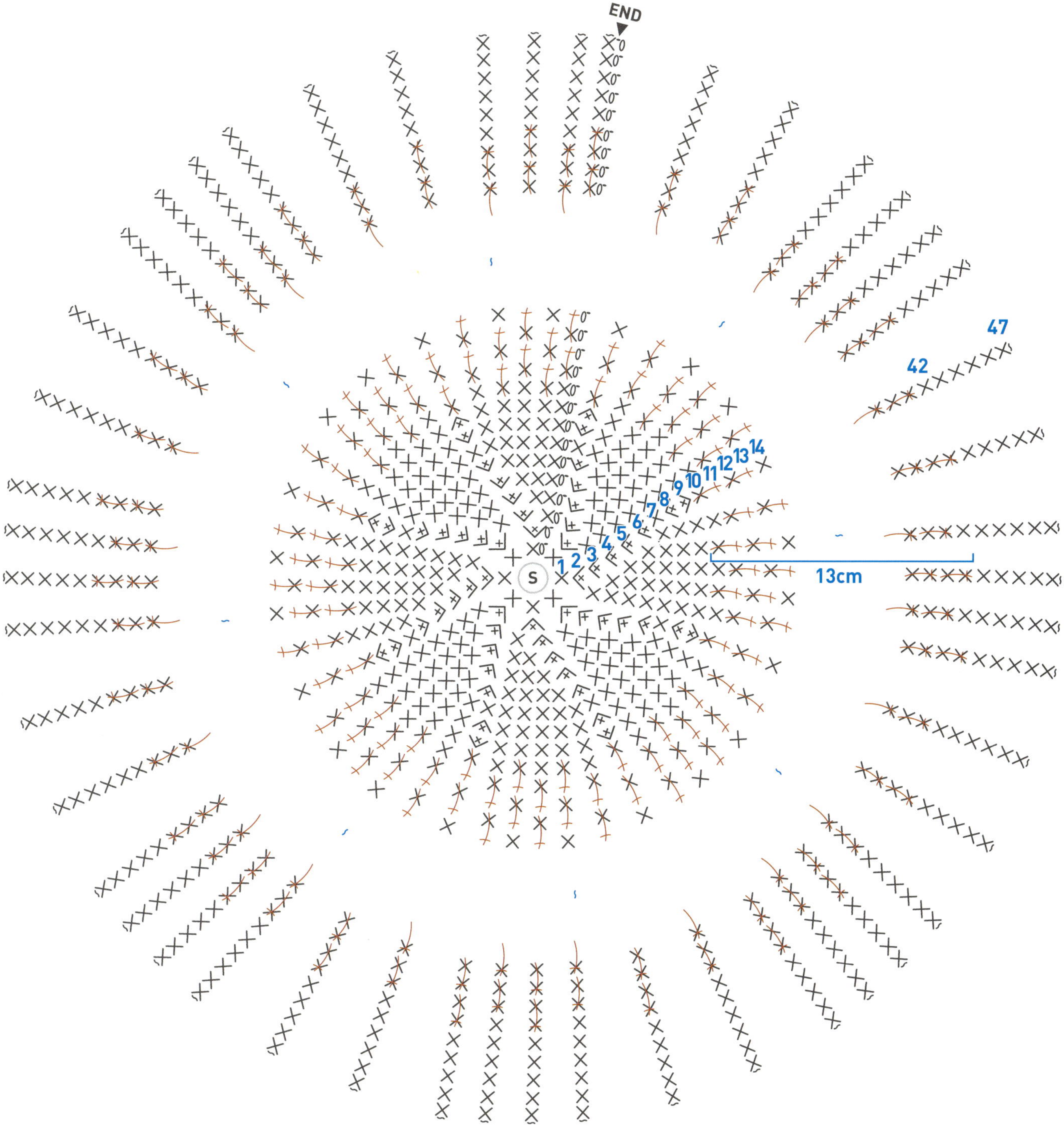
END
S
1
2
3
4
5
6
7
8
9
10
11
12
13
14
42
47
13cm

본책 211p ★★★☆☆

라라스퀘어백

사이즈 가로 18cm, 세로 19cm, 폭 5cm
뜨개 기법 사슬뜨기, 짧은뜨기, 이랑뜨기, 이랑뜨기늘리기, 이랑뜨기줄이기, 빼뜨기
준비물 라스베가스 3볼, 모사용 코바늘 5/0호, 체인 120cm, 스냅단추 1쌍, 돗바늘, 가위

[바디와 덮개]

STEP	구분	방법
시작	바디(2장)	사슬 40코
1단		기둥코(사슬 1코), 짧은뜨기 40번
2~38단		기둥코(사슬 1코), 이랑뜨기 40번 ≫ 뒷면이 될 바디 편물 1장은 38단까지 이랑뜨기한 후 마무리하지 않고 이어서 덮개까지 뜹니다.
시작	덮개	뒷면이 될 바디 편물의 38단에서 이어서 시작
1단		기둥코(사슬 1코), 이랑뜨기늘리기 1번, 이랑뜨기 38번, 이랑뜨기늘리기 1번
2~10단		기둥코(사슬 1코), 이랑뜨기 42번
11~12단		• 기둥코(사슬 1코) • 첫 코 건너뛰고 두 번째 코부터 이랑뜨기 ≫ 한 단에 1코씩 줄어듭니다.
13~20단		• 기둥코(사슬 1코) • 첫 코 건너뛰고 두 번째 코부터 이랑뜨기 • 마지막 코는 이랑뜨기줄이기로 마무리 ≫ 한 단에 2코씩 줄어듭니다. 최종적으로 20단은 24코가 됩니다.

[바디 옆면&바닥, 연결법]

STEP	방법
시작	사슬 9코
1~118단	• 기둥코(사슬 1코), 짧은뜨기 9번 ≫ 긴 편물이 완성됩니다. 이 편물은 디귿자 형태로 가방 옆면과 바닥에 연결될 예정입니다. ≫ 이 편물에 플라스틱으로 만들어진 가방 부자재를 덧대면 더 탄탄한 가방을 완성할 수 있습니다.
앞면 바디와의 연결	• 가방 옆면 부분: 바디 편물 1단마다 '옆면&바닥 편물' 1단씩 1:1로 짝지어 연결 • 가방 바닥 부분: 바디 편물 1단마다 '옆면&바닥 편물' 1코씩 1:1로 짝지어 연결 ≫ 하단의 모서리(2곳)을 연결할 때는 바디 편물 모서리 1코에 옆면&바닥 편물 2코를 연결해주세요.
뒷면 바디와의 연결	• 앞면 바디와 동일하게 연결 • 이어서 덮개 테두리 뜨기
체인 및 스트랩 연결	• 돗바늘을 이용해 덮개 테두리 부분에 체인 부착 • 체인을 둥글게 연결하여 스트랩 완성 • 가방 중앙에 스냅 버튼을 부착해 마무리

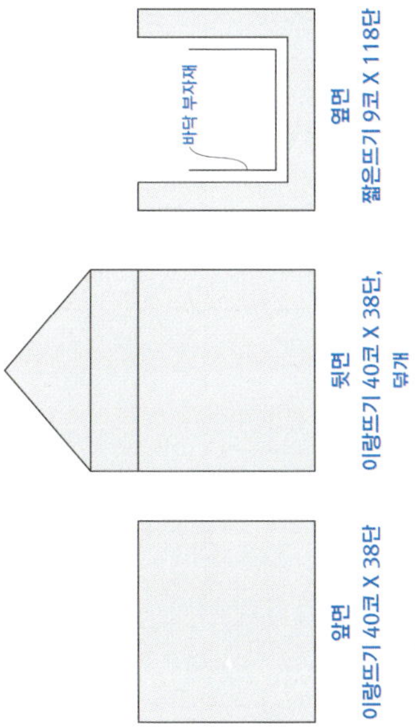

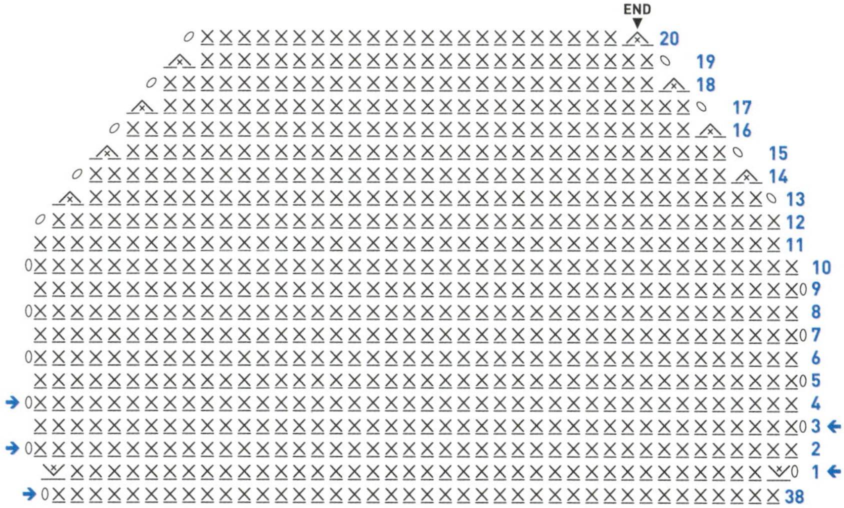

덮개(바디 38단에 이어서 시작)

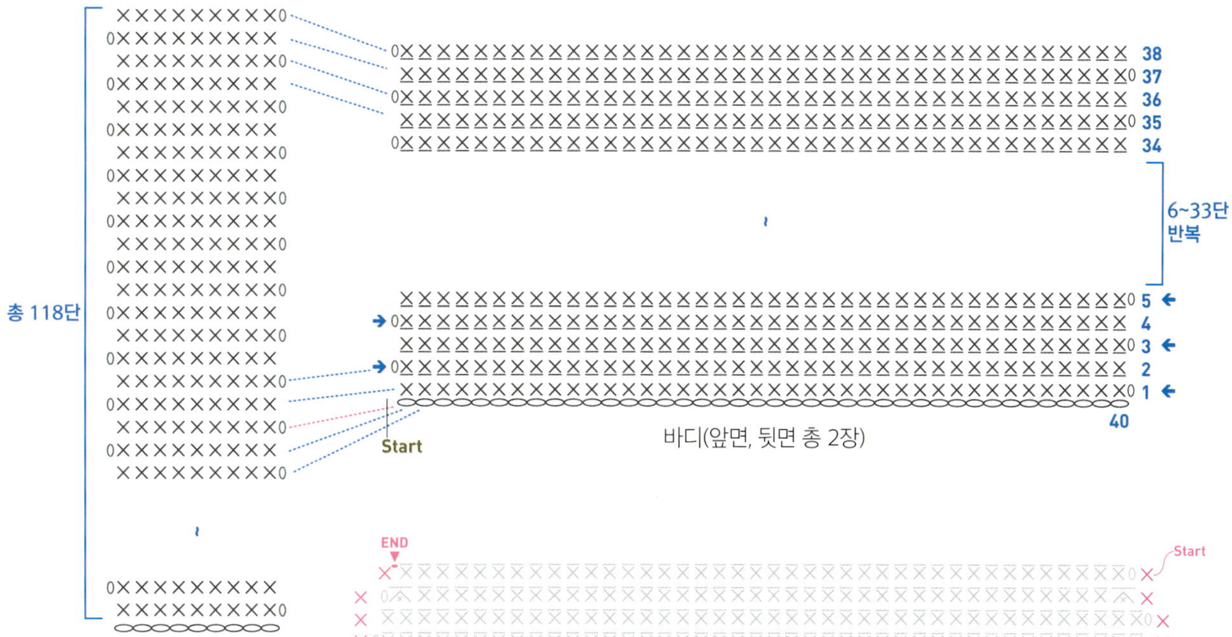

바디(앞면, 뒷면 총 2장)

바디(옆면)

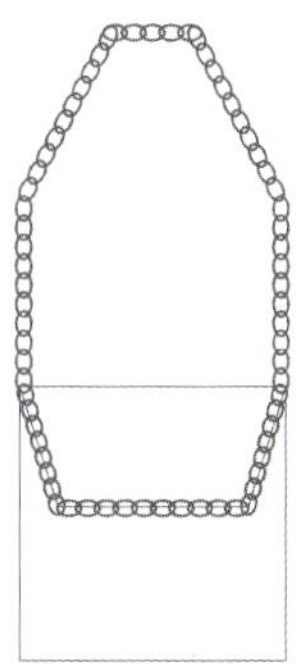
가방 스트랩은 앞면에 부착한 체인에서
그대로 연결하여 만듭니다.

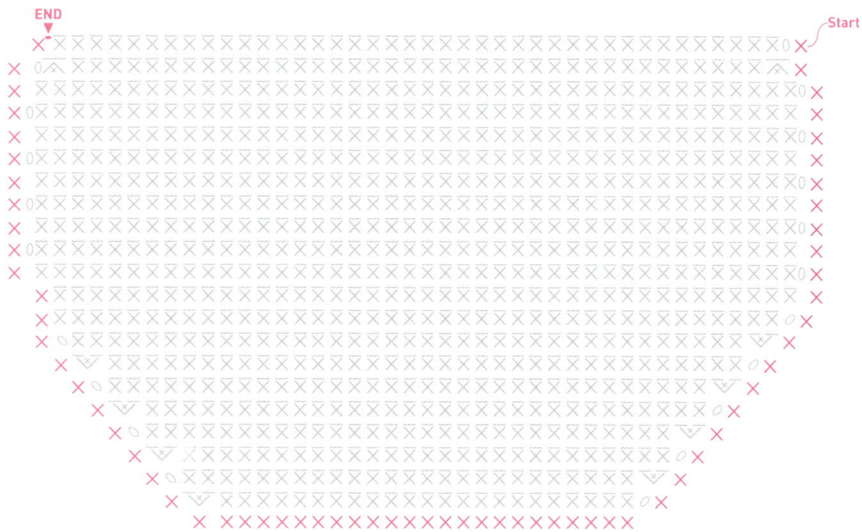

덮개(테두리)

본책 215p

★★★☆☆

파이니네트백

사이즈 폭 19cm, 높이 29cm

뜨개 기법 매직링, 사슬뜨기, 짧은뜨기, 긴뜨기, 한길긴뜨기, 한길긴뜨기늘리기(2코, 3코, 4코), 한길긴뜨기줄이기, 두길긴뜨기, 빼뜨기

준비물 피사코튼 2볼, 모사용코바늘 5/0호, 돗바늘, 가위, 떡볶이단추(25mm) 1개

STEP	구분	방법	증감 콧수	총 콧수
시작	바닥	매직링	-	-
1단		기둥코(사슬 3코), 한길긴뜨기 11번, 빼뜨기	+12	12
2단		• 기둥코(사슬 3코), 동일한 코에 한길긴뜨기 1번 • 한길긴뜨기늘리기 11번 • 빼뜨기	+12	24
3단		• 기둥코(사슬 3코), 한길긴뜨기늘리기 1번 • [한길긴뜨기 1번, 한길긴뜨기늘리기 1번] × 11번 • 빼뜨기	+12	36
4단		• 기둥코(사슬 3코), 한길긴뜨기 1번, 한길긴뜨기늘리기 1번 • [한길긴뜨기 2번, 한길긴뜨기늘리기 1번] × 11번 • 빼뜨기	+12	48
5단		• 기둥코(사슬 3코), 한길긴뜨기 2번, 한길긴뜨기늘리기 1번 • [한길긴뜨기 3번, 한길긴뜨기늘리기 1번] × 11번 • 빼뜨기	+12	60
6단		• 기둥코(사슬 3코), 한길긴뜨기 3번, 한길긴뜨기늘리기 1번 • [한길긴뜨기 4번, 한길긴뜨기늘리기 1번] × 11번 • 빼뜨기	+12	72
7단		• 기둥코(사슬 3코), 한길긴뜨기 4번, 한길긴뜨기늘리기 1번 • [한길긴뜨기 5번, 한길긴뜨기늘리기 1번] × 11번 • 빼뜨기	+12	84

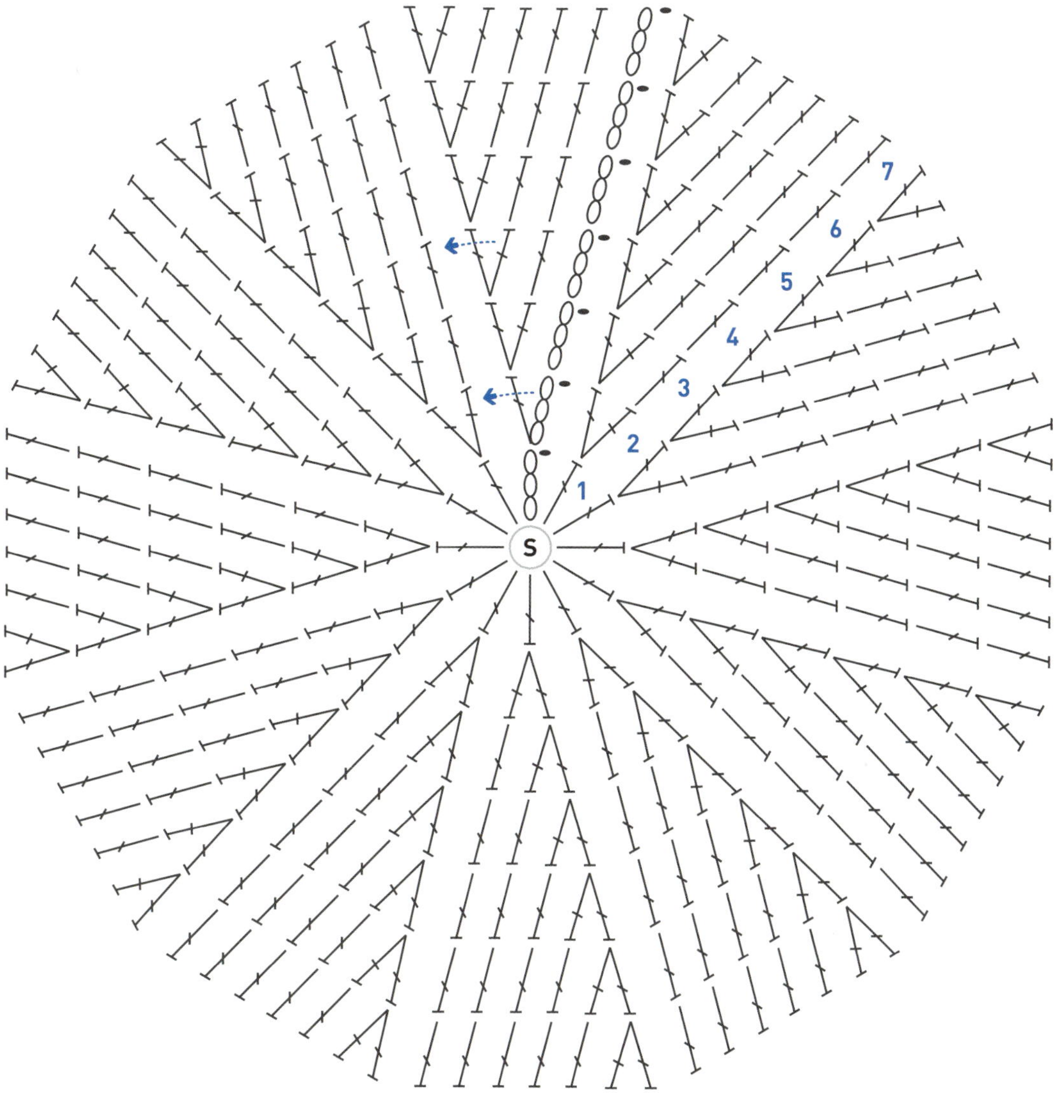

바닥

STEP	구분	방법
시작	바닥(7단)	≫ 7단에서 실을 끊지 않고 바로 이어 뜹니다.
8단	바디	• 기둥코(사슬 3코), 동일한 코에 한길긴뜨기 3번, 사슬 1코, 한길긴뜨기 2번, 사슬 2코 • [한길긴4코늘리기 1번, 사슬 1코, 한길긴뜨기 2번, 사슬 2코]를 끝까지 반복 • 빼뜨기
9단		• 기둥코(사슬 3코), 한길긴뜨기 1번, 사슬 2코, 한길긴4코늘리기 1번, 사슬 1코 • [한길긴뜨기 2번, 사슬 2코, 한길긴4코늘리기 1번, 사슬 1코]를 끝까지 반복 • 빼뜨기
10~17단		• 짝수단: 8단과 동일 • 홀수단: 9단과 동일
18단		• 기둥코(사슬 3코), 동일한 코에 한길긴뜨기 2번, 사슬 1코, 한길긴뜨기 2번, 사슬 2코 • [한길긴3코늘리기 1번, 사슬 1코, 한길긴뜨기 2번, 사슬 2코]를 끝까지 반복 • 빼뜨기
19단		• 기둥코(사슬 3코), 한길긴뜨기 1번, 사슬 2코, 한길긴3코늘리기 1번, 사슬 1코 • [한길긴뜨기 2번, 사슬 2코, 한길긴3코늘리기 1번, 사슬 1코]를 끝까지 반복 • 빼뜨기
20~21단		• 20단: 18단과 동일 • 21단: 19단과 동일
22단		• 기둥코(사슬 3코), 동일한 코에 한길긴뜨기 1번, 사슬 1코, 한길긴뜨기 2번, 사슬 1코 • [한길긴뜨기늘리기 1번, 사슬 1코, 한길긴뜨기 2번, 사슬 1코]를 끝까지 반복 • 빼뜨기
23단		• 기둥코(사슬 3코), 동일한 코에 한길긴뜨기 1번, 사슬 1코 • [한길긴뜨기늘리기 1번, 사슬 1코]를 끝까지 반복
24단		• 기둥코(사슬 3코), 동일한 코에 한길긴뜨기 1번, 사슬 1코, 한길긴뜨기 1번, 사슬 1코 • [한길긴뜨기늘리기 1번, 사슬 1코, 한길긴뜨기 1번, 사슬 1코]를 끝까지 반복 • 빼뜨기
25~26단		• 기둥코(사슬 3코), 도안을 따라 한길긴뜨기 반복, 빼뜨기 ≫ 25단부터는 평면뜨기로 단이 바뀔 때마다 편물을 뒤집어가며 뜹니다.
27단		• 기둥코(사슬 3코), 한길긴뜨기 1번, 한길긴뜨기줄이기 1번 • [한길긴뜨기 2번, 한길긴뜨기줄이기 1번]을 끝까지 반복
28단		• 기둥코(사슬 3코), 한길긴뜨기줄이기 1번 • [한길긴뜨기 1번, 한길긴뜨기줄이기 1번]을 끝까지 반복
입구 (테두리)		• 기둥코(사슬 1코) • 한길긴뜨기 머리마다 짧은뜨기 1번씩 뜨기 • V자 입구 시작 부분인 사슬 공간에 짧은뜨기 3번 • 나머지 한길긴뜨기 기둥과 사슬 공간에 짧은뜨기 2번씩 뜨기 • V자 입구 마지막 부분인 한길긴뜨기 다리에는 짧은뜨기 3번, 머리에는 짧은뜨기 1번 • 빼뜨기

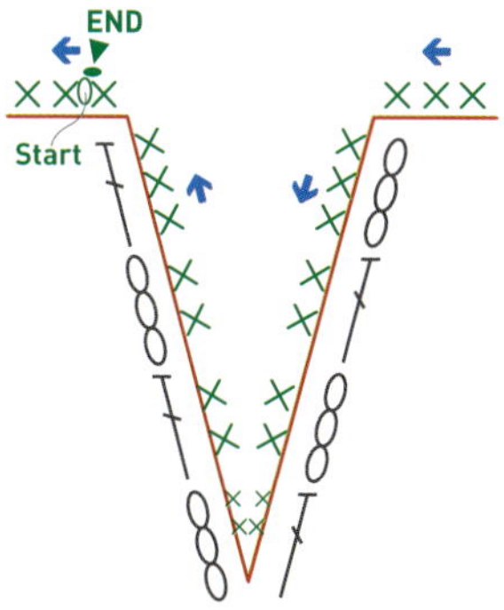

입구(테두리)

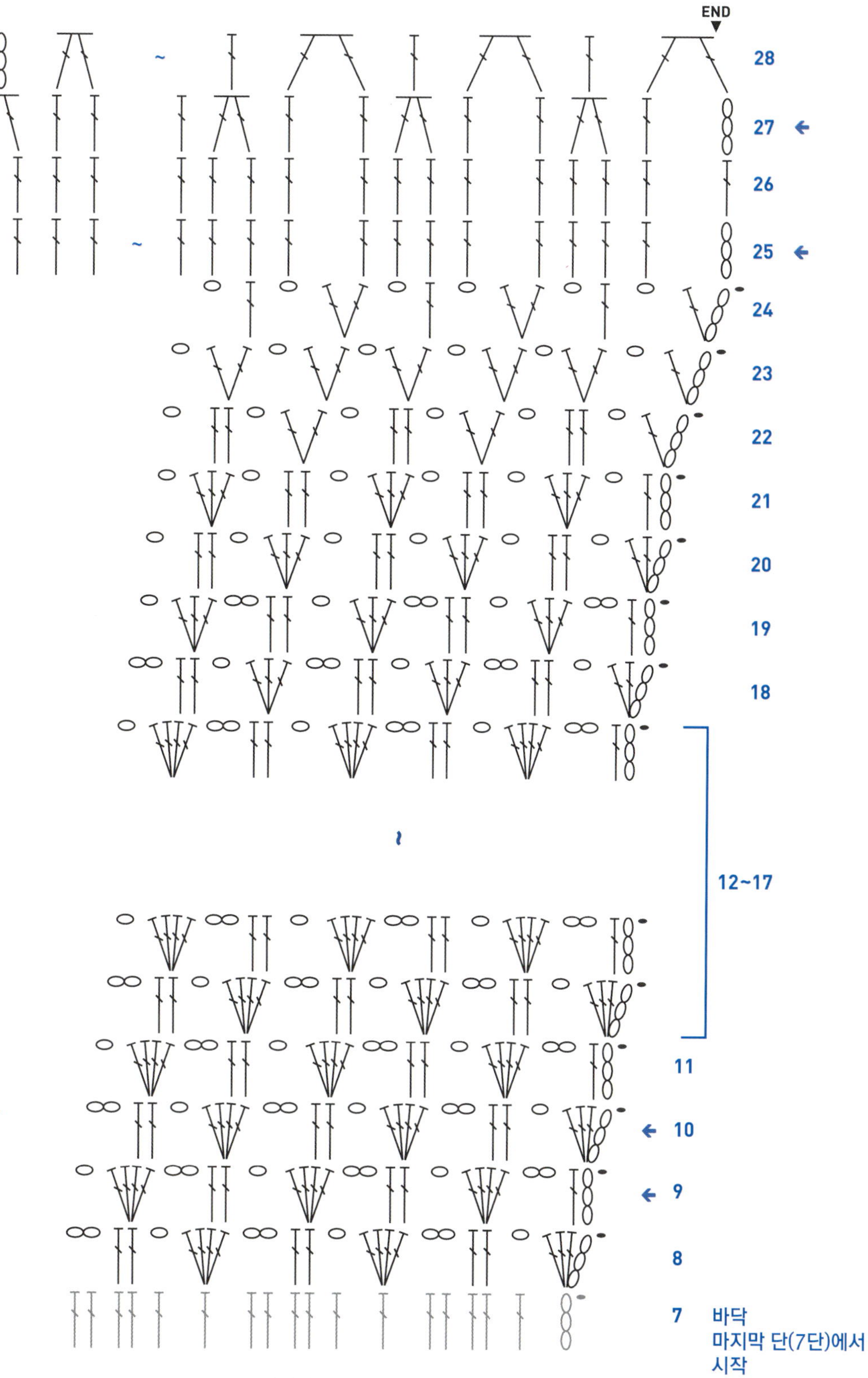

바디(8~28단)

STEP	구분	방법	증감 콧수	총 콧수
시작	덮개	매직링	-	-
1단		기둥코(사슬 3코), 한길긴뜨기 14번, 빼뜨기	+15	15
2단		• 기둥코(사슬 3코), 동일한 코에 한길긴뜨기 1번 • 한길긴뜨기늘리기 14번 • 빼뜨기	+15	30
3단		• 기둥코(사슬 3코), 한길긴뜨기늘리기 1번 • [한길긴뜨기 1번, 한길긴뜨기늘리기 1번] × 14번 • 빼뜨기	+15	45
4단		• 기둥코(사슬 3코), 한길긴뜨기 1번, 한길긴뜨기늘리기 1번 • [한길긴뜨기 2번, 한길긴뜨기늘리기 1번] × 14번 • 빼뜨기 • 사슬 10코를 만든 후 기둥코 머리에 빼뜨기	+15	60
	스트랩	• 그림과 같이 실 1가닥을 양쪽에 연결 • 2가닥을 함께 잡고 실을 새로 걸어 짧은뜨기	-	-

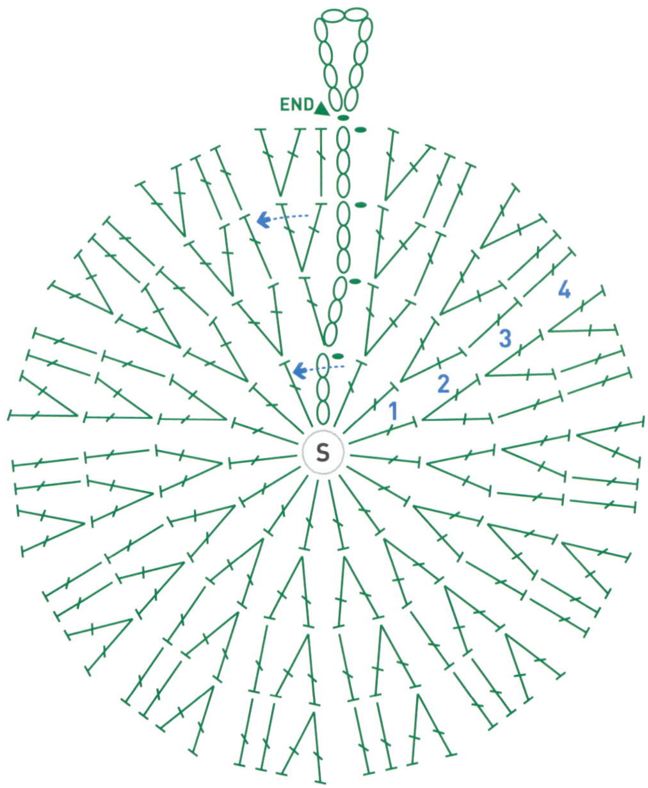

덮개

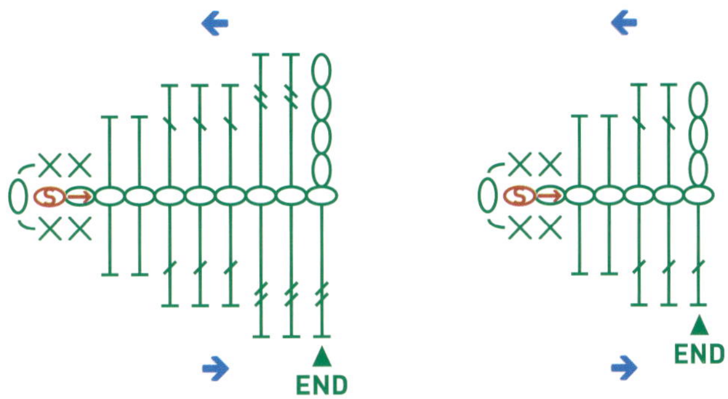

잎사귀(대)　　잎사귀(소) × 2개

[입사귀는 마지막에 실을 20cm 남기고 잘라주세요.]

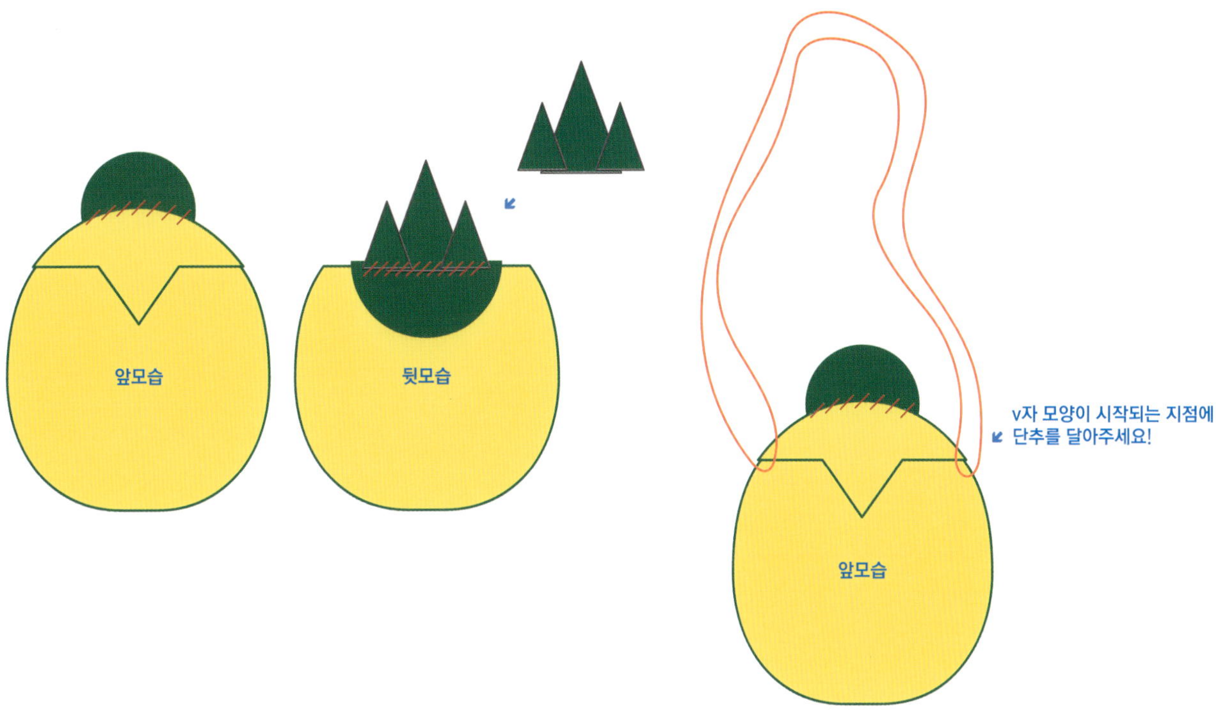

본책 221p ★★★☆☆

와플 컵홀더

사이즈 12cm × 7cm
뜨개 기법 사슬뜨기, 짧은뜨기, 한길긴뜨기, 한길긴앞걸어뜨기, 한길긴뒤걸어뜨기, 되돌아짧은뜨기, 빼뜨기
준비물 피사코튼 1볼, 모사용코바늘 4/0호, 돗바늘, 가위

Work 31.

STEP	방법
시작	사슬 48코를 만들고 첫 코에 빼뜨기하여 원형 만들기 ≫ 컵의 둘레에 맞춰 3의 배수로 사슬을 만들면 컵의 크기에 맞는 홀더로 완성할 수 있습니다.
1단	기둥코(사슬 3코), 한길긴뜨기 47번, 빼뜨기
2단	기둥코(사슬 3코), 한길긴뒤걸어뜨기 2번, [한길긴뜨기 1번, 한길긴뒤걸어뜨기 2번] × 15번, 빼뜨기
3단	기둥코(사슬 3코), 한길긴뜨기 2번, [한길긴앞걸어뜨기 1번, 한길긴뜨기 2번] × 15번, 빼뜨기
4단	2단과 동일
5단	3단과 동일
6단	2단과 동일
7단	3단과 동일
8단	2단과 동일
9단	기둥코(사슬 1코), 짧은뜨기 48번, 빼뜨기
10단	기둥코(사슬 1코), 되돌아짧은뜨기 48번, 빼뜨기

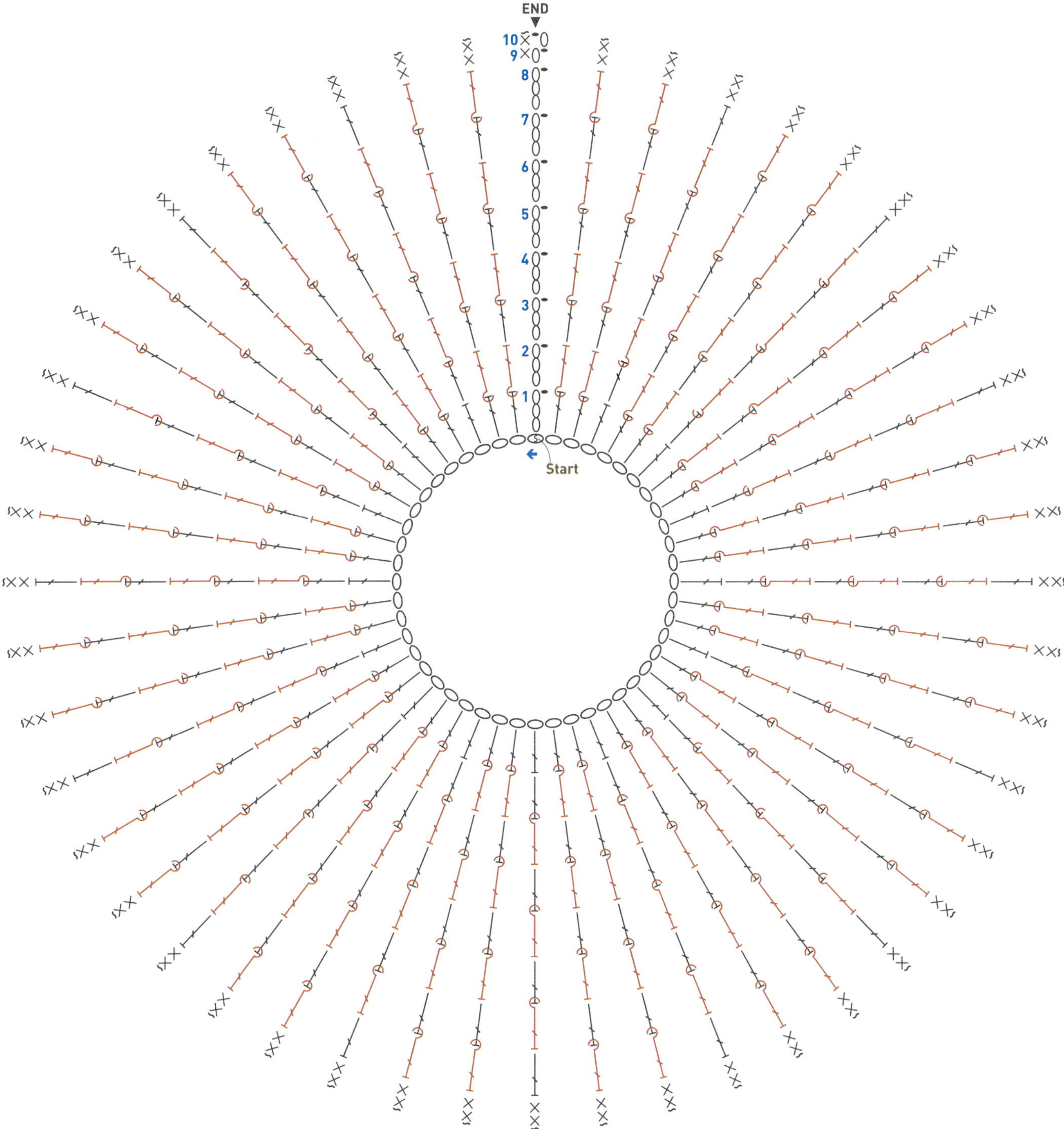
END
10
9
8
7
6
5
4
3
2
1
Start

본책 225p ★★★☆☆

플라워 드림캐쳐

사이즈 지름 16cm, 리본 길이 30cm
뜨개 기법 매직링, 사슬뜨기, 짧은뜨기, 한길긴뜨기, 한길긴뜨기줄이기, 한길긴2코구슬뜨기, 빼뜨기
준비물 포지타노 1볼, 메탈 링, 레이스 끈, 인조가죽 끈, 공단 리본, 깃털, 모사용코바늘 4/0호, 돗바늘, 가위, 양면테이프

STEP	방법
시작	매직링
1단	기둥코(사슬 3코), 한길긴뜨기 23번, 빼뜨기
2단	• 기둥코(사슬 3코), 한 코 건너뛰고 한길긴뜨기 1번, 사슬 3코 • [한길긴뜨기줄이기 1번, 사슬 3코] × 11번 • 빼뜨기
3단	• 첫 번째 사슬 공간에 빼뜨기해 시작코 변경 • 사슬 공간에 기둥코(사슬 1코), 짧은뜨기 1번, 사슬 4코 • [사슬 공간에 짧은뜨기 1번, 사슬 4코] × 11번 • 빼뜨기
4단	• 기둥코(사슬 1코) • [짧은뜨기 1번, 사슬 3코, 한길긴뜨기 1번, 사슬 3코] × 12번 • 빼뜨기
5단	• 사슬 3코 중앙마다 빼뜨기하여 시작코 변경 • 기둥코(사슬 3코), 동일한 위치에 한길긴뜨기 1번, 사슬 6코 • [한길긴2코구슬뜨기 1번, 사슬 6코] × 11번 • 빼뜨기
6단	기둥코(사슬 3코), 한길긴뜨기 83번, 빼뜨기
7단	사슬 5코마다 빼뜨기로 링과 연결, 돗바늘로 마무리

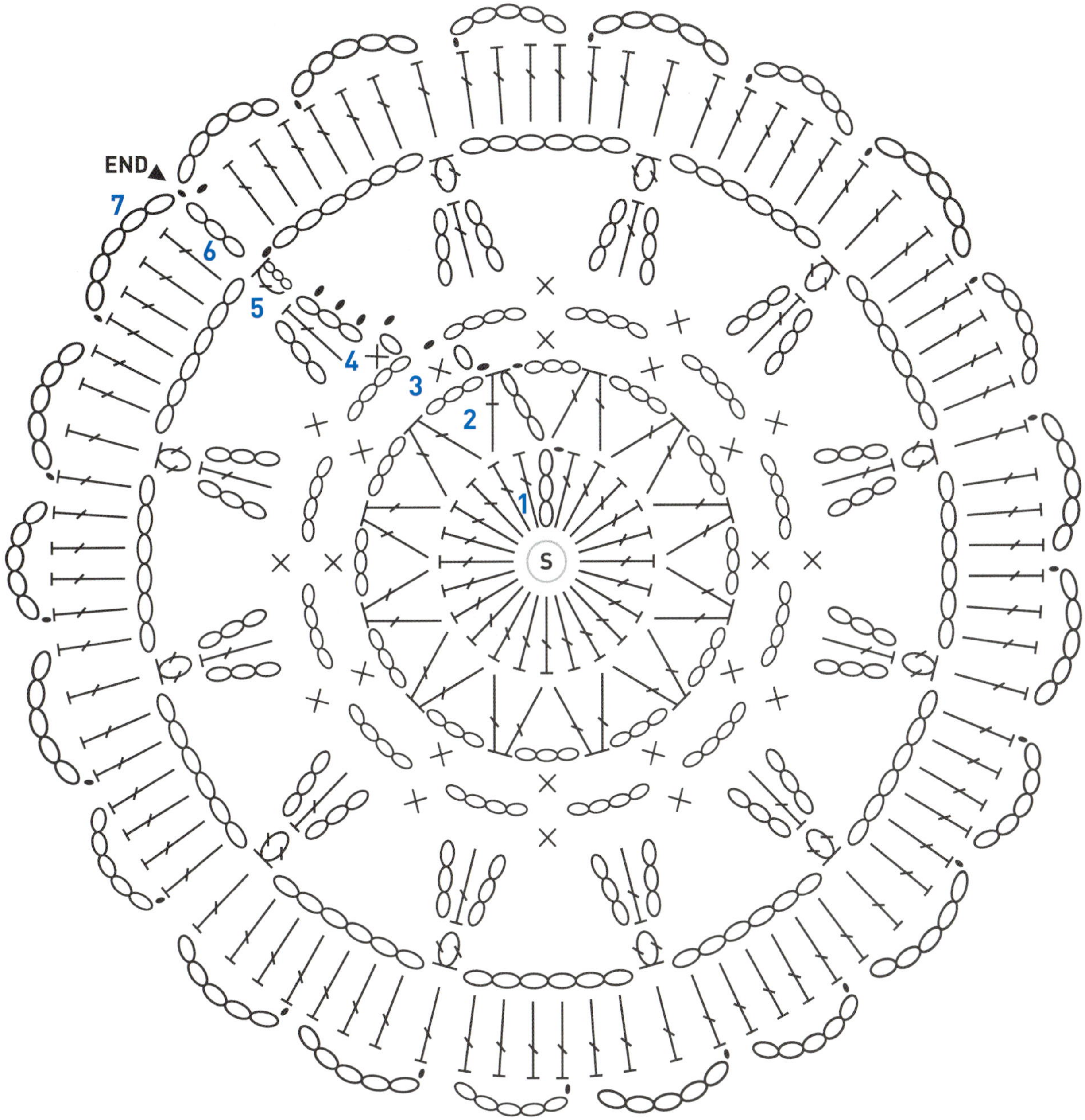
END
7
6
5
4
3
2
1
S

본책 229p

★★★☆☆

소프트 티슈커버

사이즈	가로 22cm, 세로 11cm, 높이 10cm
뜨개 기법	사슬뜨기, 한길긴뜨기, 한길긴5코늘리기, 빼뜨기
준비물	소프트스완 2볼, 모사용코바늘 8/0호, 돗바늘, 가위

STEP	방법	증감 콧수	총 콧수
시작	사슬 50코를 만들어 첫 코에 빼뜨기 ≫ 커다란 원형 사슬이 만들어집니다.	+50	50
1단	• 기둥코(사슬 3코), 한길긴뜨기 10번 • 한길긴5코늘리기 1번, 한길긴뜨기 1번, 한길긴5코늘리기 1번 • 한길긴뜨기 22번 • 한길긴5코늘리기 1번, 한길긴뜨기 1번, 한길긴5코늘리기 1번 • 한길긴뜨기 11번 • 빼뜨기	+16	66
2단	• 기둥코(사슬 3코), 한길긴뜨기 12번 • 한길긴5코늘리기 1번, 한길긴뜨기 5번, 한길긴5코늘리기 1번 • 한길긴뜨기 26번 • 한길긴5코늘리기 1번, 한길긴뜨기 5번, 한길긴5코늘리기 1번 • 한길긴뜨기 13번 • 빼뜨기	+16	82
3단	• 기둥코(사슬 3코), 한길긴뜨기 14번 • 한길긴5코늘리기 1번, 한길긴뜨기 9번, 한길긴5코늘리기 1번 • 한길긴뜨기 30번 • 한길긴5코늘리기 1번, 한길긴뜨기 9번, 한길긴5코늘리기 1번 • 한길긴뜨기 15번 • 빼뜨기	+16	98
4단	• 기둥코(사슬 3코), 한길긴뜨기 16번 • 한길긴5코늘리기 1번, 한길긴뜨기 13번, 한길긴5코늘리기 1번 • 한길긴뜨기 34번 • 한길긴5코늘리기 1번, 한길긴뜨기 13번, 한길긴5코늘리기 1번 • 한길긴뜨기 17번 • 빼뜨기	+16	114
5~13단	• 기둥코(사슬 3코) • 한길긴뜨기 113번 • 빼뜨기	-	114

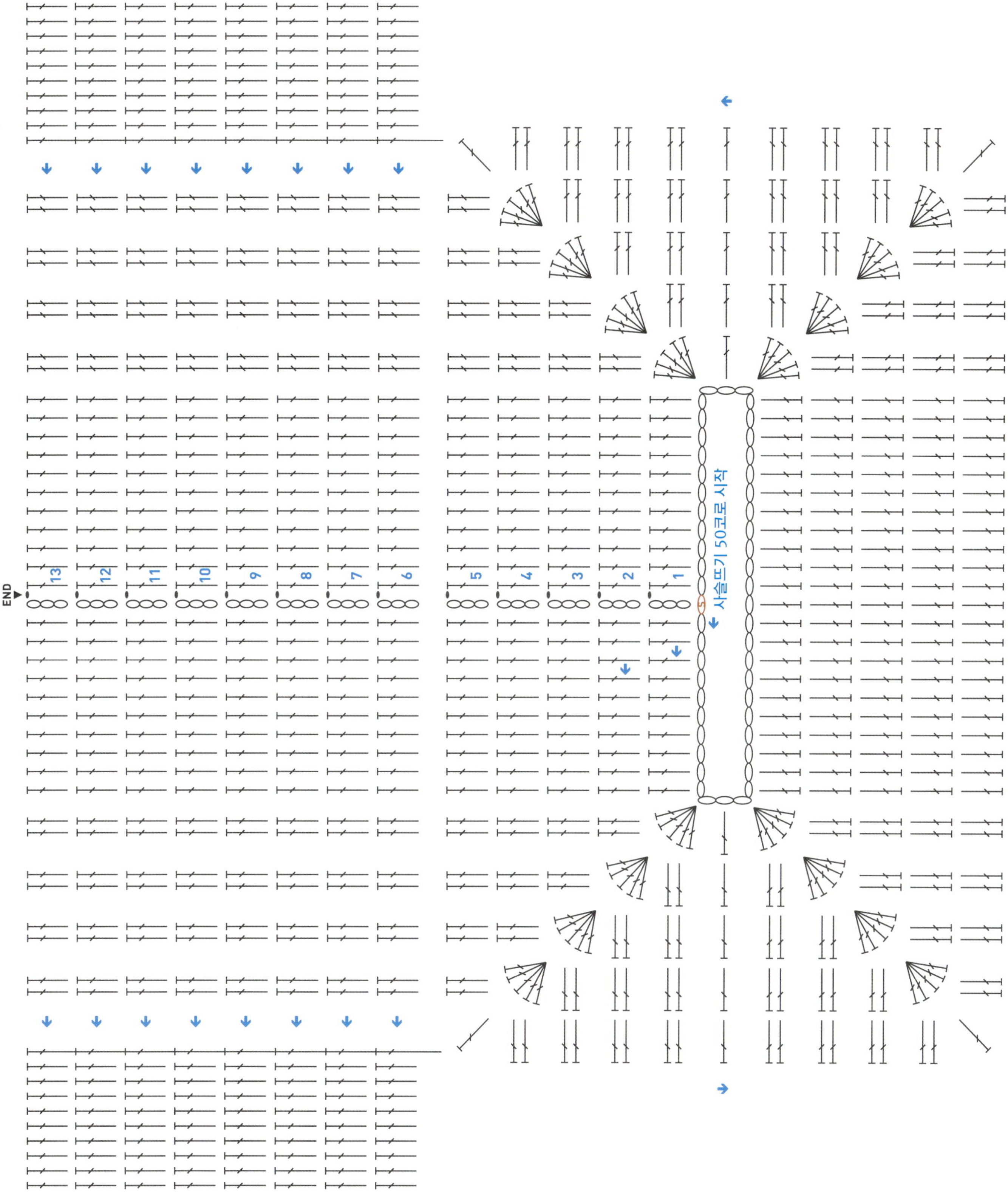
사슬뜨기 50코로 시작
END
1
2
3
4
5
6
7
8
9
10
11
12
13

본책 237p ★★★☆☆

네키 목도리

사이즈 폭 8.5cm, 길이 77cm

뜨개 기법 사슬뜨기, 짧은뜨기, 한길긴뜨기, 한길긴뜨기늘리기, 한길긴뜨기줄이기

준비물 포지타노 2볼, 모사용코바늘 5/0호, 돗바늘, 가위

구분	STEP	방법	증감 콧수	총 콧수
목도리	시작	사슬 14코	+14	14
	1단	기둥코(사슬 1코), 짧은뜨기 14번	-	14
	2~7단	기둥코(사슬 3코), 한길긴뜨기 13번	-	14
	8단	기둥코(사슬 3코), 한길긴뜨기 1번, 한길긴뜨기줄이기 5번, 한길긴뜨기 2번	-5	9
	9~12단	기둥코(사슬 3코), 한길긴뜨기 8번	-	9
	13단	• 기둥코(사슬 3코), 동일한 위치에 한길긴뜨기 1번 • 한길긴뜨기늘리기 8번	+9	18
	14단	기둥코(사슬 3코), 한길긴뜨기 17번	-	18
	15단	기둥코(사슬 3코), 한길긴뜨기 17번 ≫ [배색] : 그레이2/핑크4/그레이1/핑크4/그레이1/핑크4/그레이2	-	18
	16~66단	• 짝수단 : 14단과 동일하게 반복 • 홀수단 : 15단 배색을 참고하며 동일하게 반복	-	18
	67단	• 기둥코(사슬 3코), 다음 코에 한길긴뜨기 1번 • 한길긴뜨기줄이기 8번	-9	9
	68~71단	기둥코(사슬 3코), 한길긴뜨기 8번	-	9
	72단	기둥코(사슬 3코), 한길긴뜨기 1번, 한길긴뜨기늘리기 5번, 한길긴뜨기 2번	+5	14
	73~78단	기둥코(사슬 3코), 한길긴뜨기 13번	-	14
	79단	기둥코(사슬 1코), 짧은뜨기 14번, 돗바늘로 마무리	-	14
고리	시작	사슬 6코	+6	6
	1~6단	기둥코(사슬 3코), 한길긴뜨기 5번	-	6
	마무리	목도리 뒤쪽 폭이 가장 좁은 위치에 꿰매어 연결 ≫ 도안을 참고해 위치를 확인하세요.	-	-

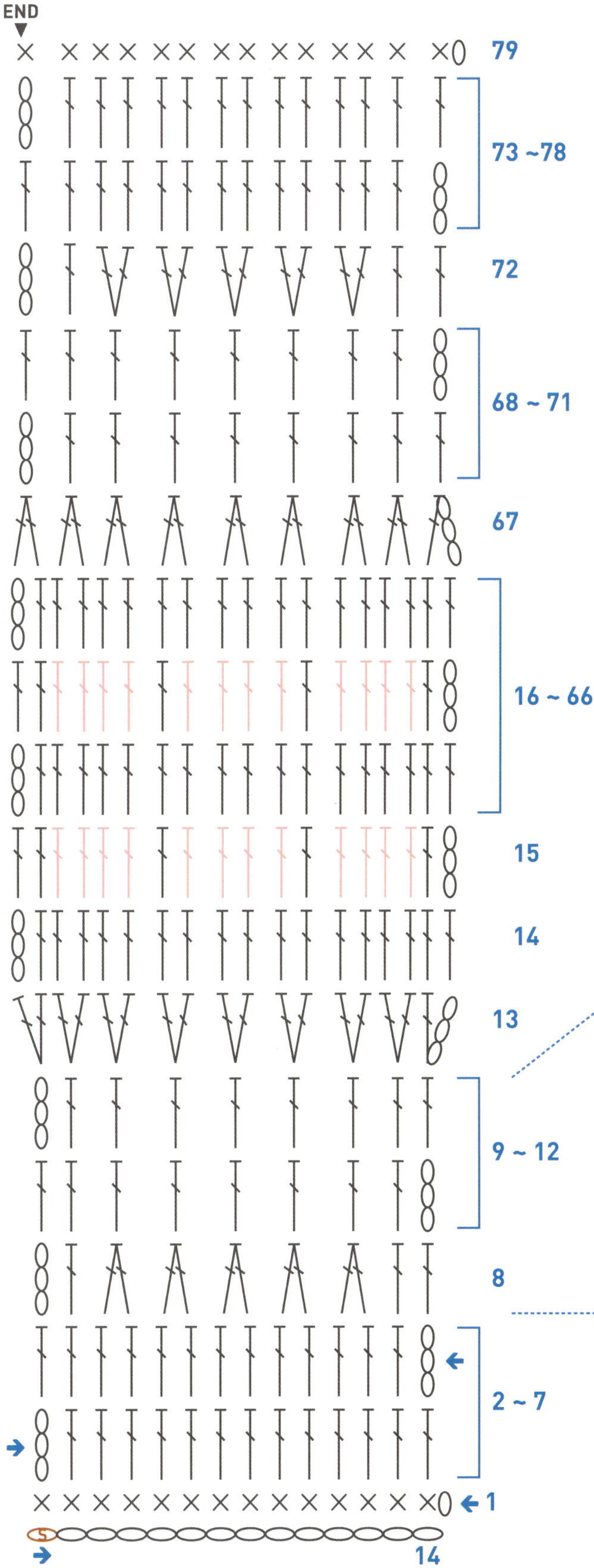

고리는 따로 떠서 폭이 가장 좁은 위치의
뒤 쪽에 꿰매어 붙여주세요.

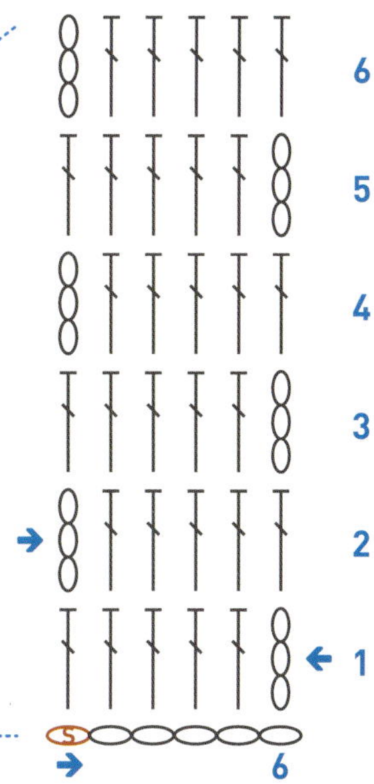

본책 241p

★★★☆☆

귀도리

사이즈 길이 50cm, 귀마개 지름 10cm
뜨개 기법 매직링, 사슬뜨기, 짧은뜨기, 한길긴뜨기, 한길긴뜨기늘리기, 한길긴3코구슬뜨기, 빼뜨기
준비물 파머스마켓 2볼, 수면사 1볼, 모사용코바늘 7/0호, 9/0호, 돗바늘, 가위

구분	STEP	방법
귀마개 (코바늘 7/0호 사용)	시작	매직링
	1단	• [한길긴3코구슬뜨기 1번, 사슬 2코] × 9번 • 한길긴3코구슬뜨기 1번, 사슬 1코 • 첫 코에 짧은뜨기로 마무리 ≫ 첫 코는 기둥코(사슬 3코)로 시작해 한길3코구슬뜨기를 완성합니다.
	2단	• 기둥코(사슬 3코) • 전 단의 사슬 공간마다 한길긴뜨기 3번 • 전 단의 마지막 사슬 공간에는 한길긴뜨기 2번, 빼뜨기
	3단	• 기둥코(사슬 3코), 한길긴뜨기늘리기 1번 • [한길긴뜨기 1번, 한길긴뜨기늘리기 1번] × 14번, 빼뜨기
밴드 (코바늘 7/0호 사용)	4단	• 기둥코(사슬 3코), 한길긴뜨기 2번 • 사슬 2코를 만들고 2코 지나 한길긴뜨기 3번 ≫ 4단부터는 편물을 뒤집어가며 평면뜨기합니다.
	5단	• 기둥코(사슬 3코), 사슬 2코, 전 단의 사슬 공간에 한길긴뜨기 2번 • 사슬 2코를 만들고 2코 지나 한길긴뜨기 1번
	6~22단	• 짝수단 : 4단과 동일 • 홀수단 : 5단과 동일 ≫ 실을 15cm 남기고 잘라 돗바늘로 마무리합니다.
	귀마개 연결	귀마개 편물을 1장 더 만들어 22단에 감침질로 연결
테두리 & 스트랩 (코바늘 7/0호 사용)	과정	❶ 원형 편물에 실을 걸어 기둥코(사슬 1코)를 만듭니다. ❷ 전 단의 한길긴뜨기 머리마다 짧은뜨기를 뜹니다. ❸ 밴드(4~22단) 단 부분은 [짧은뜨기 2번, 사슬 1코]를 반복해 뜹니다. ❹ 반대편 귀마개 편물에서도 모든 한길긴뜨기에 짧은뜨기를 1번씩 뜹니다. ❺ 귀마개 편물 가운데 부분에 오면 사슬 50코를 뜨고 빼뜨기로 돌아와 스트랩을 만들어줍니다. ❻ 동일한 방식으로 반대편 귀마개 편물 가운데까지 돌아옵니다. ❼ 사슬 50코를 뜨고 빼뜨기로 돌아와 스트랩을 만들어 완성합니다. ❽ 모든 한길긴뜨기에 짧은뜨기를 뜬 후 빼뜨기로 마무리합니다.
안감 패드 (코바늘 9/0호 사용)	시작	매직링 ≫ 수면사를 사용합니다.
	1단	기둥코(사슬 3코), 한길긴뜨기 13번, 빼뜨기
	2단	• 기둥코(사슬 3코), 동일한 위치에 한길긴뜨기 1번 • 한길긴뜨기늘리기 13번, 빼뜨기 • 돗바늘을 이용해 귀마개 안쪽에 연결

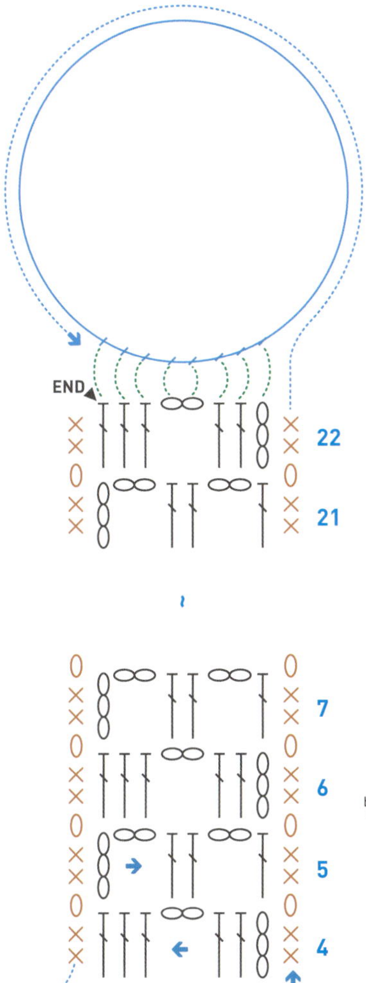

밴드

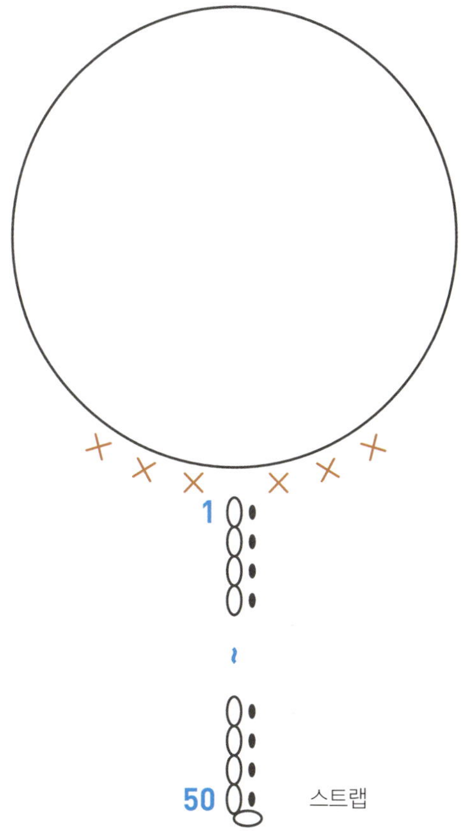

스트랩

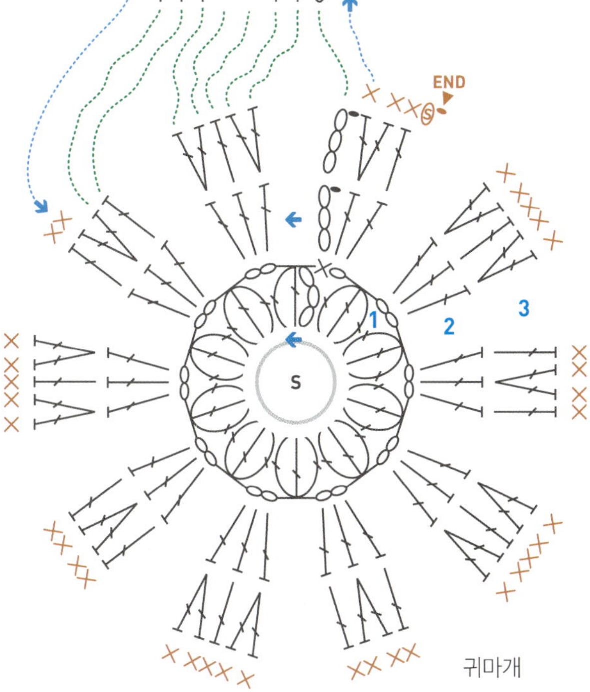

귀마개

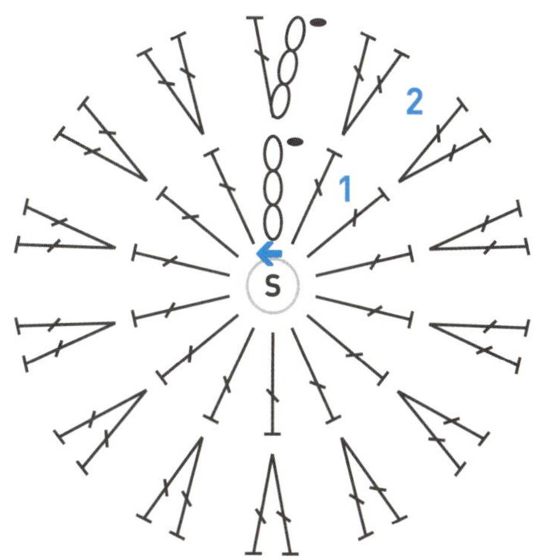

안감 패드(2장)

본책 247p

★★★☆☆

지퍼 파우치

사이즈 24cm × 19cm
뜨개 기법 사슬뜨기, 짧은뜨기, 겹짧은뜨기, 빼뜨기
준비물 비엔나 3볼, 안감 파우치, 모사용코바늘 7/0호, 돗바늘, 가위, 일반 실과 바늘

컬러	STEP	방법
브라운	시작	사슬 42코
	1단	• 기둥코(사슬 1코) • 사슬을 1가닥씩만 주으며 짧은뜨기 42번 • 반대쪽 사슬도 1가닥씩 주으며 짧은뜨기 42번 • 빼뜨기 ≫ 총 84개의 코로 만들어진 긴 타원형 편물이 완성됩니다.
	2~6단	기둥코(사슬 1코), 짧은뜨기 84번, 빼뜨기
레몬	7단	• 기둥코(사슬 1코) • 사슬 1코를 만들고 1코 건너뛰고 짧은뜨기 1번 • 2~6번째 코는 한 단씩 아래로 내려가며 겹짧은뜨기 • 동일한 방식으로 13번 더 반복한 후 빼뜨기 ≫ 겹짧은뜨기를 할 때는 아랫단으로 내려갈수록 실을 늘려주면서 떠야 편물이 울지 않아요.
	8~12단	2단과 동일
와인	13단	7단과 동일
	14~18단	2단과 동일
레몬	19단	7단과 동일
	20~24단	2단과 동일
와인	25단	7단과 동일
	26~30단	2단과 동일
브라운	31단	7단과 동일
	32~36단	2단과 동일
레몬	37단	7단과 동일
	38~42단	2단과 동일
브라운	43~45단	2단과 동일
	안감 부착	파우치 안감을 넣고 시침핀으로 고정한 후 손바느질로 마무리

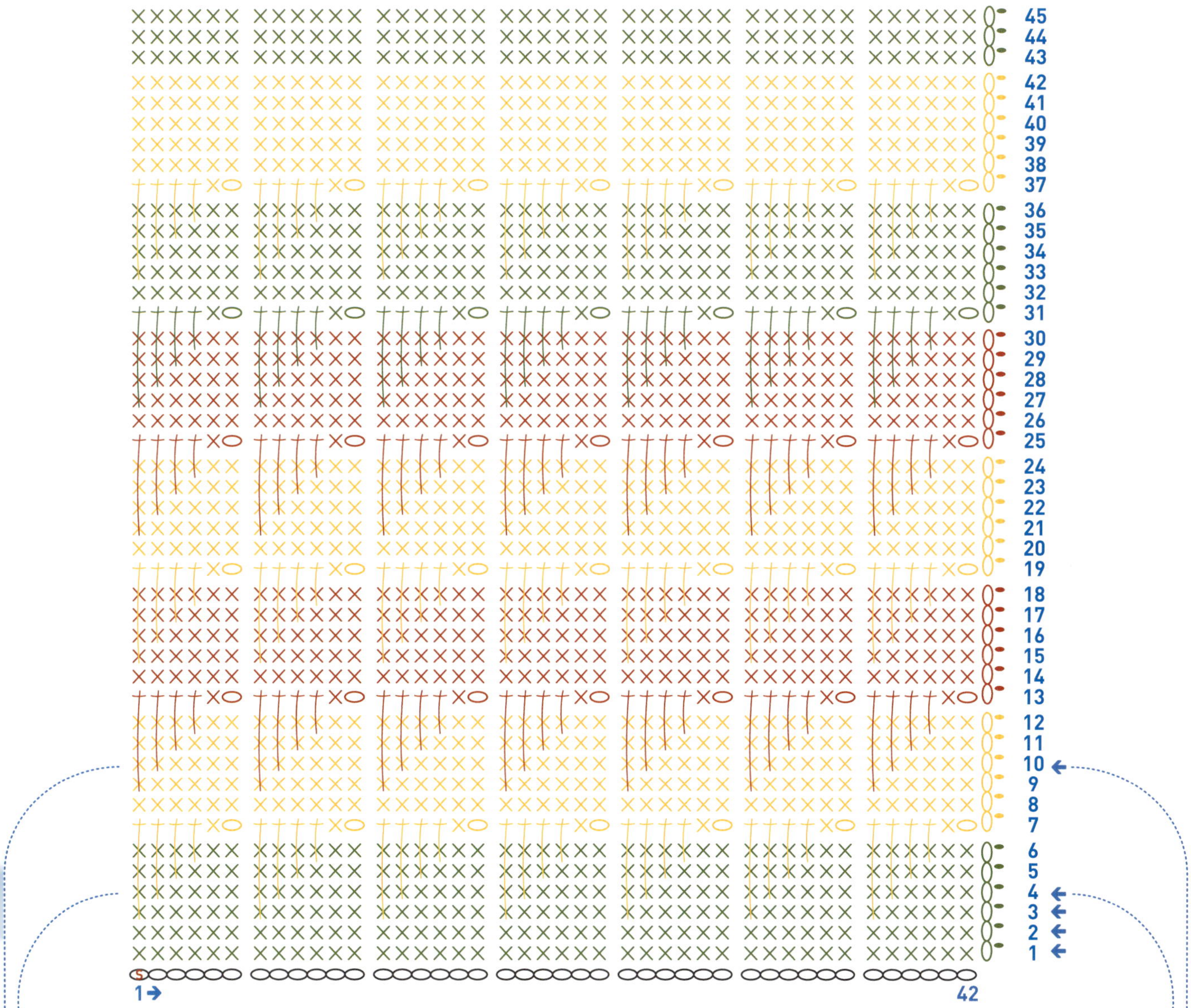

사슬을 1가닥씩만 주으며 짧은뜨기 42번을 한 후
반대쪽 남은 사슬도 1가닥씩 주으며
짧은뜨기 42번을 뜹니다.

본책 251p ★★★★☆

트와이닝 파우치

사이즈 25cm × 20cm
뜨개 기법 사슬뜨기, 짧은뜨기, 이랑뜨기, 빼뜨기
준비물 피사코튼 3볼, 안감 파우치, 모사용코바늘 7/0호, 돗바늘, 가위, 일반 실과 바늘
{ 실 2가닥을 함께 잡고 뜹니다. }

STEP	방법
시작	사슬 42코
1단	• 기둥코(사슬 1코) • 사슬을 1가닥씩만 주으며 짧은뜨기 42번 • 반대쪽 사슬도 1가닥씩 주으며 짧은뜨기 42번 • 빼뜨기로 마무리 ≫ 총 84개의 코로 만들어진 긴 타원형 편물이 완성됩니다. ≫ [커스터드8/라벤더6/커스터드4/라벤더6/커스터드4/라벤더6/커스터드8]로 배색하며 뜹니다.
2~3단	기둥코(사슬 1코), 이랑뜨기 84번, 빼뜨기 ≫ [커스터드8/라벤더6/커스터드4/라벤더6/커스터드4/라벤더6/커스터드8]로 배색하며 뜹니다.
4~5단	기둥코(사슬 1코), 이랑뜨기 84번, 빼뜨기 ≫ 배색 없이 라벤더색 실로만 뜹니다.
6단	기둥코(사슬 1코), 이랑뜨기 84번, 빼뜨기 ≫ 배색 없이 오트밀색 실로만 뜹니다.
7~8단	4단과 동일
9~11단	2단과 동일
12~13단	4단과 동일
14~15단	2단과 동일
16~17단	4단과 동일
18단	6단과 동일
19~20단	4단과 동일
21~23단	2단과 동일
24~25단	4단과 동일
26단	6단과 동일
27단	4단과 동일
28~30단	2단과 동일
31단	4단과 동일, 빼뜨기

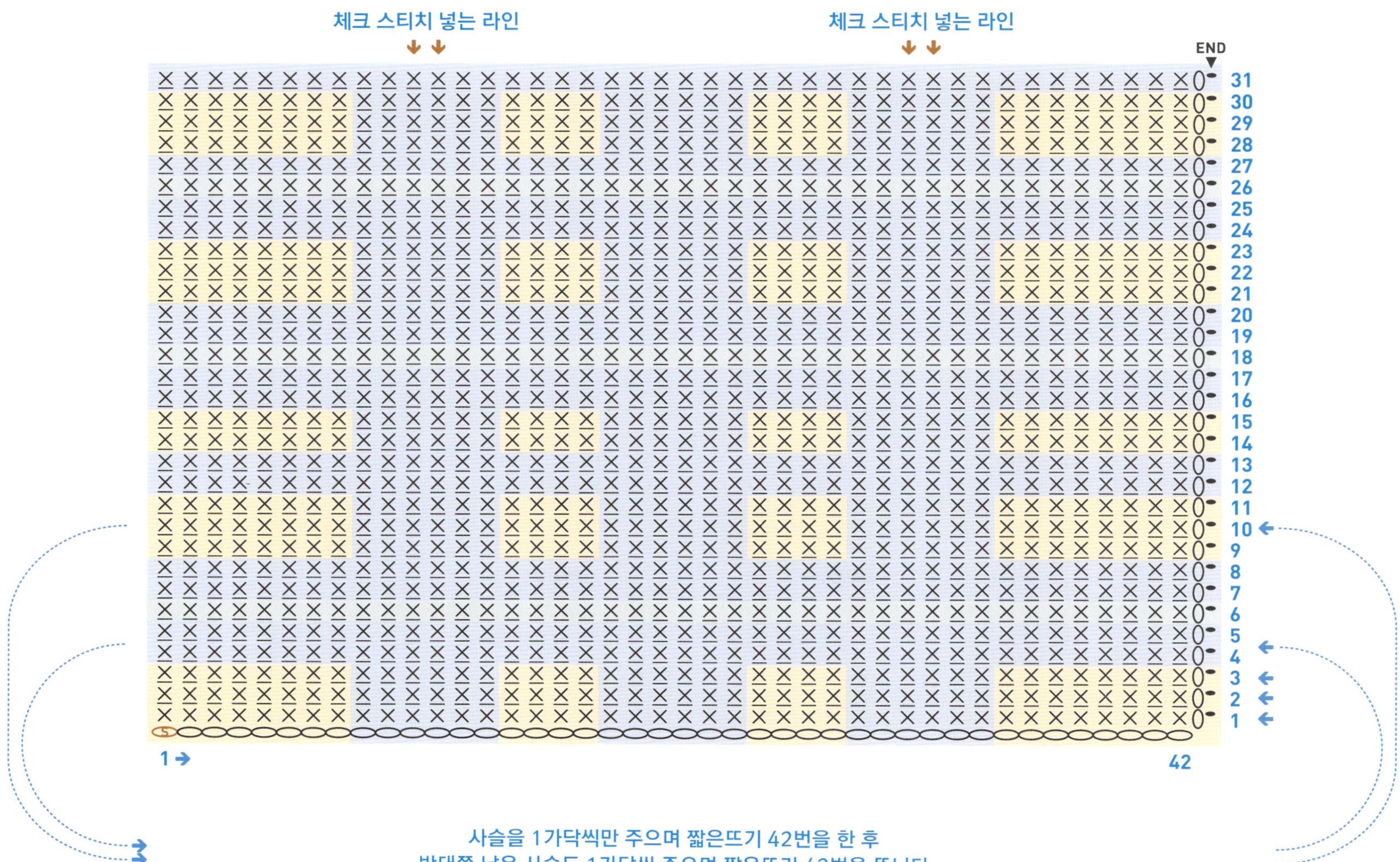

사슬을 1가닥씩만 주으며 짧은뜨기 42번을 한 후
반대쪽 남은 사슬도 1가닥씩 주으며 짧은뜨기 42번을 뜹니다.

본책 255p

★★★½☆

선인장

사이즈 지름 7.5cm(공통),
높이 21cm(길쭉이 선인장), 17cm(동글이 선인장)

뜨개 기법 매직링, 사슬뜨기, 짧은뜨기, 짧은뜨기늘리기, 이랑뜨기, 한길긴뜨기, 한길긴뜨기늘리기, 한길긴이랑뜨기, 되돌아짧은뜨기, 빼뜨기

준비물 라스베가스 2볼, 치앙마이 1볼, 피사코튼 1볼, 폼폼, 여분 실 조금, 솜, 모사용코바늘 4/0호, 7/0호, 돗바늘, 가위

구분	STEP	방법
길쭉이 선인장 바디 (코바늘 4/0호, 라스베가스 실 사용)	시작	사슬 28코
	1단	기둥코(사슬 3코), 한길긴뜨기 27번
	2~18단	기둥코(사슬 3코), 한길긴이랑뜨기 27번 ≫ 전 단의 뒤쪽 사슬 머리 1가닥만 주워 한길긴이랑뜨기를 해주세요. 뒤쪽 사슬을 주워 뜨게 되면 울퉁불퉁 입체감이 살아납니다.
	마무리	❶ 실을 50cm 남기고 잘라 18단을 마무리합니다. ❷ 편물을 반으로 접은 후 반대쪽 코를 함께 잡아 끝까지 빼뜨기합니다. ❸ 돗바늘에 실을 꿰어 두 단에 1가닥씩 줍습니다. ❹ 실을 당겨 오므리고 마무리합니다. ❺ 형태가 유지되도록 솜을 넉넉히 채워 넣습니다. ❻ 상단에 폼폼을 달아 마무리합니다.
동글이 선인장 바디 (코바늘 4/0호, 라스베가스 실 사용)	시작	사슬 20코
	1단	기둥코(사슬 1코), 짧은뜨기 20번
	2~35단	기둥코(사슬 1코), 이랑뜨기 20번 ≫ 전 단의 뒤쪽 사슬 머리 1가닥만 주워 이랑뜨기를 해주세요. 뒤쪽 사슬을 주워 뜨게 되면 울퉁불퉁 입체감이 살아납니다.
	마무리	❶ 실을 50cm 남기고 잘라 35단을 마무리합니다. ❷ 편물을 반으로 접은 후 반대쪽 코를 함께 잡아 끝까지 빼뜨기합니다. ❸ 돗바늘에 실을 꿰어 한 쪽 단 부분을 두 단에 한 코씩 줍습니다. ❹ 실을 당겨 오므리고 마무리합니다. ❺ 형태가 유지되도록 솜을 넉넉히 채워 넣습니다. ❻ 실을 새로 돗바늘에 꿰어 반대쪽 단 부분도 오므려줍니다. ❼ 꽃을 만들고 상단에 연결해 마무리합니다.
꽃 (코바늘 4/0호, 여분 실 사용)	시작	매직링
	1단	기둥코(사슬 1코), 짧은뜨기 6번, 빼뜨기
	2단	[기둥코(사슬 3코), 동일한 코에 한길긴뜨기 2번, 빼뜨기] × 6번
	마무리	실을 길게 남겨 자른 후 돗바늘에 꿰어 동글이 선인장 꼭대기에 달아줍니다.

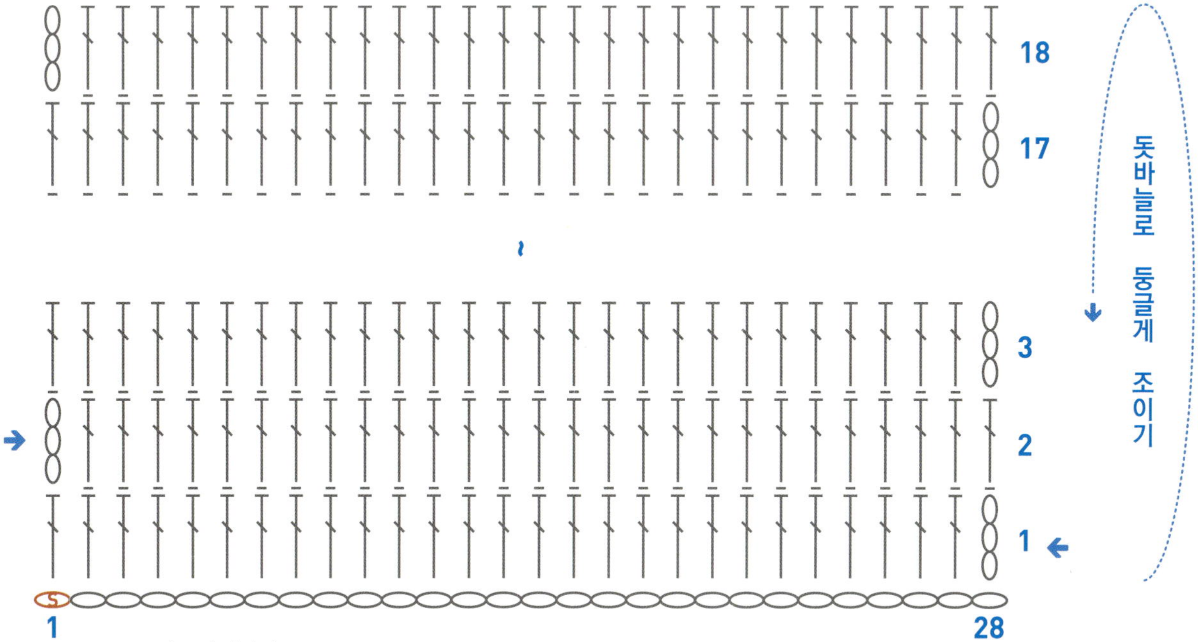

길쭉이 선인장

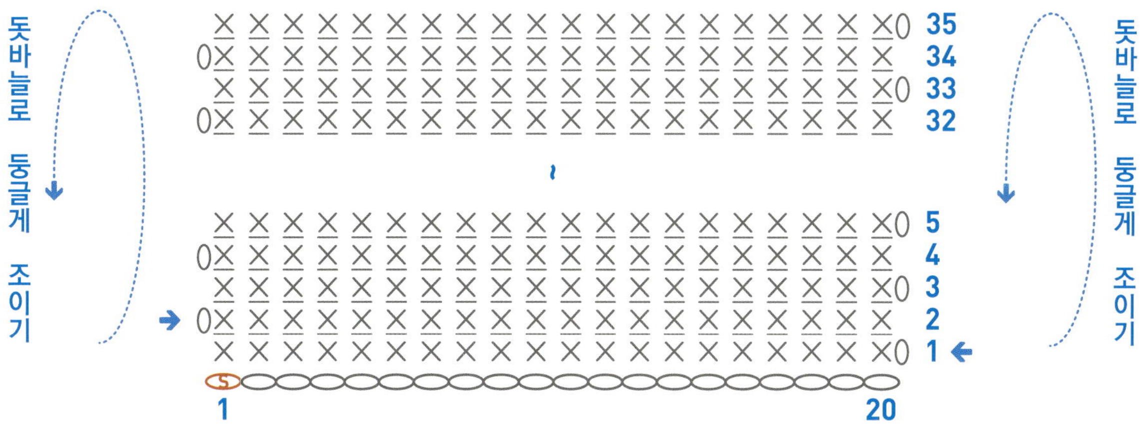

동글이 선인장

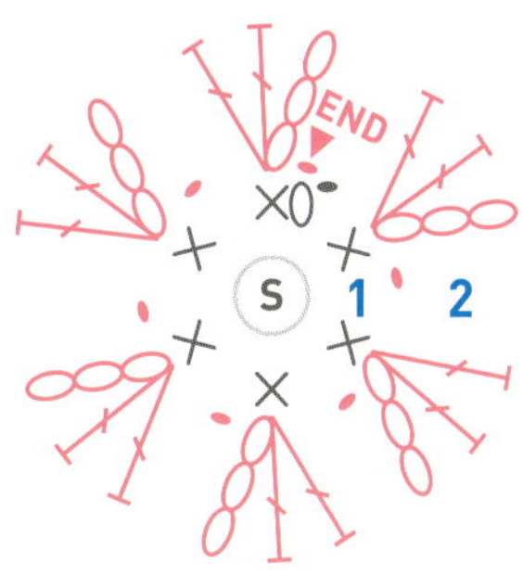

꽃

구분	STEP	방법	증감 콧수	총 콧수
화분 (코바늘 7/0호, 치앙마이 실 사용)	시작	매직링	-	-
	1단	기둥코(사슬 1코), 짧은뜨기 8번, 빼뜨기 ≫ 1~5단은 도안대로 코를 늘려가며 원형을 만듭니다. (본책 48p)	+8	8
	2단	기둥코(사슬 1코), 짧은뜨기늘리기 8번, 빼뜨기	+8	16
	3단	기둥코(사슬 1코), [짧은뜨기 1번, 짧은뜨기늘리기 1번] × 8번, 빼뜨기	+8	24
	4단	기둥코(사슬 1코), [짧은뜨기 2번, 짧은뜨기늘리기 1번] × 8번, 빼뜨기	+8	32
	5단	기둥코(사슬 1코), [짧은뜨기 3번, 짧은뜨기늘리기 1번] × 8번, 빼뜨기	+8	40
	6단	기둥코(사슬 1코), 이랑뜨기 40번, 빼뜨기	-	40
	7~15단	기둥코(사슬 1코), 짧은뜨기 40번, 빼뜨기	-	40
	16단	기둥코(사슬 1코), 되돌아짧은뜨기 40번, 빼뜨기 ≫ 빼뜨기로 마무리하고 실을 30cm 남겨 잘라주세요.	-	40
흙 (코바늘 7/0호, 피사코튼 사용)	시작	매직링 ≫ 피사코튼 2가닥을 함께 잡고 뜹니다.	-	-
	1단	기둥코(사슬 1코), 짧은뜨기 6번, 빼뜨기 ≫ 1~7단은 도안대로 코를 늘려가며 원형을 만듭니다. (본책 48p)	+6	6
	2단	기둥코(사슬 1코), 짧은뜨기늘리기 6번, 빼뜨기	+6	12
	3단	기둥코(사슬 1코), [짧은뜨기 1번, 짧은뜨기늘리기 1번] × 6번, 빼뜨기	+6	18
	4단	기둥코(사슬 1코), [짧은뜨기 2번, 짧은뜨기늘리기 1번] × 6번, 빼뜨기	+6	24
	5단	기둥코(사슬 1코), [짧은뜨기 3번, 짧은뜨기늘리기 1번] × 6번, 빼뜨기	+6	30
	6단	기둥코(사슬 1코), [짧은뜨기 4번, 짧은뜨기늘리기 1번] × 6번, 빼뜨기	+6	36
	7단	기둥코(사슬 1코), [짧은뜨기 5번, 짧은뜨기늘리기 1번] × 6번, 빼뜨기 ≫ 빼뜨기로 마무리하고 실을 30cm 남겨 잘라주세요.	+6	42

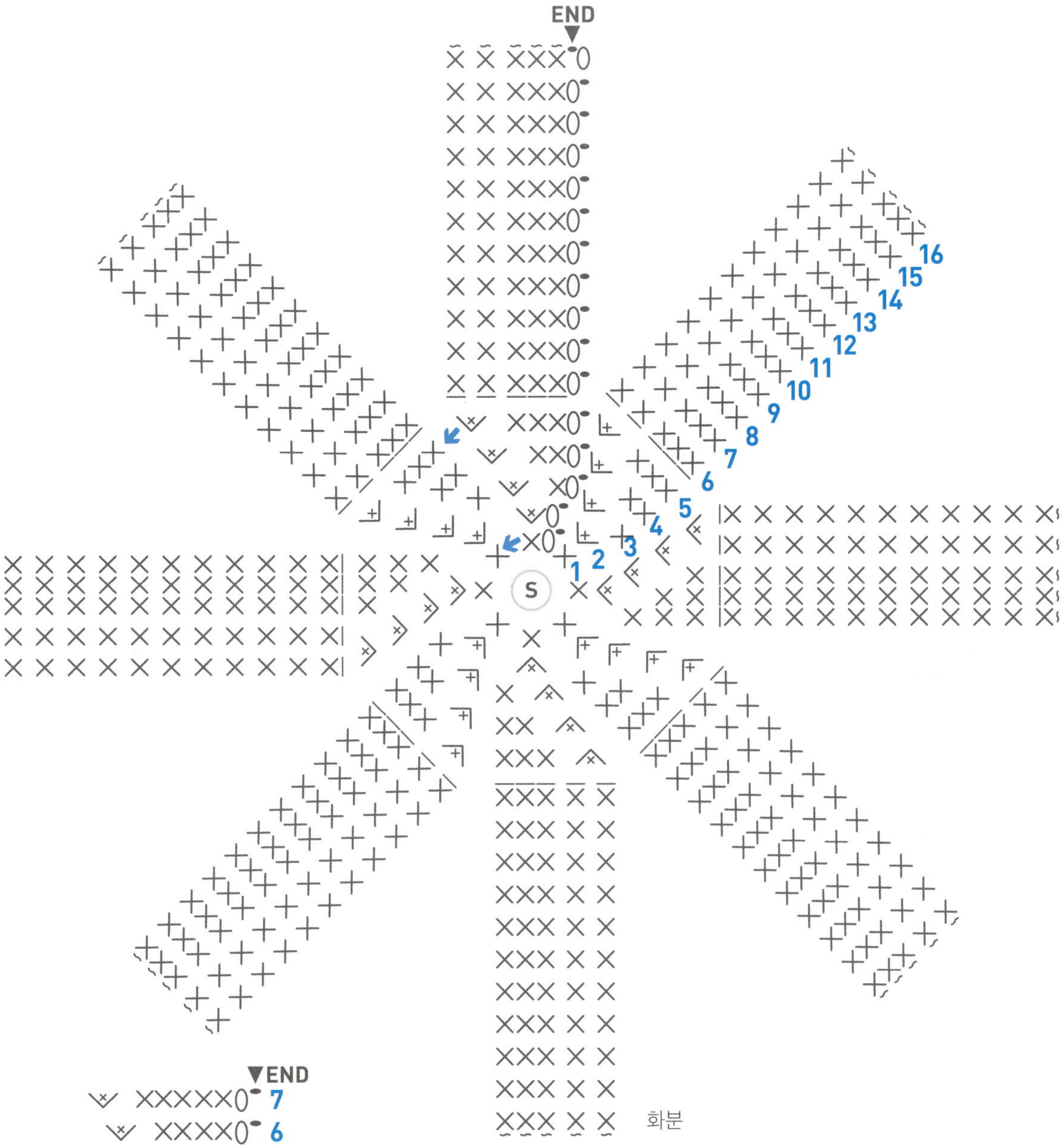

화분

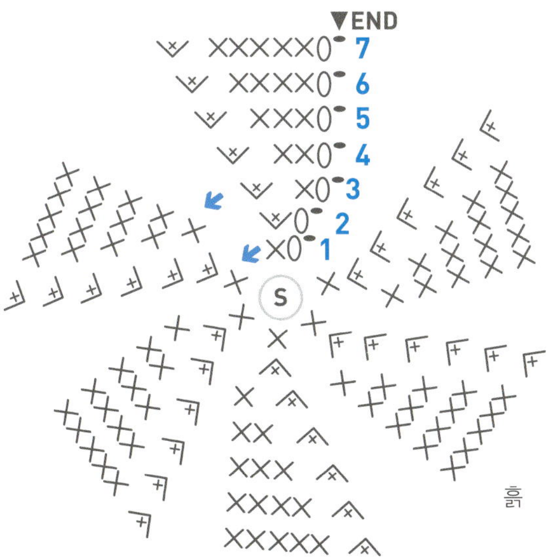

흙

본책 259p

★★★½☆

핸드워머

사이즈 폭 9cm, 길이 16cm

뜨개 기법 사슬뜨기, 한길긴뜨기, 한길긴앞걸어뜨기, 한길긴변형교차뜨기, 빼뜨기

준비물 비엔나 2볼, 모사용코바늘 7/0호, 돗바늘, 가위

STEP	방법
시작	사슬 34코를 만들어 첫 코에 빼뜨기 ≫ 커다란 원형 사슬이 만들어집니다.
1단	기둥코(사슬 3코), 한길긴뜨기 33번, 빼뜨기 ≫ 1단~8단 그레이 / 9단~17단: 와인 컬러 사용
2단	• 기둥코(사슬 3코), 한길긴뜨기 16번 • 1코 지나 한길긴앞걸어뜨기 1번, 지나온 코에 한길긴뜨기 1번 • 1코 지나 한길긴뜨기 1번, 지나온 코에 한길긴앞걸어뜨기 1번 • 한길긴뜨기 2번, 한길긴앞걸어뜨기 4번, 한길긴뜨기 2번 • 1코 지나 한길긴앞걸어뜨기 1번, 지나온 코에 한길긴뜨기 1번 • 1코 지나 한길긴뜨기 1번, 지나온 코에 한길긴앞걸어뜨기 1번 • 한길긴뜨기 1번, 빼뜨기 ≫ 1~8단: 그레이 / 9단~17단: 와인 컬러 사용
3단	• 기둥코(사슬 3코), 한길긴뜨기 16번 • 1코 지나 한길긴뜨기 1번, 지나온 코에 한길긴앞걸어뜨기 1번 • 1코 지나 한길긴앞걸어뜨기 1번, 지나온 코에 한길긴뜨기 1번 • 한길긴뜨기 2번, 2코 지나 한길긴앞걸어뜨기 2번, 지나온 코에 한길긴뜨기 2번, 한길긴뜨기 2번 • 1코 지나 한길긴뜨기 1번, 지나온 코에 한길긴앞걸어뜨기 1번 • 1코 지나 한길긴앞걸어뜨기 1번, 지나온 코에 한길긴뜨기 1번 • 한길긴뜨기 1번, 빼뜨기
4단	• 기둥코(사슬 3코), 한길긴뜨기 16번 • 1코 지나 한길긴앞걸어뜨기 1번, 지나온 코에 한길긴뜨기 1번 • 1코 지나 한길긴뜨기 1번, 지나온 코에 한길긴앞걸어뜨기 1번 • 한길긴뜨기 2번, 한길긴앞걸어뜨기 4번, 한길긴뜨기 2번 • 1코 지나 한길긴앞걸어뜨기 1번, 지나온 코에 한길긴뜨기 1번 • 1코 지나 한길긴뜨기 1번, 지나온 코에 한길긴앞걸어뜨기 1번 • 한길긴뜨기 1번, 빼뜨기
5단	• 기둥코(사슬 3코), 한길긴뜨기 16번 • 1코 지나 한길긴뜨기 1번, 지나온 코에 한길긴앞걸어뜨기 1번 • 1코 지나 한길긴앞걸어뜨기 1번, 지나온 코에 한길긴뜨기 1번 • 한길긴뜨기 2번, 한길긴앞걸어뜨기 4번, 한길긴뜨기 2번 • 1코 지나 한길긴뜨기 1번, 지나온 코에 한길긴앞걸어뜨기 1번 • 1코 지나 한길긴앞걸어뜨기 1번, 지나온 코에 한길긴뜨기 1번 • 한길긴뜨기 1번, 빼뜨기
6~11단	• 3~5단을 참고해 도안을 따라 뜹니다.
12단	• 기둥코(사슬 3코), 한길긴뜨기 9번, 사슬 5코, 한길긴뜨기 2번 • 1코 지나 한길긴앞걸어뜨기 1번, 지나온 코에 한길긴뜨기 1번 • 1코 지나 한길긴뜨기 1번, 지나온 코에 한길긴앞걸어뜨기 1번 • 한길긴뜨기 2번, 2코 지나 한길긴앞걸어뜨기 2번, 지나온 코에 한길긴뜨기 2번, 한길긴뜨기 2번 • 1코 지나 한길긴앞걸어뜨기 1번, 지나온 코에 한길긴뜨기 1번 • 1코 지나 한길긴뜨기 1번, 지나온 코에 한길긴앞걸어뜨기 1번 • 한길긴뜨기 1번, 빼뜨기
13~17단	• 3~5단을 참고해 도안을 따라 뜹니다.

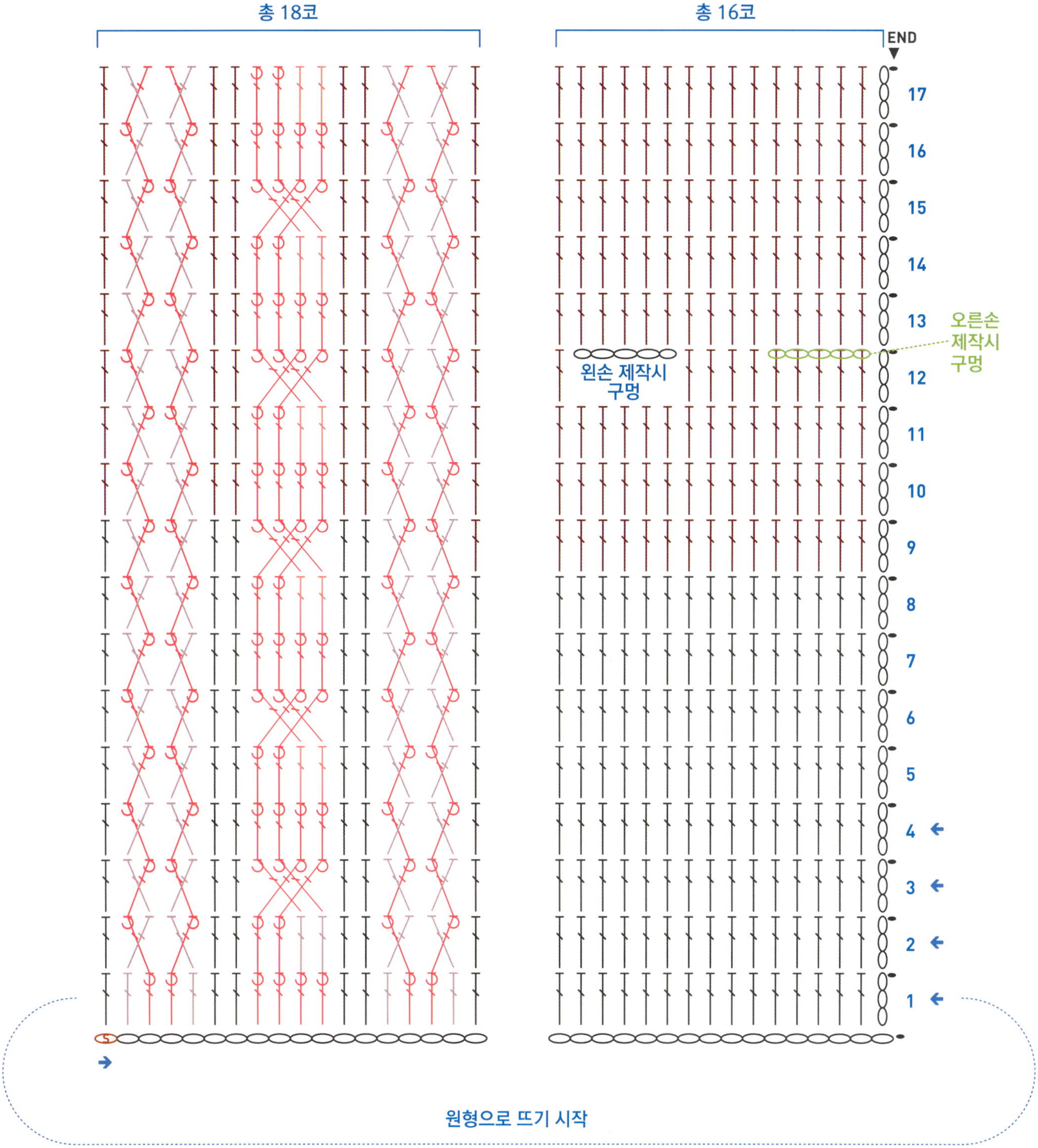

총 18코
총 16코
END
17
16
15
14
13
12
11
10
9
8
7
6
5
4
3
2
1
오른손 제작시 구멍
왼손 제작시 구멍
원형으로 뜨기 시작

본책 263p

★★★☆☆

크리스마스 트리

사이즈 지름 13cm, 높이 20cm
뜨개 기법 매직링, 사슬뜨기, 한길긴뜨기, 한길긴뜨기늘리기, 한길긴5코늘리기, 한길긴이랑뜨기, 빼뜨기
준비물 비엔나 3볼(레드1, 그린2), 수세미실 조금(골드, 실버), 솜 80g, 모사용코바늘 5/0호, 돗바늘, 가위

구분	컬러	STEP	방법	증감 콧수	총 콧수
트리 바닥	그린	시작	매직링	-	-
		1단	기둥코(사슬 3코), 한길긴뜨기 15번, 빼뜨기	+16	16
		2단	• 기둥코(사슬 3코), 동일한 위치에 한길긴뜨기 1번 • 한길긴뜨기늘리기 15번, 빼뜨기	+16	32
		3~5단	• 동일한 방법으로 도안을 따라 규칙적으로 코를 늘려가며 5단까지 마무리 • 실을 30cm 남겨 자릅니다.	+48	80
트리 바디	그린	1단	• 매직링 • 기둥코(사슬 3코), 한길긴뜨기 11번	+12	12
		2단	• 기둥코(사슬 3코), 한길긴이랑뜨기 1번, 한길긴이랑뜨기늘리기 1번 • [한길긴이랑뜨기 2번, 한길긴이랑뜨기늘리기 1번] × 3번 • 빼뜨기	+4	16
		3단	• 기둥코(사슬 3코), 한길긴뜨기 2번, 한길긴뜨기 1번 • [한길긴뜨기 3번, 한길긴뜨기 1번] × 3번 • 빼뜨기	+4	20
		4~18단	동일한 방법으로 도안을 따라 규칙적으로 코를 늘려가며 18단까지 마무리합니다.	+60	80
		마무리	• 편물 겉 면에 그린 컬러와 레드 컬러를 이용해 프릴을 달아 준 후, 남은 실을 안쪽에 잘 숨깁니다. (본책 263p) • 바디 안에 솜을 채워 넣은 후 바닥과 감침질로 연결합니다.	-	-
별	골드	시작	매직링 ≫ 수세미실을 사용합니다.	-	-
		1단	기둥코(사슬 3코), 한길긴뜨기 9번, 빼뜨기	-	-
		2단	[사슬 2코, 한길긴뜨기 1번, 사슬 3코, 한길긴뜨기 다리에 짧은뜨기 2번, 빼뜨기] × 5번	-	-
		마무리	• 완성된 별은 트리의 꼭대기에 고정시켜줍니다. • 기타 여러 가지 실이나 부자재로 트리를 자유롭게 꾸며보세요.	-	-

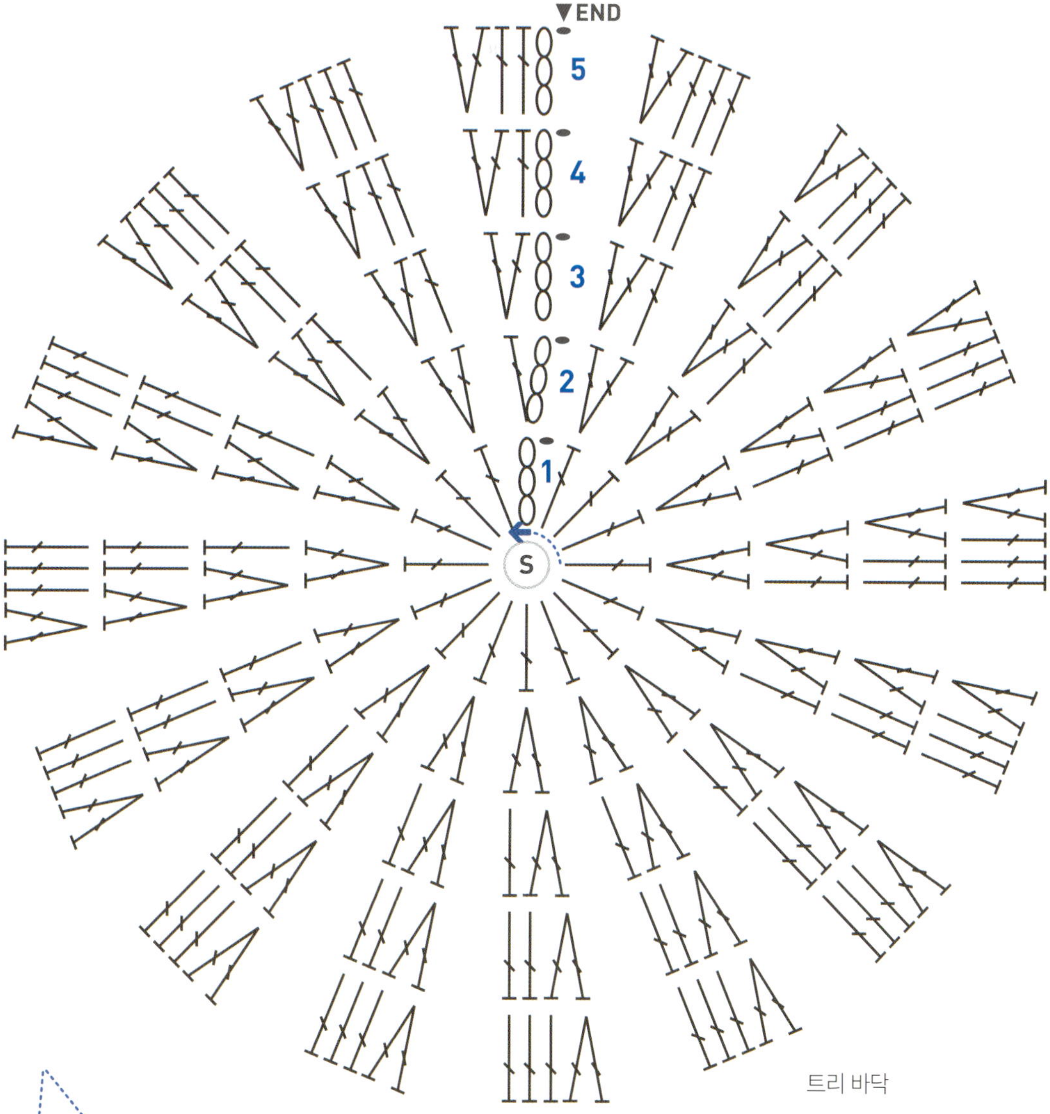

트리 바닥

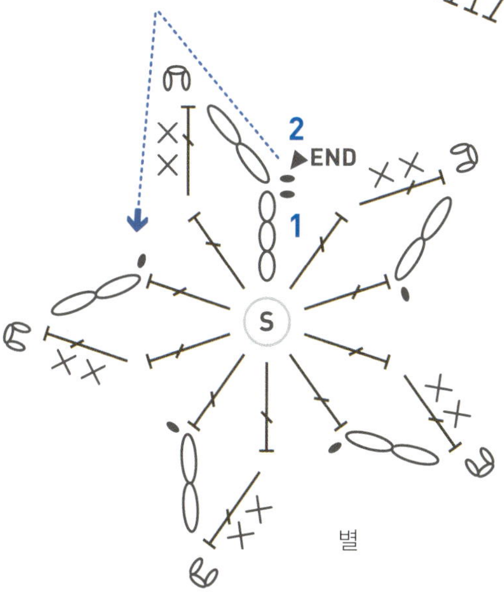

별

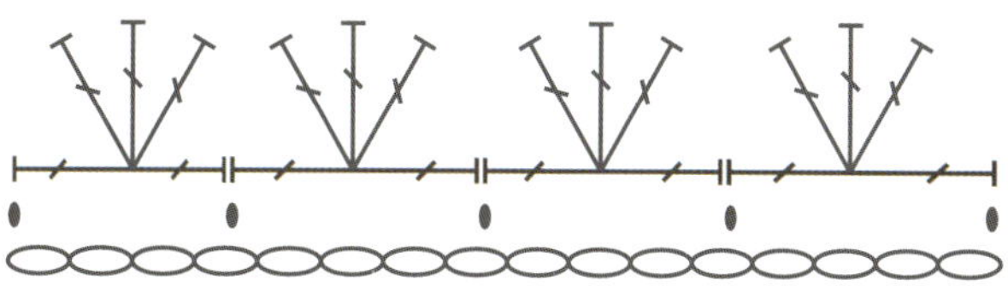

프릴

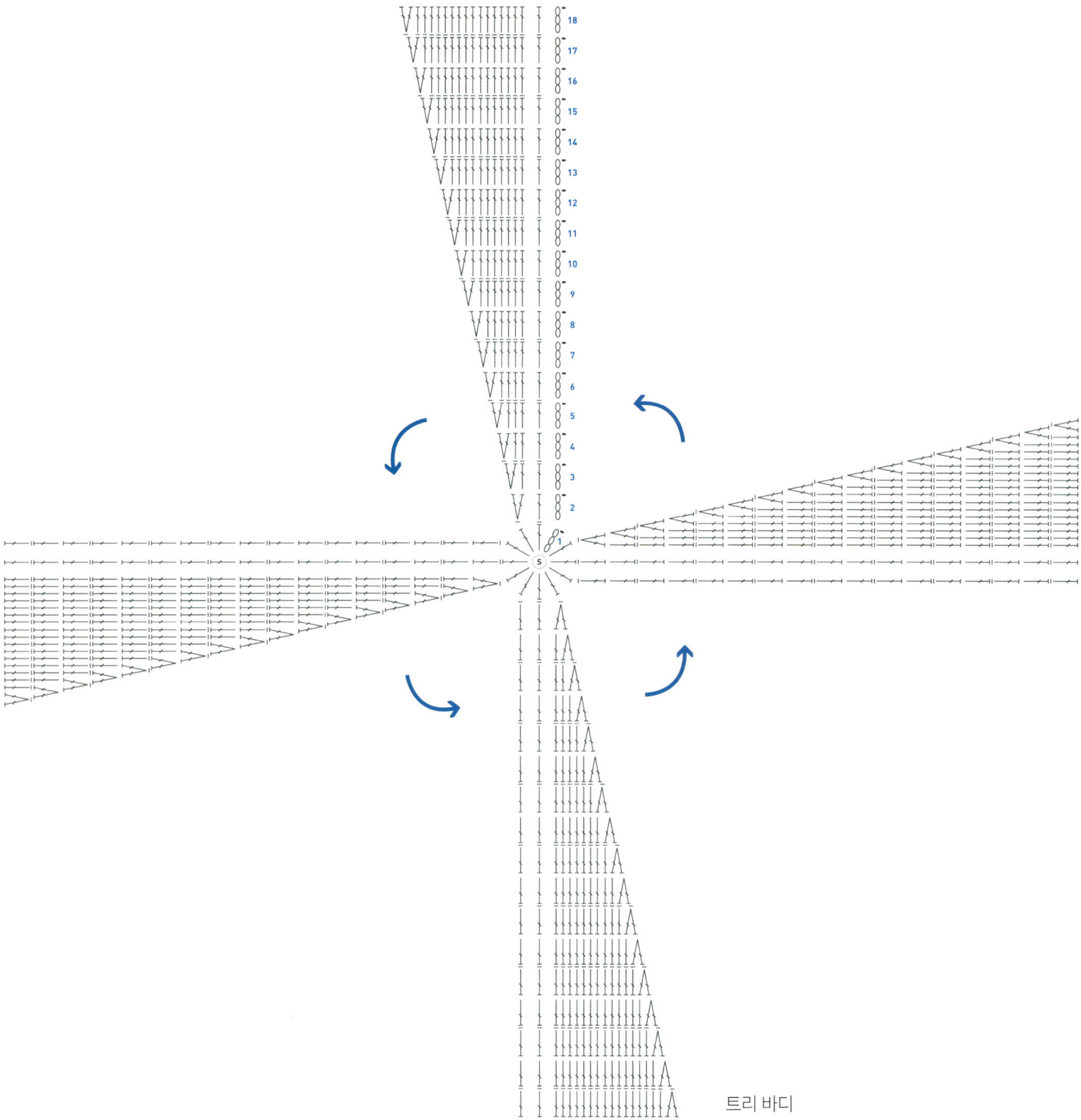

트리 바디

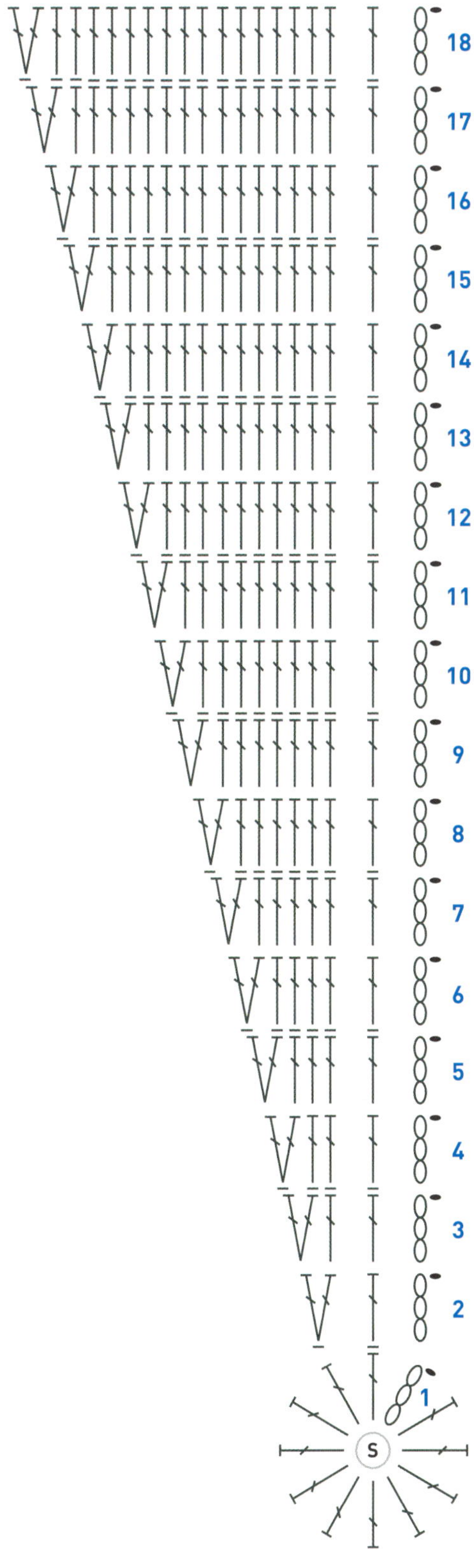

트리 바디 확대

본책 267p

★★★☆☆

스퀘어락백

사이즈 가로 25cm, 높이 20cm, 폭 7cm

뜨개 기법 사슬뜨기, 짧은뜨기, 빼뜨기

준비물 라스베가스 4볼, D링 3개, 잠금버클 1개, 스냅단추 1쌍, 가방 바닥 부자재, 단수링, 모사용코바늘 8/0호, 돗바늘, 가위

(완성 이미지는 얇은 실(라스베가스) 2가닥을 함께 잡고 뜬 형태입니다.)

STEP	방법
시작	사슬 20코
1단	• 기둥코(사슬 1코), 첫 코에 짧은뜨기 1번, 사슬 2코, 다시 첫 코에 짧은뜨기 1번 • 짧은뜨기 18번 • 마지막 사슬에 짧은뜨기 1번, 사슬 2코, 짧은뜨기 1번, 사슬 2코, 짧은뜨기 1번 • 짧은뜨기 18번 • 마지막 사슬에 짧은뜨기 1번, 사슬 2코, 빼뜨기 ≫ 1단은 사슬 1가닥(반코)만 주워 뜹니다.
2단	• 기둥코(사슬 1코), 짧은뜨기 2번, 사슬 2코, 짧은뜨기 2번 • 짧은뜨기 18번 • 짧은뜨기 2번, 사슬 2코, 짧은뜨기 3번, 사슬 2코, 짧은뜨기 2번 • 짧은뜨기 18번 • 마지막 사슬에 짧은뜨기 2번, 사슬 2코, 짧은뜨기 1번, 빼뜨기 ≫ 모서리를 짧은뜨기로 늘려가며 떠줍니다.
3~4단	도안을 따라 1, 2단과 동일한 방식으로 모서리를 늘려가며 뜹니다.
5단	• 전 단의 짧은뜨기 머리마다 짧은뜨기 1번씩 뜹니다. • 전 단의 사슬 공간에도 짧은뜨기 1번씩 뜹니다. ≫ 기둥코와 빼뜨기를 하지 않고 바로 짧은뜨기로 시작합니다.
6~35단	모든 코에 짧은뜨기를 1번씩 떠 돗바늘로 마무리합니다. ≫ 기둥코와 빼뜨기를 하지 않고 나선형으로 가방의 몸통을 만들어갑니다. ≫ 단수링을 이용해 매 단 첫코에 체크해 가면서 떠주세요.
부자재 부착	❶ 양 끝에 D링과 잠금 버클을 박음질해 부착합니다. ❷ 앞/뒤에 스트랩 연결용 D링을 부착합니다. ❸ 가방 안쪽 중앙에 스냅 단추를 부착합니다. ❹ 가방 바닥에 부자재를 부착합니다. ≫ 일반 실과 바늘을 사용해 단추를 부착합니다.
스트랩 만들기	❶ 새우뜨기를 이용해 원하는 길이만큼 스트랩을 만듭니다. (본책 272p) ❷ 스트랩 양끝에 태슬을 달아줍니다. (본책 169p) ❸ D링에 스트랩을 걸어 완성합니다.

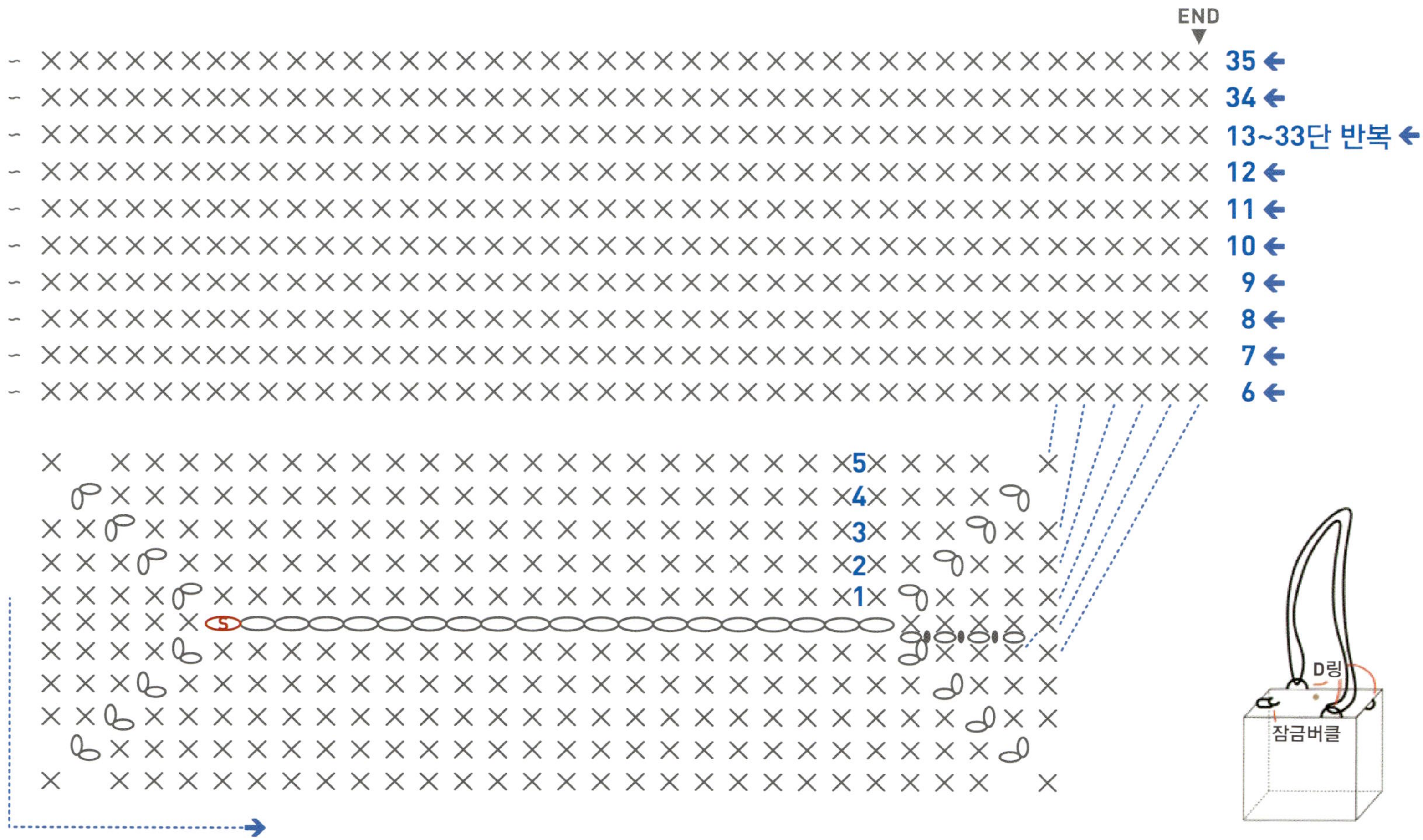
END
35
34
13~33단 반복
12
11
10
9
8
7
6
5
4
3
2
1
S
D링
잠금버클

본책 271p

★★★★☆

무스탕 복조리백

사이즈 바닥 길이 23cm, 바닥 폭 13cm, 높이 21cm
뜨개 기법 사슬뜨기, 짧은뜨기, 되돌아짧은뜨기, 새우뜨기, 빼뜨기
준비물 비엔나 4볼, 수면사 조금, 타원형 가방 바닥 부자재(가로 23cm, 높이 13cm), D링 2개, 복조리 안감, 모사용코바늘 6/0호, 돗바늘, 가위

STEP	방법
시작	타공이 되어 있는 가방 바닥 부자재를 준비해 시작 위치에 바늘을 넣어 실을 걸어 준비합니다. (본책 271p)
1단	• 기둥코(사슬 1코), 동일한 위치에 짧은뜨기 1번 • [사슬 2코, 다음 구멍에 짧은뜨기 1번]을 끝까지 반복 • 사슬 2코, 빼뜨기
2단	❶ 기둥코(사슬 1코) 후 동일한 위치에 짧은뜨기 ❷ 사슬 공간 아래에 짧은뜨기 2번 ❶ ~ ❷ 과정을 끝까지 반복한 후 빼뜨기로 마무리
3~46단	기둥코(사슬 1코), 끝까지 짧은뜨기를 반복한 후 빼뜨기로 마무리
47단	기둥코(사슬 1코) 후 끝까지 되돌아짧은뜨기로 마무리 (본책 72p)
무스탕 무늬 넣기	무늬 형태를 참고해 수면사를 이용해 박음질하여 무늬를 넣습니다.
복조리 안감 연결	가방에 맞는 복조리 안감을 준비해 일반 실과 바늘을 이용하여 안쪽에서 꿰맵니다. (본책 209p)
D링 부착	가방의 양쪽에 표시를 한 후 D링을 부착합니다. (본책 267p)
스트랩	❶ 새우뜨기를 이용해 원하는 길이만큼 스트랩을 만듭니다. ❷ 스트랩 양 끝에 태슬을 만들어 부착합니다. (본책 169p) ❸ 만든 스트랩을 D링에 끼워 마무리합니다.

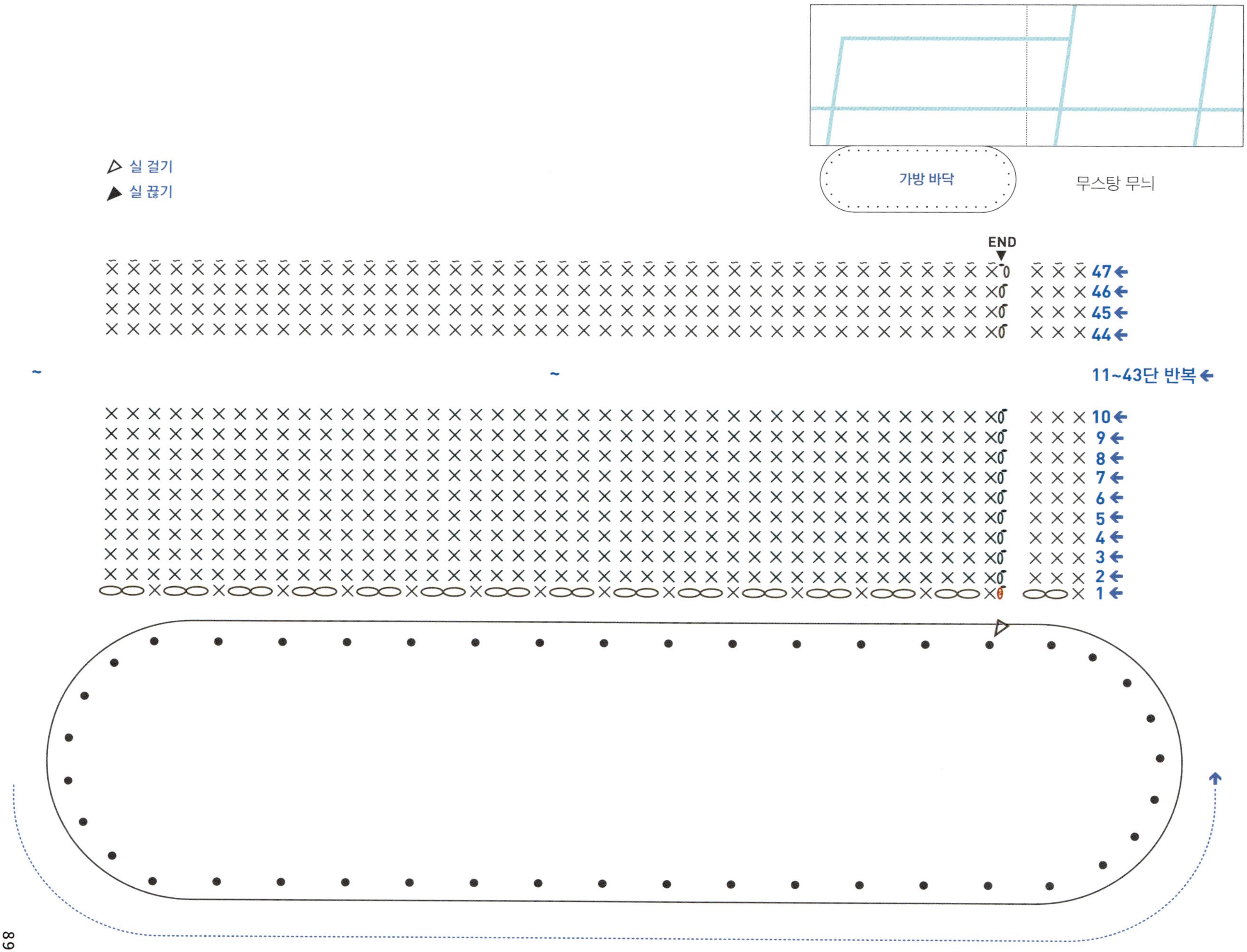
무스탕 무늬
가방 바닥
△ 실 걸기
▲ 실 끊기
END
47
46
45
44
11~43단 반복
10
9
8
7
6
5
4
3
2
1

본책 275p ★★★★☆

미니 블랭킷

사이즈 지름 50cm
뜨개 기법 매직링, 사슬뜨기, 한길긴뜨기, 한길긴뜨기늘리기, 빼뜨기
준비물 코튼볼 5볼, 모사용코바늘 6/0호, 돗바늘, 가위

STEP	방법
시작	매직링
1단	기둥코(사슬 3코), 한길긴뜨기 11번, 빼뜨기
2단	• 기둥코(사슬 3코), 동일한 위치에 한길긴뜨기 1번 • 한길긴뜨기늘리기 11번 • 빼뜨기 >> 총 24코가 완성됩니다.
3단	• 기둥코(사슬 3코), 사슬 2코, 동일한 위치에 한길긴뜨기 1번 • [한길긴뜨기 1번, 사슬 2코, 한길긴뜨기 1번] × 11번 • 빼뜨기
4단	• 빼뜨기 1코로 시작코 옮기기 • 기둥코(사슬 3코), 한길긴뜨기 1번, 사슬 2코, 한길긴뜨기 2번 • [한길긴뜨기 2번, 사슬 2코, 한길긴뜨기 2번] × 11번 • 빼뜨기
5~24단	동일한 방법으로 도안을 따라 규칙적으로 코를 늘려가며 24단까지 마무리합니다.

STEP	컬러
1~4단	아이보리
5~8단	연두
9~12단	그레이
13~16단	노랑
17~20단	아이보리
21~24단	연두

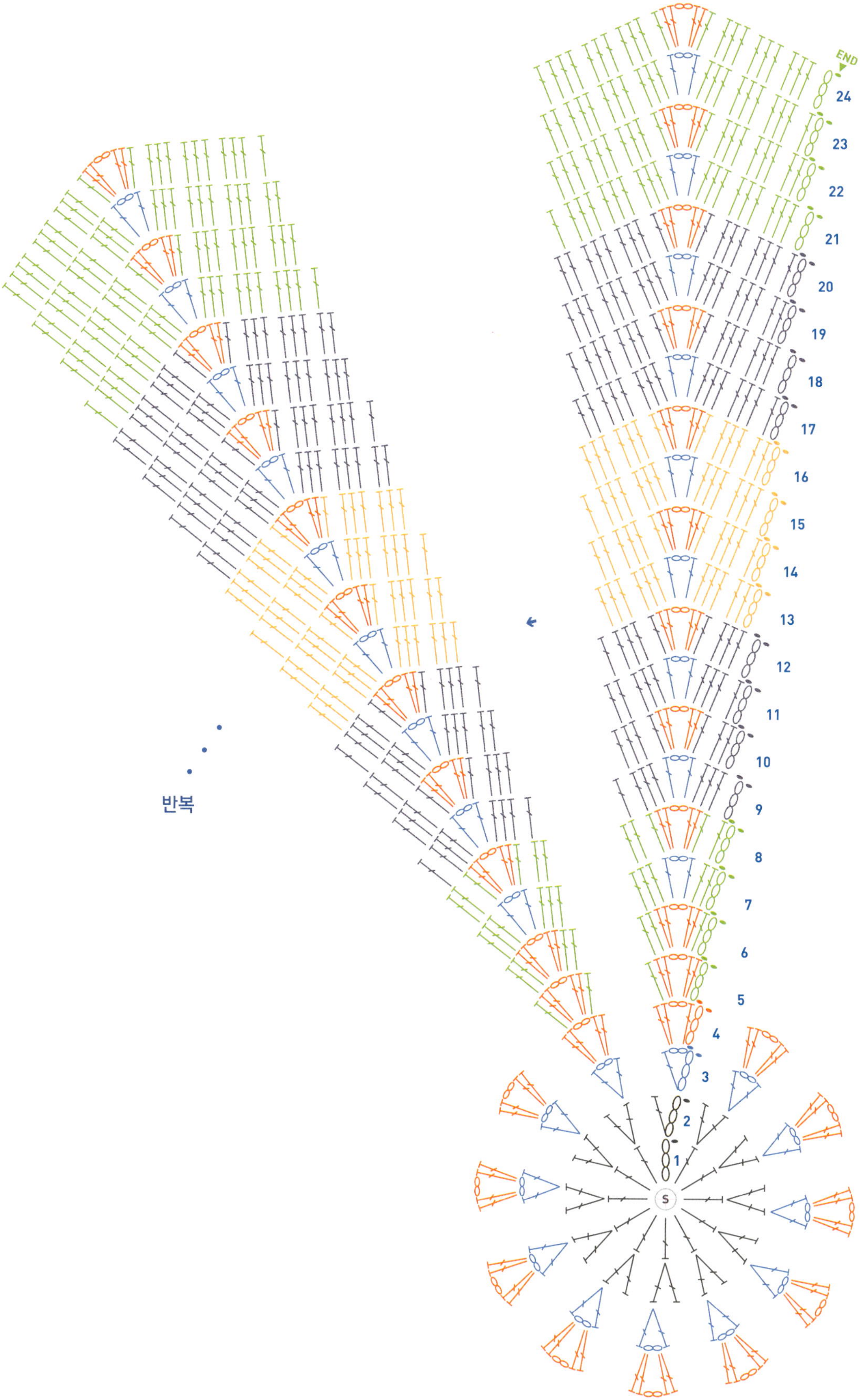
END
24
23
22
21
20
19
18
17
16
15
14
13
12
11
10
9
8
7
6
5
4
3
2
1
S
반복

본책 279p ★★☆☆☆

만두 모자

사이즈 지름 25cm, 높이 20cm
뜨개 기법 사슬뜨기, 긴이랑뜨기
준비물 바그다드 3볼, 모사용코바늘 10/0호, 돗바늘, 가위

Work 45.

STEP	방법
시작	사슬 30코
1단	기둥코(사슬 2코), 긴뜨기 29번
2~38단	기둥코(사슬 2코), 긴이랑뜨기 29번 ≫ 편물에 입체감을 주기 위해 모든 긴뜨기이랑뜨기는 뒷부분 사슬만 주워 뜹니다. ≫ 마지막까지 떴다면 실을 50cm 남긴 후 마무리합니다.
연결	❶ 편물을 원통으로 모아 연결합니다. ❷ 1단과 38단이 마주보게 잡은 후 남긴 실을 돗바늘에 꿰어 감침질합니다.
마무리	❶ 원통 형태가 만들어졌다면 모자 윗부분을 모아줍니다. ❷ 돗바늘에 새 실을 꿰어 위에서 5번째 코를 두 단에 1코씩 줍습니다. ❸ 한 바퀴를 돌아 실을 2회 단단하게 묶어준 후 안쪽에 잘 숨겨 마무리합니다.

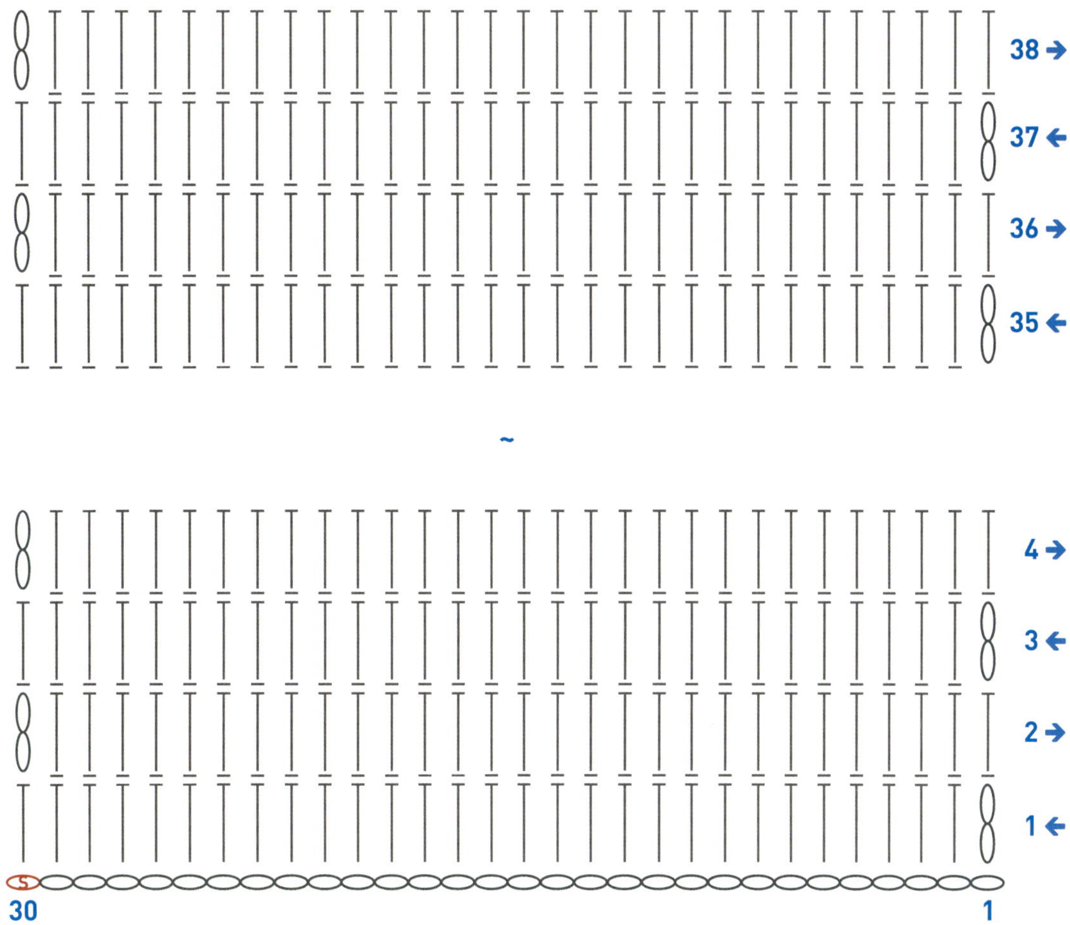

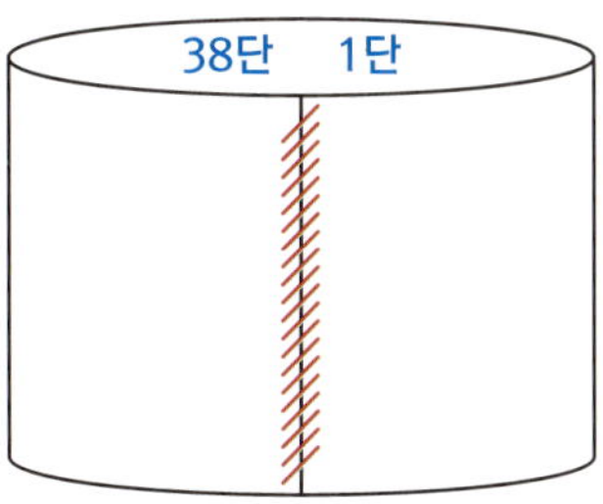

〈제품 연결 모습〉
감침질로 연결합니다.

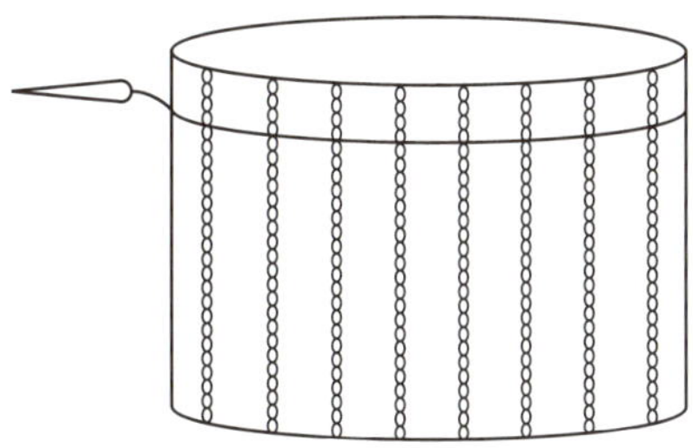

〈제품 마무리 모습〉
위에서 다섯번째 코에 실을 통과시켜 묶어줍니다.

본책 281p ★★★★☆

꽈배기 양말

사이즈 240mm

뜨개 기법 매직링, 사슬뜨기, 한길긴뜨기, 한길긴뜨기늘리기, 한길긴뜨기줄이기, 한길긴앞걸어뜨기, 빼뜨기

준비물 포그니울 2볼, 모사용코바늘 7/0호, 돗바늘, 가위

컬러	STEP	방법
블루	시작	매직링
	1단	기둥코(사슬 3코), 한길긴뜨기 15번, 빼뜨기
	2단	• 기둥코(사슬 3코), 한길긴뜨기늘리기 1번 • [한길긴뜨기 1번, 한길긴뜨기늘리기] × 7번 • 빼뜨기
	3단	• 기둥코(사슬 3코), 한길긴뜨기 1번, 한길긴뜨기늘리기 1번 • [한길긴뜨기 2번, 한길긴뜨기늘리기 1번] × 7번 • 빼뜨기
	4~6단	기둥코(사슬 3코), 한길긴뜨기 31번, 빼뜨기
그레이	7단	• 기둥코(사슬 3코), 한길긴뜨기 13번 • 2코 지나 한길긴앞걸어뜨기 2번, 지나온 코에 한길긴앞걸어뜨기 2번 • 한길긴뜨기 14번, 빼뜨기
	8단	기둥코(사슬 3코), 한길긴뜨기 13번, 한길긴앞걸어뜨기 4번, 한길긴뜨기 14번, 빼뜨기
	9~18단	• 홀수단: 7단과 동일 • 짝수단: 8단과 동일 ≫ 마무리 후 실을 끊어줍니다.
블루	19~22단	실을 새로 걸어 기둥코(사슬 3코), 한길긴뜨기 23번 ≫ 19단부터는 평면뜨기로 단이 바뀔 때마다 편물을 뒤집어가며 뜹니다.
	23단	기둥코(사슬 3코), 한길긴뜨기 9번, 한길긴뜨기줄이기 2번, 한길긴뜨기 10번
	24단	기둥코(사슬 3코), 한길긴뜨기 8번, 한길긴뜨기줄이기 2번, 한길긴뜨기 9번, 돗바늘로 마무리 ≫ 실을 20cm 정도 남기고 마무리한 후 뒤꿈치를 감침질로 연결합니다. ≫ 왼쪽/오른쪽 모두 같은 방식으로 완성합니다.

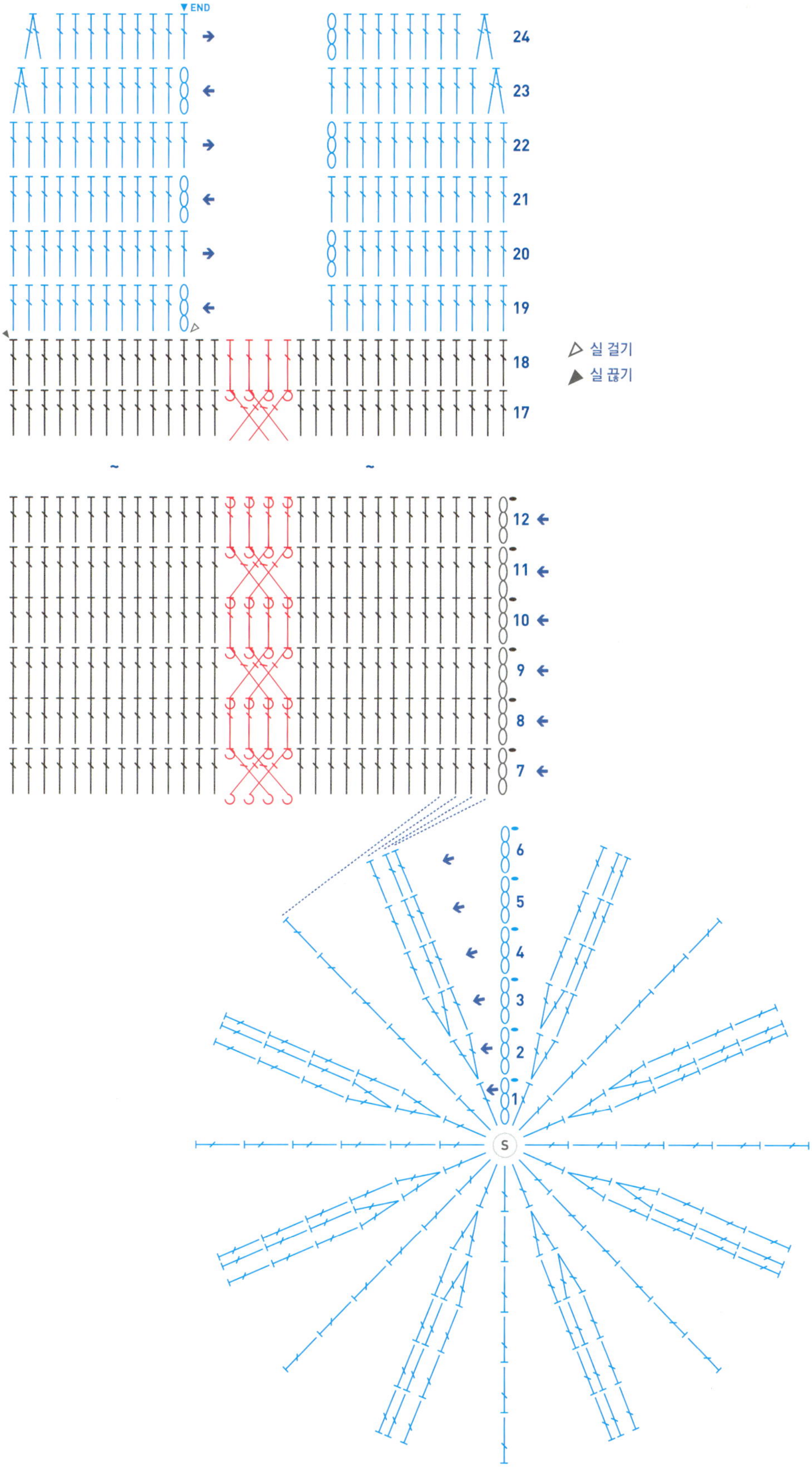
END
24
23
22
21
20
19
18
17
12
11
10
9
8
7
6
5
4
3
2
1
S
실 걸기
실 끊기

본책 285p ★★★★☆

무스탕 버킷햇

사이즈 지름 38cm, 높이 23cm
뜨개 기법 매직링, 사슬뜨기, 짧은뜨기, 짧은뜨기늘리기, 빼뜨기
준비물 바그다드 2볼, 수면사 조금, 모사용코바늘 10/0호, 돗바늘, 가위

STEP	방법	증감 콧수	총 콧수
시작	매직링	-	-
1단	기둥코(사슬 1코), 짧은뜨기 8번 ≫ 기둥코와 빼뜨기를 하지 않고 나선형으로 떠 나갑니다. (본책 127p)	+8	8
2단	짧은뜨기늘리기 8번	+8	16
3단	[짧은뜨기 1번, 짧은뜨기늘리기 1번] × 8번	+8	24
4단	[짧은뜨기 2번, 짧은뜨기늘리기 1번] × 8번	+8	32
5단	짧은뜨기 32번	-	32
6단	[짧은뜨기 3번, 짧은뜨기늘리기 1번] × 8번	+8	40
7단	[짧은뜨기 4번, 짧은뜨기늘리기 1번] × 8번	+8	48
8단	짧은뜨기 48번	-	48
9단	[짧은뜨기 5번, 짧은뜨기늘리기 1번] × 8번	+8	56
10~12단	짧은뜨기 56번	-	56
13단	[짧은뜨기 6번, 짧은뜨기늘리기 1번] × 8번	+8	64
14~16단	짧은뜨기 64번	-	64
17단	[짧은뜨기 7번, 짧은뜨기늘리기 1번] × 8번	+8	72
18~19단	짧은뜨기 72번	-	72
20단	[짧은뜨기 8번, 짧은뜨기늘리기 1번] × 8번	+8	80
21단	[짧은뜨기 9번, 짧은뜨기늘리기 1번] × 8번	+8	88
22~23단	짧은뜨기 88번	-	88
24단	[짧은뜨기 10번, 짧은뜨기늘리기 1번] × 8번	+8	96
25단	짧은뜨기 96번	-	96
26단	짧은뜨기 96번, 빼뜨기	-	96
무스탕 무늬 넣기 (본책 285p)	❶ 수면사 1m를 돗바늘에 뀁니다. ❷ 챙에서부터 8번째 단에 원형으로 먼저 박음질합니다. ❸ ❷에서 박음질한 곳에서 시작, 정수리를 가로질러 세로 박음질을 합니다. ❹ ❸과 같은 방식으로 원하는 위치에 무스탕 무늬를 자유롭게 냅니다.	-	-

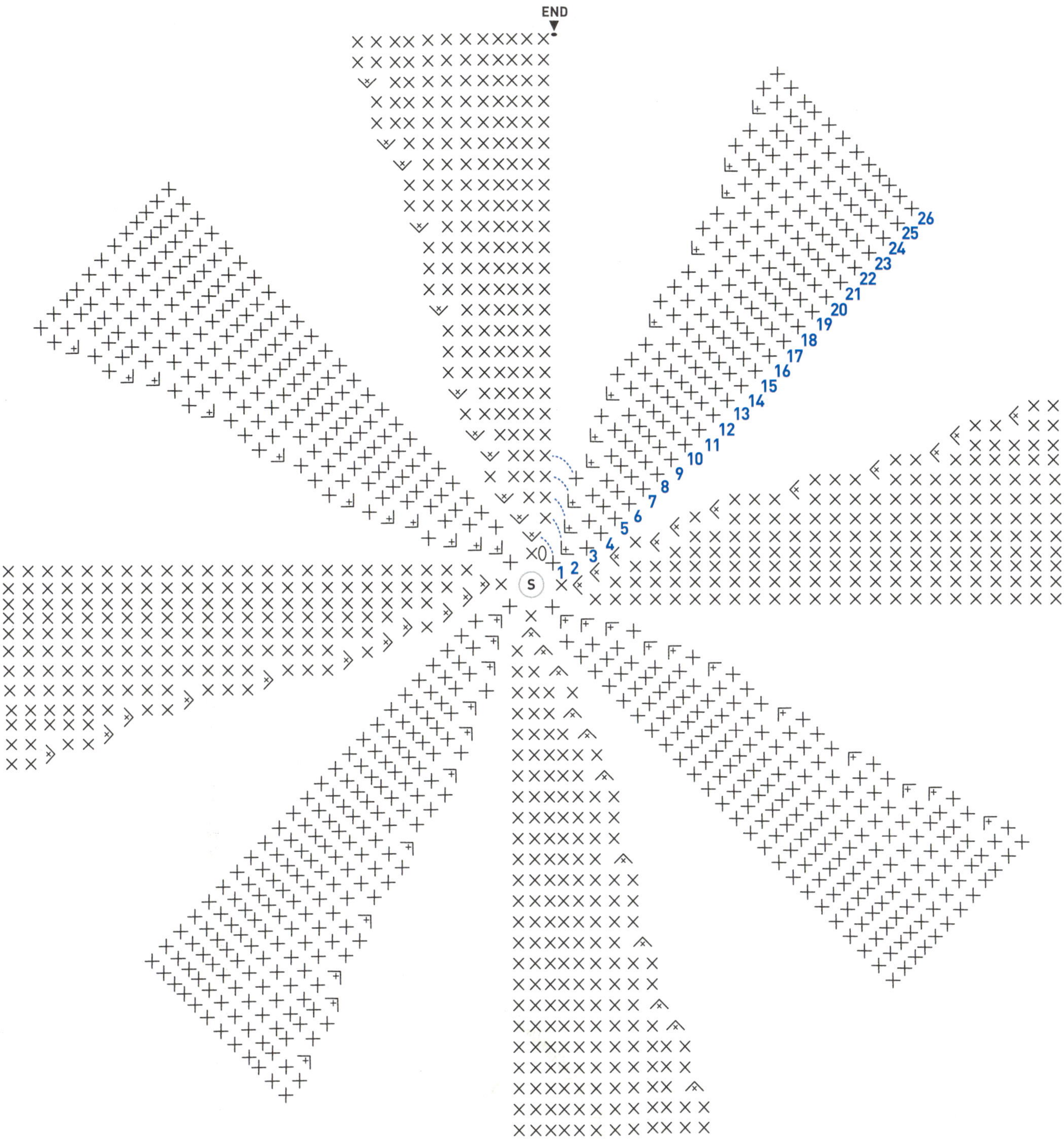
END
S
1 2 3 4 5 6 7 8 9 10 11 12 13 14 15 16 17 18 19 20 21 22 23 24 25 26

본책 289p ★★★★★

크리스마스 수세미

사이즈 지름 12cm
뜨개 기법 매직링, 사슬뜨기, 한길긴뜨기, 한길긴뜨기늘리기, 빼뜨기
준비물 수세미실 3볼, 모사용코바늘 7/0호, 돗바늘, 가위

STEP	방법	증감 콧수	총 콧수
시작	매직링	-	-
1단	기둥코(사슬 3코), 한길긴뜨기 15번 ≫ 원하는 컬러를 이용해 자유롭게 배색해보세요.	+16	16
2단	• 기둥코(사슬 3코), 동일한 위치에 한길긴뜨기 1번 • 한길긴뜨기늘리기 15번 • 빼뜨기	+16	32
3단	• 기둥코(사슬 3코), 한길긴뜨기늘리기 1번 • [한길긴뜨기 1번, 한길긴뜨기늘리기 1번] × 15번 • 빼뜨기	+16	48
4단	• 기둥코(사슬 3코), 한길긴뜨기 1번, 한길긴뜨기늘리기 1번 • [한길긴뜨기 2번, 한길긴뜨기늘리기 1번] × 15번 • 빼뜨기	+16	64
5단	• 기둥코(사슬 3코), 한길긴뜨기 2번, 한길긴뜨기늘리기 1번 • [한길긴뜨기 3번, 한길긴뜨기늘리기 1번] × 15번 • 빼뜨기	+16	80
고리	5단에서 빼뜨기를 한 후 사슬 10코를 만들고 같은 위치에 빼뜨기해 마무리합니다.	-	-

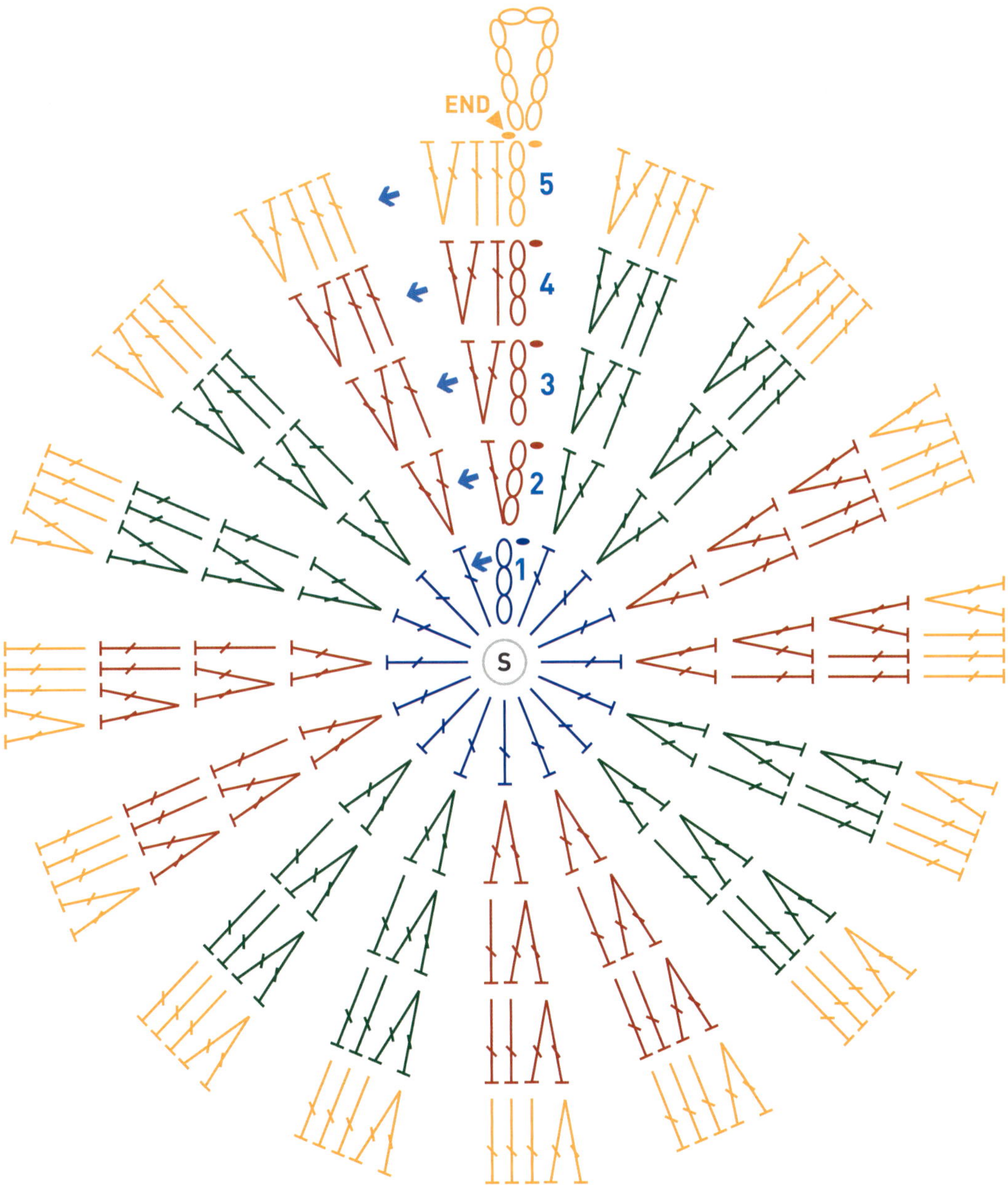
END
5
4
3
2
1
S

본책 293p
★★★★★

사계모티브 블랭킷

사이즈 88cm × 88cm
뜨개 기법 매직링, 사슬뜨기, 짧은뜨기, 긴뜨기, 한길긴뜨기, 한길긴3코구슬뜨기, 빼뜨기
준비물 피사코튼 10볼, 모사용코바늘 4/0호, 돗바늘, 가위

구분	STEP	방법
모티브 (49장)	시작	매직링
	1단	• 기둥코(사슬 3코)로 시작하는 한길긴3코구슬뜨기, 사슬 2코 • [한길긴3코구슬뜨기 1번, 사슬 2코] × 6번 • [한길긴3코구슬뜨기 1번, 사슬 1코, 첫 코에 긴뜨기]로 마무리
	2단	• 모서리 부분: 한길긴3코구슬뜨기 1번, 사슬 3코, 한길긴3코구슬뜨기 1번 • 면 부분: 사슬 1코, 한길긴뜨기 3번, 사슬 1코 • 마무리: 사슬 1코, 첫 코에 긴뜨기로 마무리 » 기둥코(사슬 3코)로 시작해 모서리와 면 부분을 반복하며 뜹니다.
	3단	• 모서리 부분: 한길긴3코구슬뜨기 1번, 사슬 3코, 한길긴3코구슬뜨기 1번 • 면 부분: 사슬 2코, 한길긴뜨기 7번, 사슬 2코 • 마무리: 사슬 1코, 첫 코에 긴뜨기로 마무리 » 기둥코(사슬 3코)로 시작해 모서리와 면 부분을 반복하며 뜹니다.
	4단	• 모서리 부분: 한길긴3코구슬뜨기 1번, 사슬 3코, 한길긴3코구슬뜨기 1번 • 면 부분: 사슬 2코, 한길긴뜨기 11번, 사슬 2코 • 마무리: 사슬 1코, 첫 코에 긴뜨기로 마무리 » 기둥코(사슬 3코)로 시작해 모서리와 면 부분을 반복하며 뜹니다.
	5단	• 모서리: 한길긴3코구슬뜨기 1번, 사슬 3코, 한길긴3코구슬뜨기 1번 • 면: 사슬 2코, 한길긴뜨기 15번, 사슬 2코 • 마무리: 사슬 1코, 첫 코에 긴뜨기로 마무리
	6단	• 모서리: 한길긴3코구슬뜨기 1번, 사슬 3코, 한길긴3코구슬뜨기 1번 • 면: 사슬 2코, 한길긴뜨기 19번, 사슬 2코 • 마무리: 사슬 1코, 첫 코에 긴뜨기로 마무리 » 총 49장의 모티브를 만든 후 도안을 따라 돗바늘로 감침질하여 연결하세요. (본책 299p)
테두리	7단	• 모티브를 모두 떠 연결한 후 진행 • 면: 짧은뜨기 반복 • 모서리: 짧은뜨기 4번 • 모티브와 모티브 사이의 모서리: 한길긴뜨기 1번
	8단	• 면: [짧은뜨기 1번, 사슬 1코] 반복 • 모서리: [짧은뜨기 1번, 사슬 1코] × 5번, 짧은뜨기 1번 » 모서리와 면 부분을 반복하여 뜹니다.
	9단	• 면: [사슬 1코, 짧은뜨기 1번] 반복 • 모서리: [사슬 1코, 짧은뜨기 1번] × 5번, 사슬 1코 » 모서리와 면 부분을 반복하여 뜹니다.

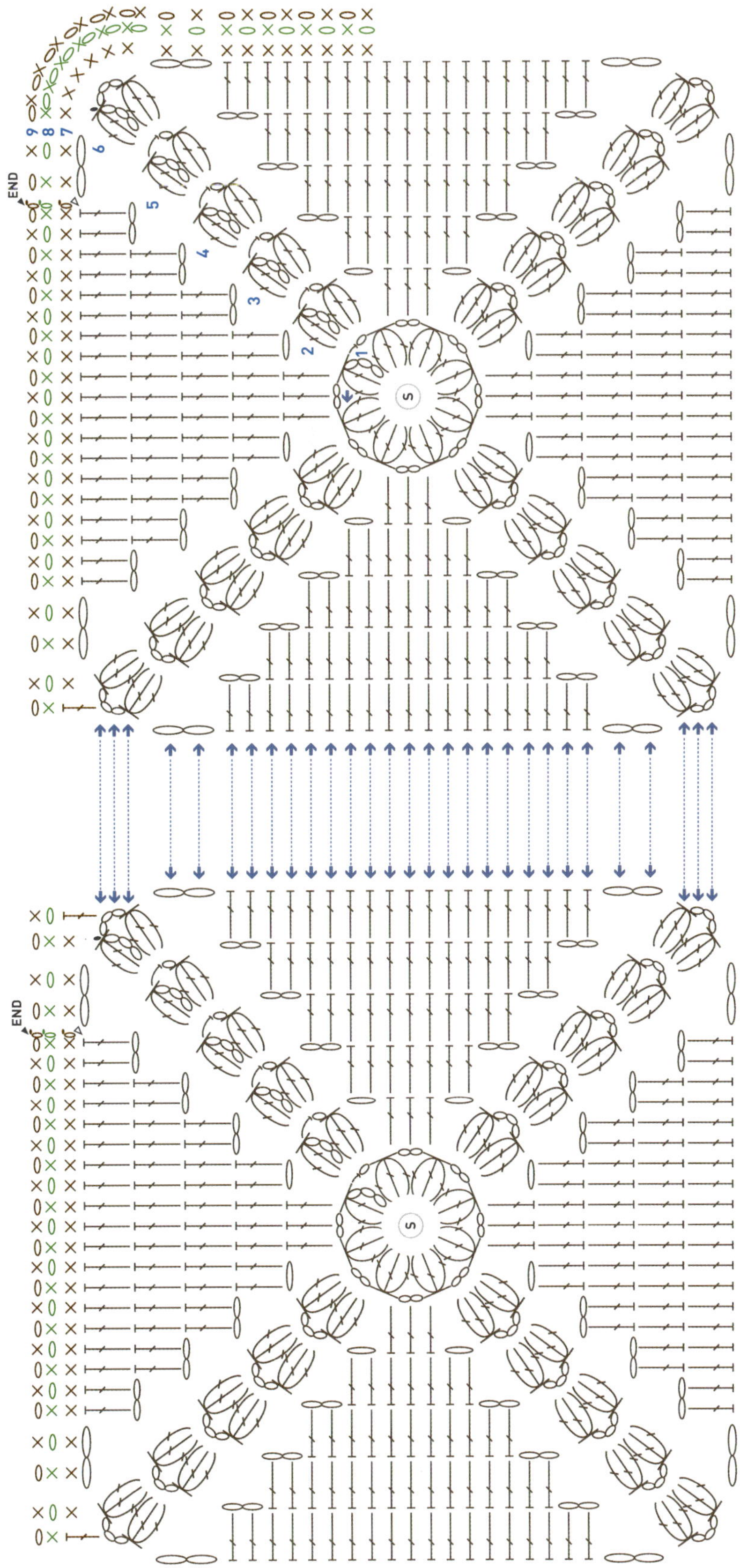
END
END
S
S

본책 297p

★★★★★

퍼프모티브 블랭킷

사이즈 100cm × 100cm

뜨개 기법 매직링, 짧은뜨기, 사슬뜨기, 한길긴뜨기, 한길긴3코늘리기, 긴3코구슬뜨기, 빼뜨기

준비물 뉴트위드 9볼(청록2, 오렌지2, 네이비2, 머스타드1, 그레이1, 오트밀1), 모사용코바늘 8/0호, 돗바늘, 가위

구분	STEP	방법
모티브 (42장)	시작	매직링
	1단	• 기둥코(사슬 1코)를 쭉 늘려 긴3코구슬뜨기 1번, 사슬 1코 • [긴3코구슬뜨기 1번, 사슬 1코] × 7번 • 빼뜨기 후 실 끊기
	2단	• 기둥코(사슬 1코)를 쭉 늘리며 시작 • 모든 사슬 공간에 [긴3코구슬뜨기 1번, 사슬 1코, 긴3코구슬뜨기 1번, 사슬 1코] • 빼뜨기 후 실 끊기
	3단	• 기둥코(사슬 1코)를 쭉 늘리며 시작 • 도안과 같이 긴3코구슬뜨기와 사슬을 번갈아 뜨며 3단 완성 • 빼뜨기 후 실 끊기
	4단	• 모서리 부분: 한길긴뜨기 3번, 사슬 3코, 한길긴뜨기 3번 • 면 부분: 사슬 2코, 짧은뜨기 2번, 사슬 2코 • 빼뜨기 후 실 끊기 ≫ 기둥코(사슬 1코)로 시작해 모서리와 면 부분을 반복하여 뜹니다.
	5단	• 모서리 부분: 한길긴뜨기 3번, 사슬 3코, 한길긴뜨기 3번 • 면 부분: [사슬 1코, 한길긴뜨기 3번] × 2번, 사슬 1코 • 빼뜨기 ≫ 기둥코(사슬 3코)로 시작해 모서리와 면 부분을 반복하며 뜹니다.
	6단	• 모서리 부분: 한길긴뜨기 3번, 사슬 3코, 한길긴뜨기 3번 • 면 부분: [사슬 1코, 한길긴뜨기 3번] × 3번, 사슬 1코 • 빼뜨기 ≫ 기둥코(사슬 3코)로 시작해 모서리와 면 부분을 반복하며 뜹니다.
	7단	• 모서리 부분: 한길긴뜨기 3번, 사슬 3코, 한길긴뜨기 3번 • 면 부분: [사슬 1코, 한길긴뜨기 3번] × 4번, 사슬 1코 • 빼뜨기 ≫ 기둥코(사슬 3코)로 시작해 모서리와 면 부분을 반복하며 뜹니다.
	테두리/ 8단	• 모티브를 모두 떠 연결한 후 테두리를 뜹니다. • 모서리 부분: 한길긴뜨기 3번, 사슬 3코, 한길긴뜨기 3번 • 면 부분: [사슬 1코, 한길긴뜨기 3번] 반복 • 빼뜨기

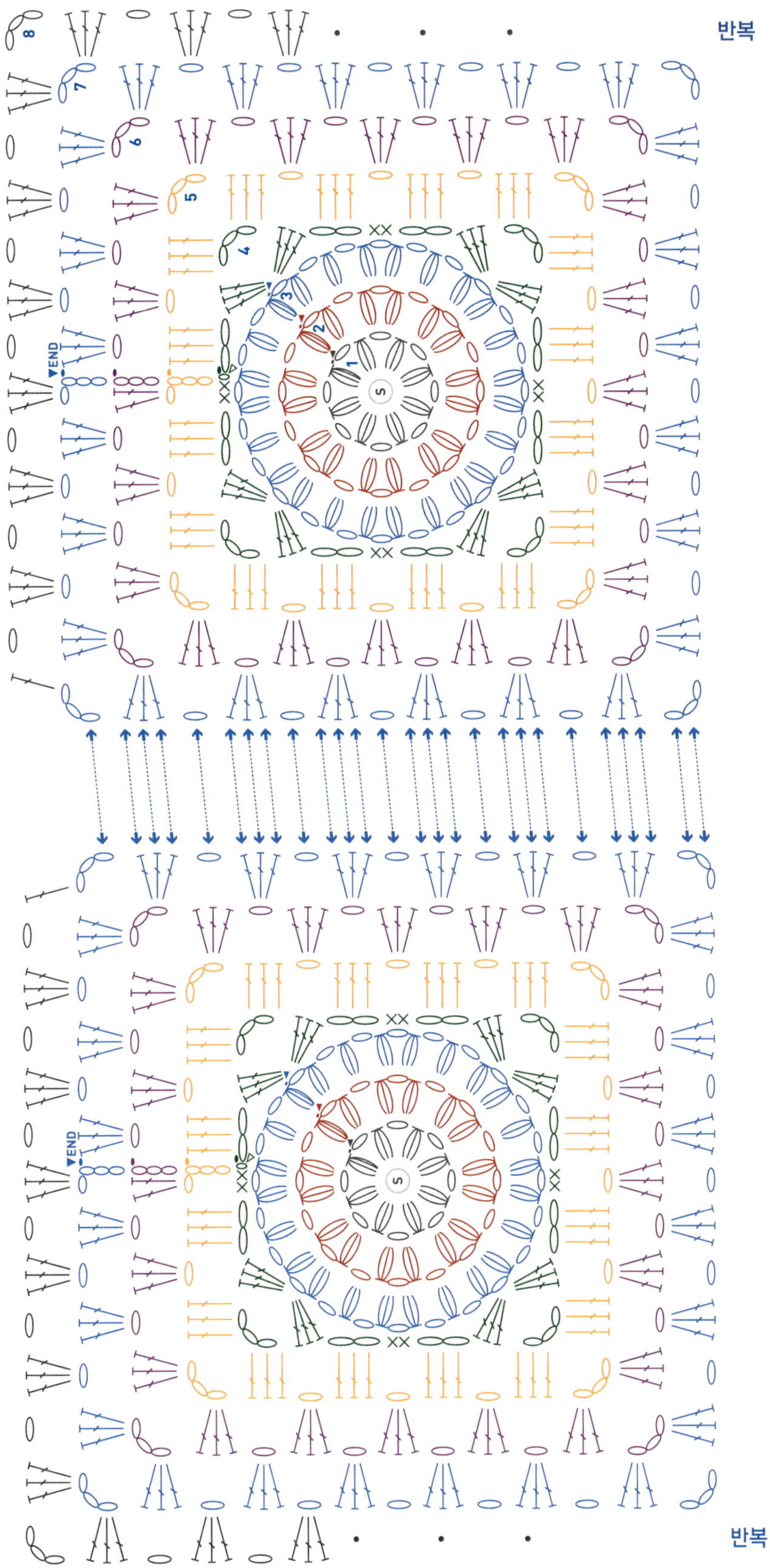
반복
8
7
6
5
4
3
2
1
S
END
반복

코바늘 뜨개로 완성하는 실용 소품 50

Crochet 크로셰

박정현 지음

코바늘 뜨개로 완성하는 실용 소품 50

Crochet 크로셰

초판 1쇄 인쇄 2019년 03월 28일
초판 1쇄 발행 2019년 04월 15일

지은이 박정현
펴낸이 한준희
발행처 (주)아이콕스

기획·편집 박윤선
디자인 김보라(inn1519@naver.com)
도안 일러스트 이지선
영업 김남권, 조용훈
영업지원 김진아

주소 경기도 부천시 중동로 443번길 12, 1층(삼정동 297-5)
홈페이지 http://www.icoxpublish.com
인스타그램 @thetable_book
이메일 thetable_book@naver.com
전화 032) 674-5685
팩스 032) 676-5685
등록 2015년 07월 09일 제2017-000067호
ISBN 979-11-86886-83-0
979-11-6426-004-1 (세트)

- 더테이블은 일상에 감성을 더하는 (주)아이콕스의 출판 브랜드입니다.
- 더테이블은 독자 여러분의 도서에 대한 의견과 투고를 기다리고 있습니다.
  책 출간을 원하시는 분은 더테이블 이메일 thetable_book@naver.com으로 간략한 기획안과 성함, 연락처를 보내주세요.

- 잘못된 책은 구입하신 서점에서 바꾸어드립니다.
- 책값은 뒤표지에 있습니다.

Crochet

PROLOGUe

무념무상으로 스트레스 풀기,
정성 담아 선물하고 양껏 생색내기,
여러 가지 색상의 실을 섞어 내 마음대로 배색하기,
좋은 사람들과 수다 떨며 양손 바쁘게 움직이기

손뜨개가 즐거운 이유는 너무나도 많습니다.

처음에 삐뚤빼뚤 서투른 솜씨지만, 어느새 도안을 볼줄 알게 되고
원하는 모양은 무엇이든 만들 수 있게 된다면
그 즐거움은 배가 될 것입니다.
제가 느꼈던 이 좋은 감정을 함께 나누고자
다양한 도안을 개발하고, 클래스를 열고, 책까지 출간하게 되었습니다.

손뜨개를 처음 접하는 분들께는 좋은 가이드이자 참고서로,
손뜨개 숙련자 분들께는 50가지의 다양하고 예쁜 실용 소품을
취향에 따라 골라 완성할 수 있는 행복한 책이 되기를 바랍니다.

출간이 처음인 저를 꼼꼼하게 지원해 주신 더테이블 출판사 관계자 분들과
수많은 소품을 예쁘게 촬영해 주신 포토그래퍼,
저를 응원해주신 가족들과 친구들에게 감사의 말을 전합니다.

2019년 3월, 저자 박정현

CONTENt's

LESSON 03

실용 소품 만들기

이 책을
활용하는 방법

LESSON 02. 코바늘 뜨기 기초

바늘을 잡는 방법부터 작품 완성 후 편물을 정리하는 방법까지의 모든 단계를 초보자도 쉽게 이해할 수 있도록 사진과 동영상으로 자세하게 설명해요. 이 책에 나오는 모든 뜨개 기법이 나와 있어요.

❶ 이 책에 나오는 모든 기법은 과정 사진과 함께 동영상으로도 제공되어 초보자 분들도 쉽게 배우실 수 있습니다.

❷ 초보자에게 어렵거나 헷갈릴 수 있는 부분은 화살표, 일러스트로 표시하여 쉽게 이해할 수 있도록 하였습니다.

LESSON 03. 실용 소품 만들기

세련된 배색과 감각적인 디자인으로 완성하는 실용 소품 50가지를 소개해요.
오래 두고 사용해도 질리지 않는 예쁜 실용 소품을 사계절 내내 즐겨보세요.

❶ 작품의 제목과 난이도입니다. 작품에 사용되는 모든 기법은 'LESSON 02. 코바늘 뜨기 기초'에서 과정 사진과 동영상으로 자세히 설명합니다. 도안집의 도안과 도안해설표를 참고해 어렵지 않게 완성할 수 있습니다.

❷ 각 작품에 해당하는 도안은 표시된 페이지 도안집에 있습니다. 도안집이 따로 있어 과정 사진과 도안을 함께 펼쳐 놓고 보기 편리합니다.

❸ 초보자에게 어렵거나 헷갈릴 수 있는 부분은 동영상으로 볼 수 있게 QR코드를 넣었습니다.

❹ 완성된 작품의 사이즈를 표시합니다.

LESSON
01

코바늘 소품을 만들기 위한 준비물

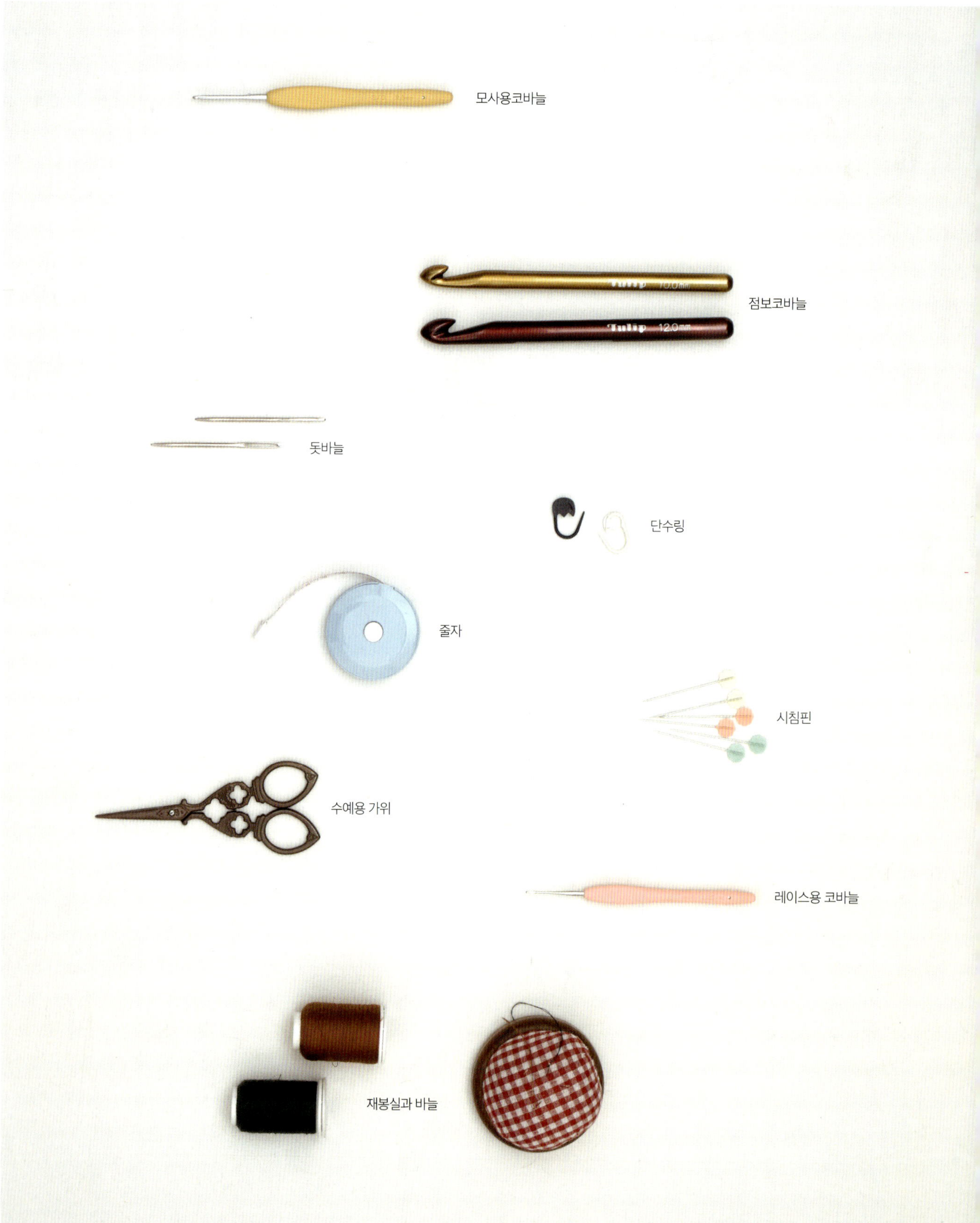
모사용코바늘
점보코바늘
돗바늘
단수링
줄자
시침핀
수예용 가위
레이스용 코바늘
재봉실과 바늘

01 기본 도구

1. 모사용코바늘

일반적으로 가장 많이 사용되는 바늘로 2/0호(2.0mm)부터 10/0호(6.0mm)까지 있습니다. 숫자가 클수록 바늘의 굵기도 굵어집니다.

2. 점보코바늘

7mm 이상의 굵은 코바늘을 뜻하며, 패브릭얀이나 망고얀과 같은 굵은 실을 다룰 때 사용합니다.

3. 돗바늘

일반 바늘보다 굵고 끝이 둥근 바늘입니다. 편물을 연결할 때나 남은 실을 숨길 때 주로 사용합니다.

4. 단수링(콧수링)

뜨개코에 걸어 단수 또는 콧수를 셀 때 사용합니다.

5. 줄자

작품의 크기를 잴 때 사용합니다.

6. 시침핀

편물끼리 고정하거나 블로킹(스팀 처리)할 때 모양을 잡아주는 용도로 사용합니다.

7. 수예용 가위

실을 자를 때 사용합니다. 끝이 뾰족한 가위가 사용하기 편합니다.

8. 레이스용 코바늘

레이스 실을 뜨는 가느다란 코바늘을 레이스용 코바늘이라 부릅니다. 0호(1.75mm)부터 14호(0.50mm)까지 있으며 숫자가 클수록 바늘의 굵기가 가늘어집니다.

9. 재봉실과 바늘

안감, 라벨 등 일반 패브릭과 연결하기 위해 사용합니다.

코튼

아크릴

울

기타 합성섬유

02 실

1. 코튼

면 소재의 가장 큰 장점은 자극이 적다는 점입니다. 따라서 아이를 위한 제품을 만들 때 코튼(면사)을 권장합니다. 잔털이 없어 사계절 내내 활용하기에 좋으며, 염색이 잘 되는 특성으로 다양한 컬러를 만나볼 수 있는 장점이 있습니다.

2. 아크릴

아크릴은 울과 비슷한 특성을 지니고 있어 주로 울의 대체 원단으로 사용됩니다. 부드럽고 따뜻한 소재로 울 소재와 혼방하여 많이 사용됩니다. 울과 아크릴이 혼방된 실은 가격이 저렴하고 자극이 적습니다.

3. 울

가장 대중적으로 사용되는 울사는 따뜻하고 가벼운 특성 때문에 꾸준하게 사랑받는 소재입니다. 탄성이 좋기 때문에 다루기 쉬워 초보자들이 사용하기에 좋습니다. 퓨어울의 경우 세탁 시 쉽게 줄어드는 성질이 있어 주의해야 합니다. 중성 세제를 푼 물에 조물조물 손세탁한 후, 그늘에 눕혀 건조합니다.

4. 기타 합성섬유

폴리에스테스, 폴리프로필렌, 나일론 등의 소재가 손뜨개에 자주 사용됩니다. 합성섬유의 경우 가공 방식에 따라 소재감이 천차만별이며, 그에 따라 만들 수 있는 제품도 달라집니다. 기본적으로 폴리에스테르와 나일론은 부드럽고 매끄러우며 폴리프로필렌은 플라스틱, 돗자리 소재와 같이 다소 거칠고 튼튼한 소재감을 나타냅니다. 울사나 면사 등 기본적인 소재뿐만 아니라 다양한 합성섬유를 손뜨개에 응용해 보는 것도 재미있는 경험이 될 것입니다.

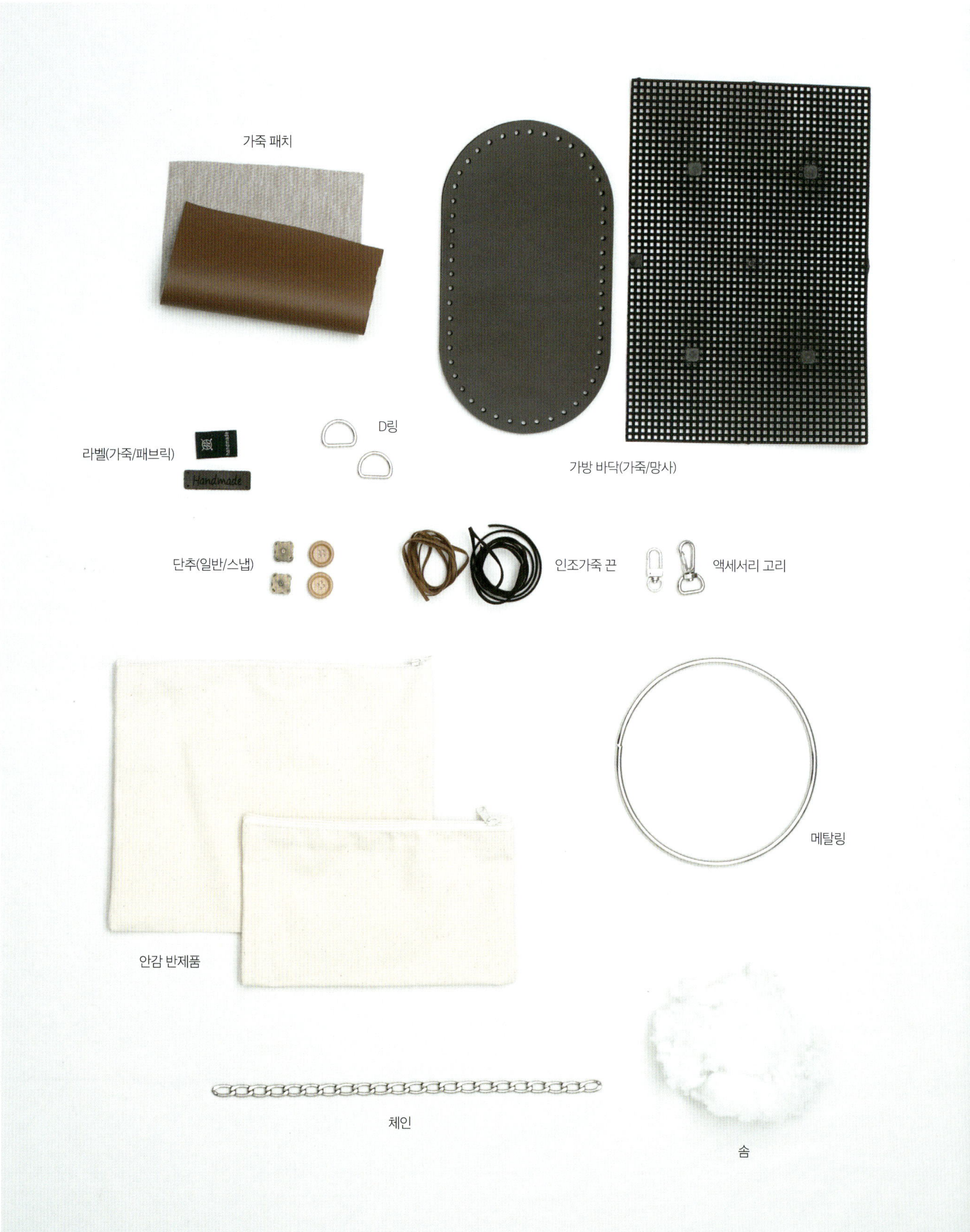
가죽 패치
D링
라벨(가죽/패브릭)
Handmade
가방 바닥(가죽/망사)
단추(일반/스냅)
인조가죽 끈
액세서리 고리
메탈링
안감 반제품
체인
솜

03 부자재

1. 가죽 패치

가죽 패치를 용도에 맞게 자른 후 접어 가방 손잡이에 달면 더 튼튼한 손잡이를 만들 수 있습니다. 유니크한 디자인 용도로도 사용합니다.

2. 가방 바닥

가죽으로 만들어진 가방 바닥 부자재의 경우, 가장자리에 구멍이 뚫려 있습니다. 따라서 옆면부터 바로 뜰 수 있으므로 뜨기가 수월하고 더 튼튼한 바닥으로 완성할 수 있습니다. 망사로 되어 있는 가방 바닥 부자재는 그 자체로는 사용할 수 없고 가방 안쪽에 꿰매어 모양을 잡아주는 용도로 사용이 가능합니다.

3. 라벨

가죽 또는 패브릭으로 된 라벨을 달아주면 더 완성도 높은 제품을 만들 수 있습니다.

4. D링

가방에 스트랩을 연결할 때 연결 부자재로 사용합니다.

5. 단추

가방이나 신발 등 편물을 고정하는 용도로 사용합니다. 일반 실과 바늘을 이용해 부착합니다. 디자인에 따라 일반 단추, 자석 스냅 단추 등 원하는 단추를 골라 사용할 수 있습니다.

6. 인조가죽 끈

허리끈, 가방 조임, 목걸이 스트랩 등 다양한 용도로 활용할 수 있는 부자재입니다.

7. 액세서리 고리

태슬이나 폼폼 등의 액세서리를 작품에 부착하는 용도로 활용합니다.

8. 안감 반제품

안감을 별도로 제작할 필요 없이 에코백, 파우치 등의 반제품을 사용하면 편하게 안감 작업을 할 수 있습니다.

9. 메탈링

본 책에서는 드림캐처를 만드는 용도로 사용하였습니다. 모티브를 링과 연결해 완성합니다.

10. 체인

가방 스트랩이나 디자인 용도로 부착할 수 있습니다.

11. 솜

입체적인 소품을 만들 때 편물 안에 채워 넣어 사용합니다.

LESSON
02

코바늘 뜨기 기초

Q1 이 책에서 사용하는

코바늘 기호와 명칭

구분	기호	명칭
기본 기법	○	사슬뜨기
	× +	짧은뜨기
		긴뜨기
		한길긴뜨기
		두길긴뜨기
	●	빼뜨기
늘려뜨기	∨	짧은뜨기늘리기
		긴뜨기늘리기(코 머리에서/코 아래에서)
		한길긴뜨기늘리기(코 머리에서/코 아래에서)
		한길긴2코늘리기 - 사이 사슬 1코(코 머리에서/코 아래에서)
		한길긴3코늘리기(코 머리에서/코 아래에서)
		한길긴4코늘리기(코 머리에서/코 아래에서)
		한길긴4코늘리기 - 사이 사슬 1코(코 머리에서/코 아래에서)
모아뜨기	∧	짧은뜨기줄이기
	∧	이랑뜨기줄이기
		한길긴뜨기줄이기
		긴3코구슬뜨기
		한길긴3코구슬뜨기(코 머리에서/코 아래에서)
기타 기법	±	이랑뜨기
		긴이랑뜨기
		겹짧은뜨기
		피코뜨기
		한길긴1코교차뜨기 - 사이 사슬 1코
		변형 한길긴1코교차뜨기(오른 코 뒤/왼 코 뒤)
		되돌아짧은뜨기
		한길긴앞걸어뜨기
		한길긴뒤걸어뜨기

02 기초코 만들기

1. 실 끝 찾기

첫 실을 주의해서 풀면 작품을 뜨는 동안 실이 굴러다니지 않아 작업하기 수월합니다.

겉면이 가지런한 실

가장 표면에 있는 실 뭉치부터 벗기듯이 사용합니다.

겉면이 얼기설기한 실

실타래 속에 손가락을 넣어 실 끝을 찾아 꺼냅니다. 안과 밖에서 1가닥씩 잡으면 실 두 겹을 함께 잡고 뜰 수 있습니다.

심지가 들어 있는 실

바깥쪽에서부터 실을 사용합니다. 지퍼백 봉투에 실을 넣고 실이 나올 만큼만 지퍼백 입구를 열고 사용하거나 전용 스탠드를 이용하면 편하게 사용할 수 있습니다.

2. 손에 실 걸기

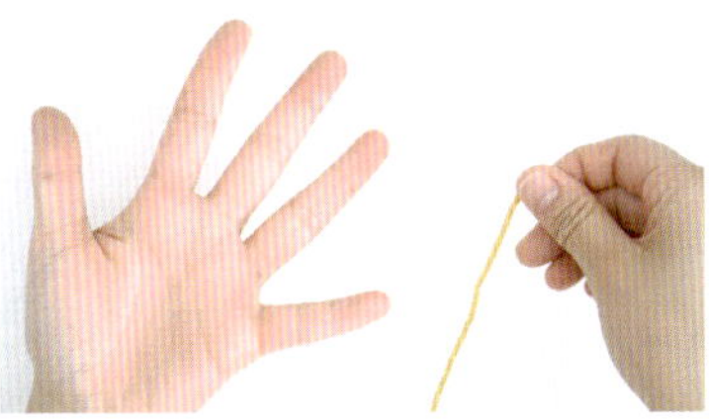

❶ 왼손을 펴고 오른손으로 실 끝을 잡아줍니다.

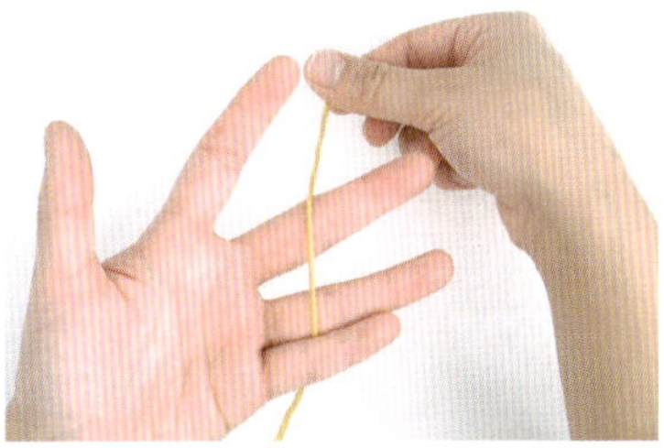

❷ 약지와 소지 사이에 실을 끼운 후 검지 뒤쪽으로 실을 보냅니다.

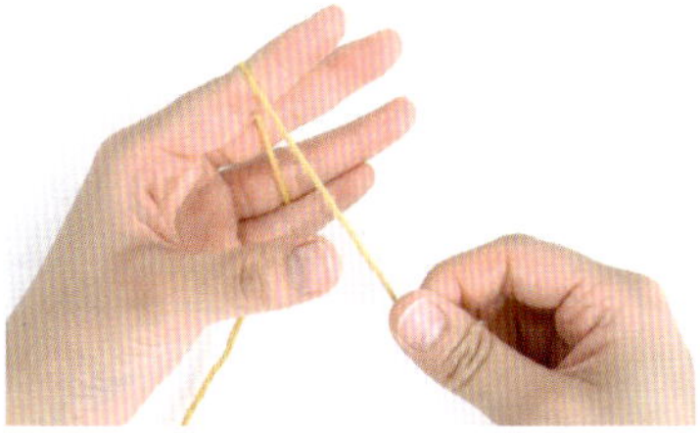

❸ 검지 앞쪽으로 실을 가져옵니다.

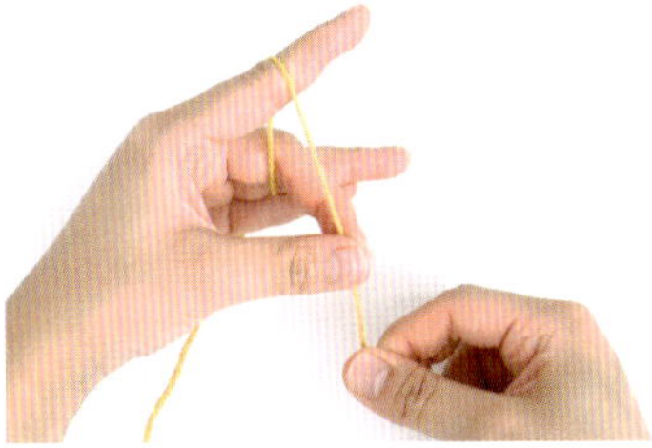

❹ 엄지와 중지로 실을 잡습니다. 검지는 자연스럽게 펴주세요.

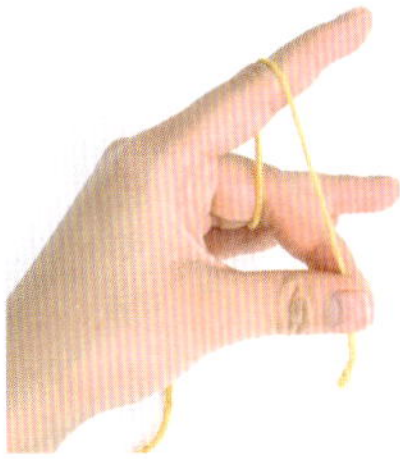

❺ 기본 자세입니다. 실 끝은 10cm 이상 여분을 남기고 잡아주세요.

3. 바늘 잡기

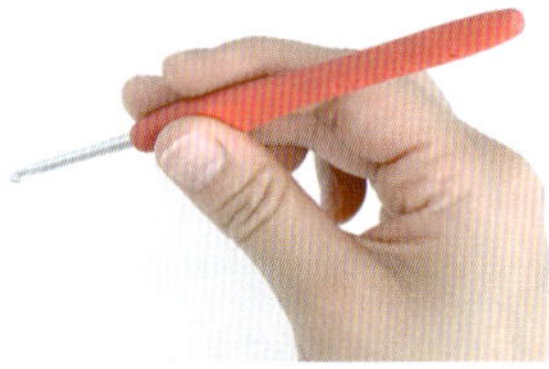

엄지와 검지로 코바늘 그립 부분을 잡고, 중지를 바늘 근처에 댑니다. 바늘 끝은 아래로 향하게 합니다.

4. 사슬뜨기

가장 기본이 되는 기법입니다. 기초코를 만들기도 하고, 편물에 구멍이나 무늬를 내는 데에도 사용됩니다.

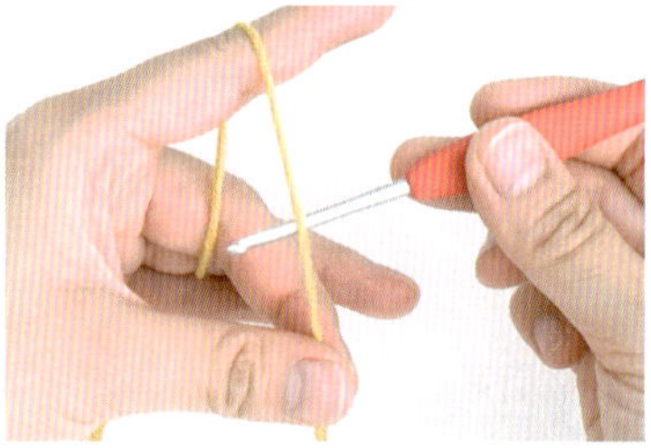

❶ 기본 자세로 실을 잡고 실의 뒤편에 바늘을 위치시킵니다.

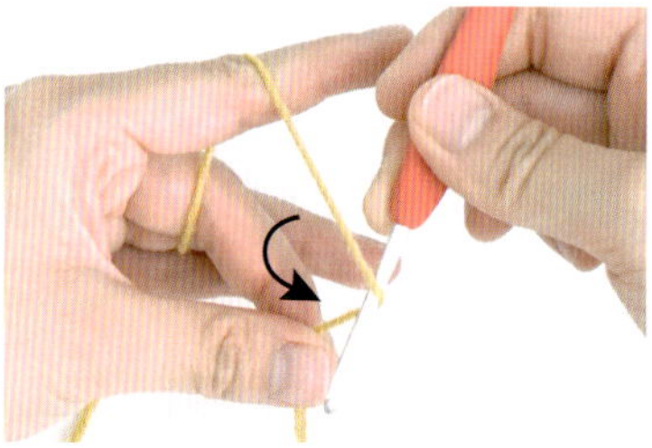

❷ 시계 반대 방향으로 바늘을 돌립니다.

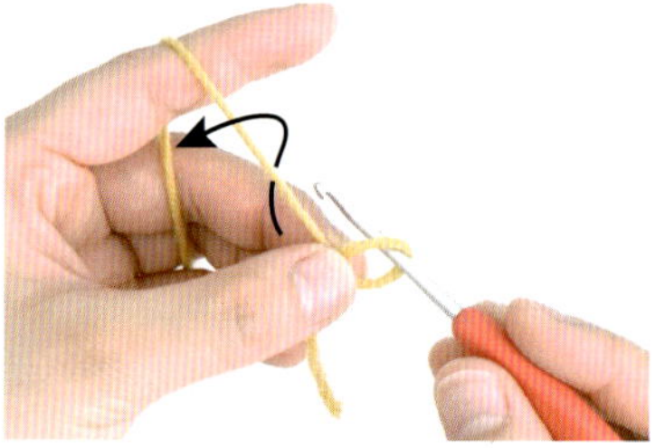

❸ 왼손으로 고리의 교차점을 잡아 작은 원형을 만들고 화살표 방향으로 바늘에 실을 걸어줍니다.

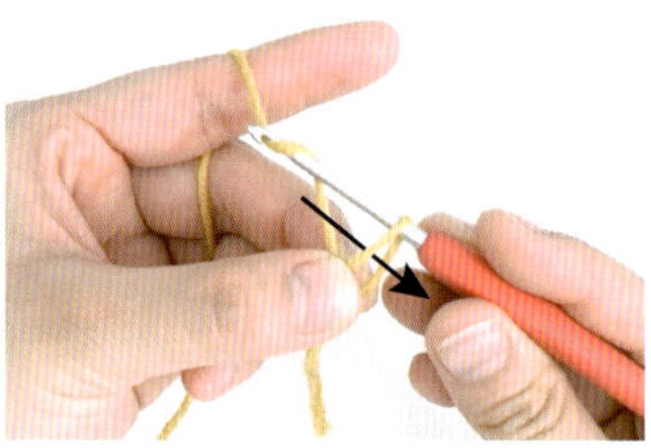

❹ 고리 사이로 실을 꺼내옵니다.

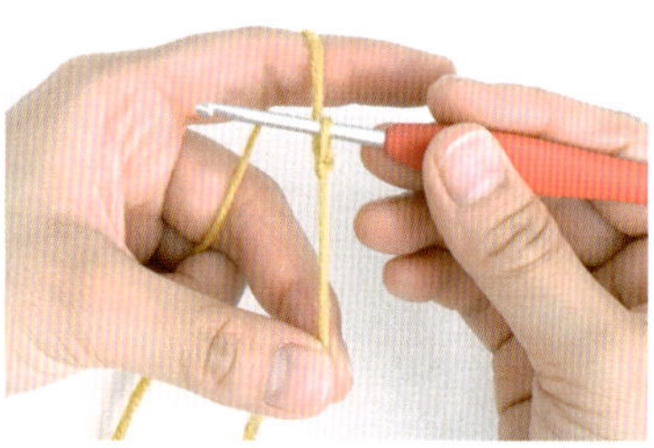

❺ 왼손으로 잡고 있던 실을 당기면 매듭이 지어집니다. 이것은 콧수에 포함되지 않습니다.

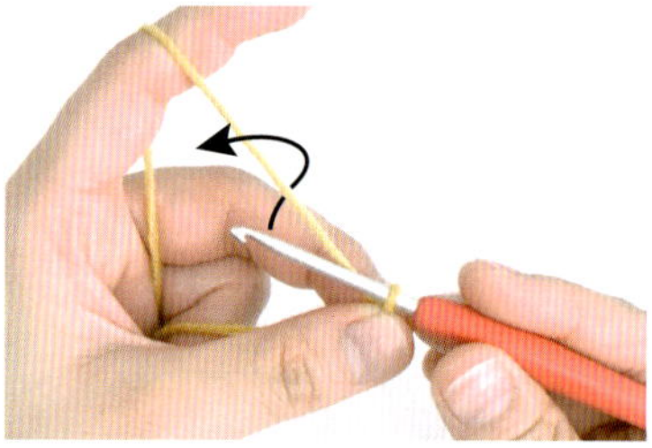

❻ 왼손으로 만들어진 매듭 부분을 잡고 화살표 방향으로 실을 걸어줍니다.

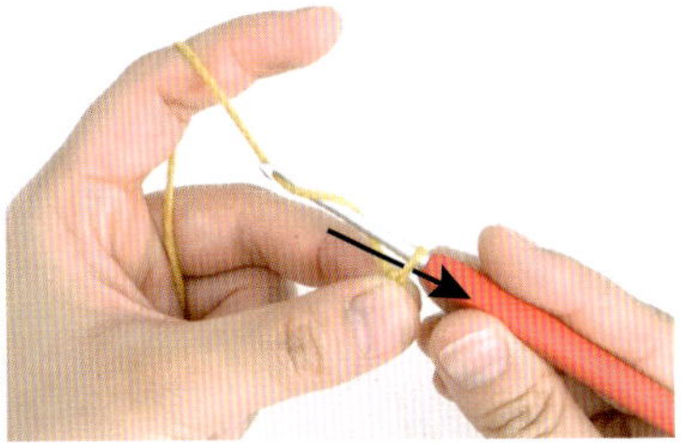

❼ 고리 사이로 실을 꺼내옵니다.

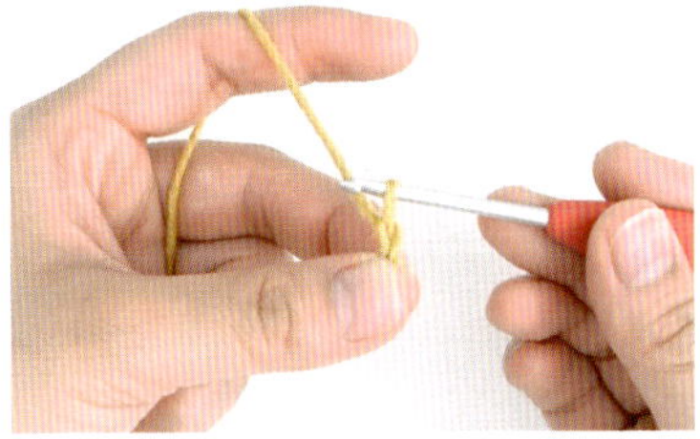

❽ 첫 코가 만들어졌습니다.

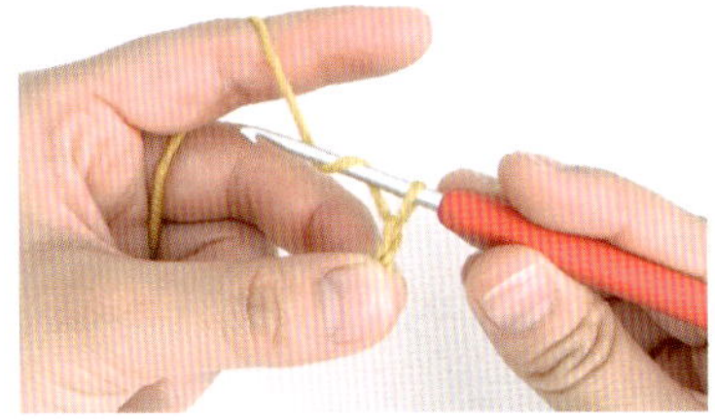

❾ 같은 방식으로 실을 걸어줍니다.

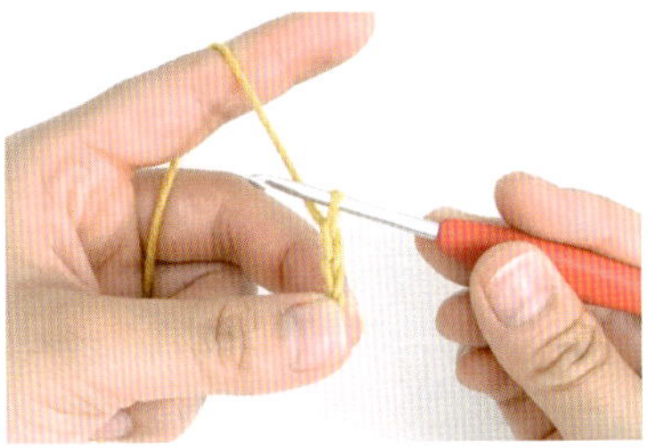

❿ 실을 가지고 나오면 두 번째 코가 만들어 집니다.

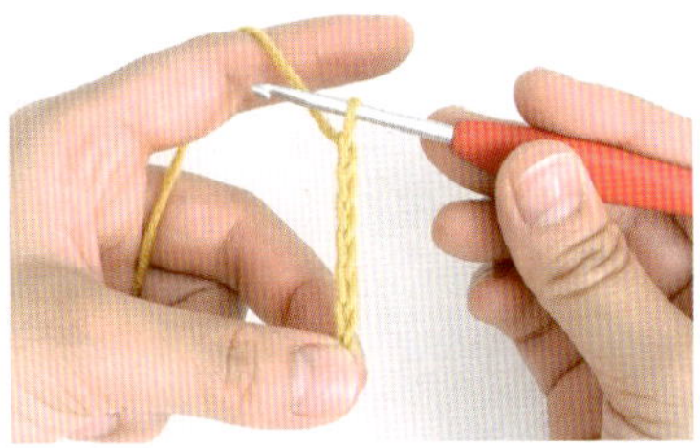

⓫ 원하는 개수만큼 반복하여 사슬코를 만들어나갑니다.

5. 기초코의 정의

뜨개를 시작할 때 기본이 되는 시작코를 의미합니다. 일반적인 평면 뜨기의 경우, '사슬뜨기'를 이용해 기초코를 만듭니다. 겉면에는 V자 형태의 코가 나열되어 있으며, 안쪽 면에는 코산이 올록볼록 돌출되어 있습니다.

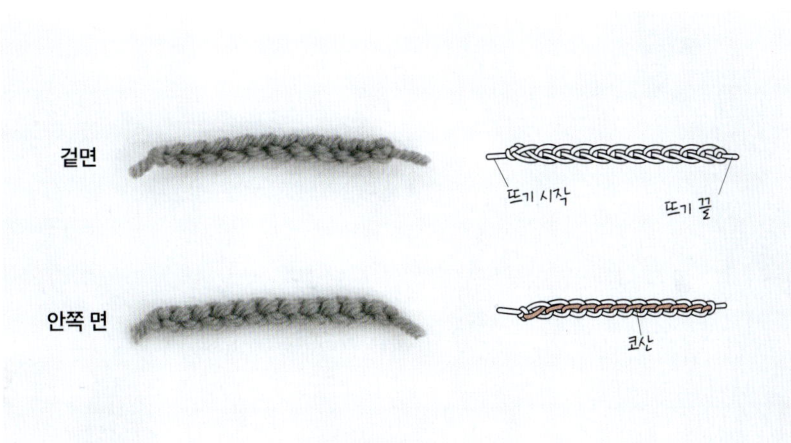

6. 사슬뜨기로 만든 기초코를 줍는 방법

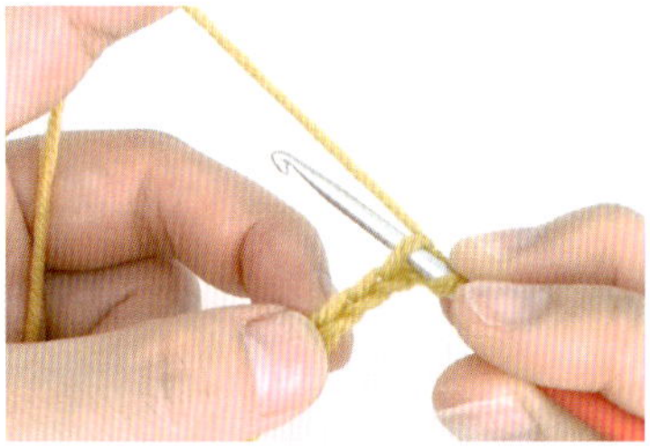

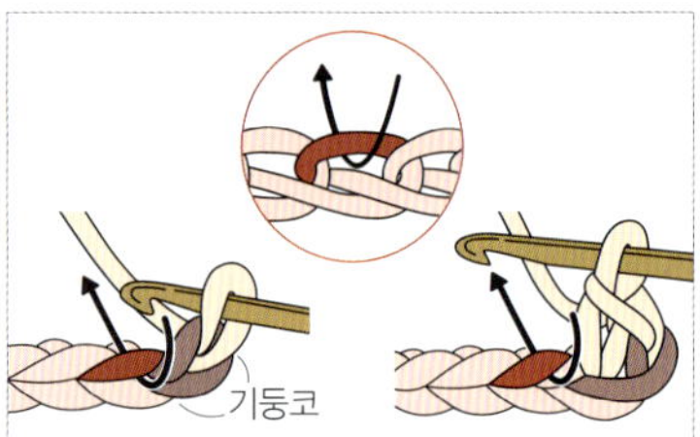

사슬 반 코만 줍기

줍는 난이도가 가장 쉬워 초보자에게 추천하는 방법입니다. 다만, 사슬 1가닥만을 줍기 때문에 편물이 늘어지기 쉬워 안정감이 다소 떨어지고 작은 구멍이 생길 수 있는 단점이 있습니다.

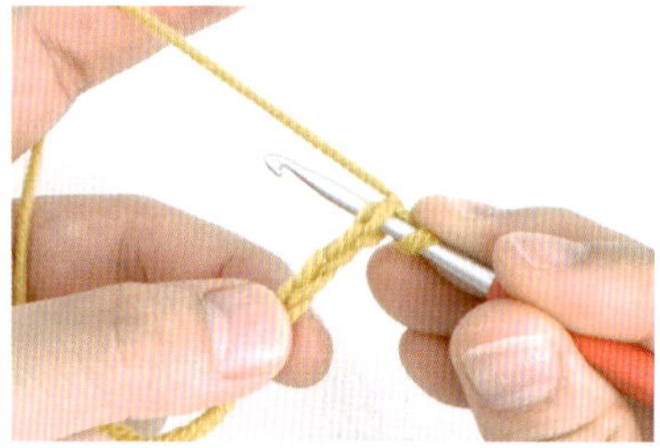

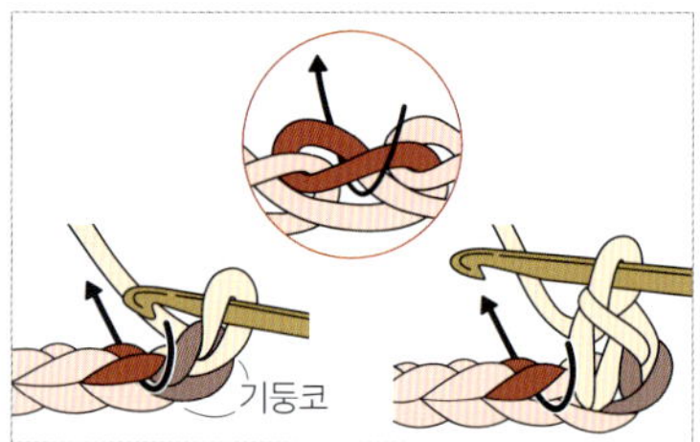

사슬 반 코와 코산을 함께 줍기

2가닥을 함께 줍기 때문에 안정감이 있고, 줍는 난이도도 쉬운 편입니다. 가느다란 실을 사용할 때 추천하는 방법입니다.

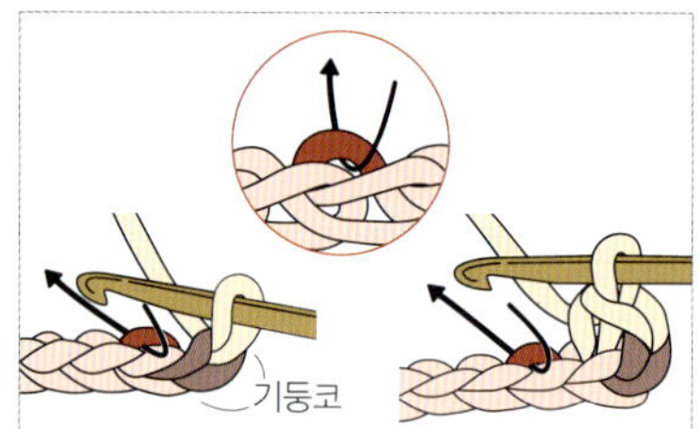

코산 줍기

뒷면에 돌출되어 있는 코산을 줍는 방법입니다. V자 형태의 사슬 모양이 시작 단 부분에 그대로 남기 때문에 편물의 시작과 끝이 동일하게 떠져 더욱 깔끔한 마무리가 가능한 방법입니다. 별도의 테두리 처리를 하지 않을 때 추천합니다. 코 줍는 난이도는 가장 높지만 가장 튼튼하게 코를 주울 수 있습니다.

03 기본 뜨개 기법

짧은뜨기 X +

짧은뜨기 스티치는 키가 작고 단단합니다. 뜨개 바탕에 틈이 많지 않아 가방이나 모자 등 늘어짐이 많지 않은 견고한 작품을 만들 때 주로 사용됩니다. 짧은뜨기의 기둥코는 사슬 1코입니다.

DESIGN

사슬뜨기를 이용해 기초코 8코를 만든 모습입니다. [26p]

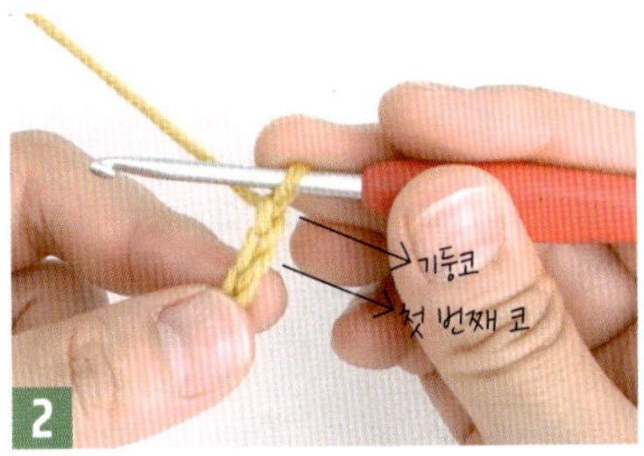

짧은뜨기의 기둥코는 사슬 1코이므로, 사슬뜨기를 1코 더 떠 줍니다. 총 9코가 만들어집니다.

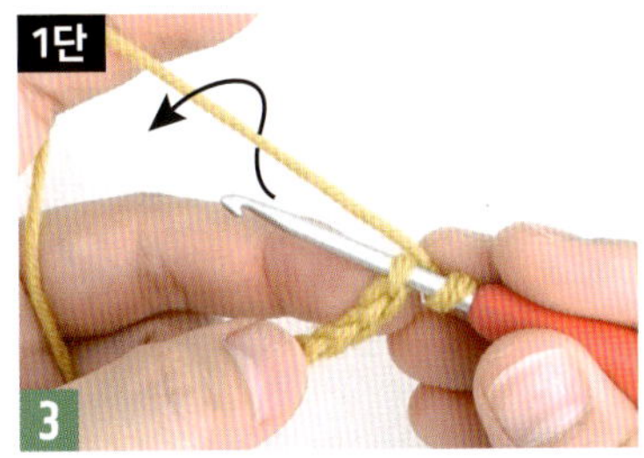

코산을 주워 짧은뜨기를 할 예정입니다. 뒷면의 두 번째 코산에 바늘을 넣고 화살표 방향으로 실을 걸어줍니다.

tip. 첫 번째 코산은 기둥코이므로 뜨지 않습니다.

화살표 방향으로 실을 꺼내옵니다.

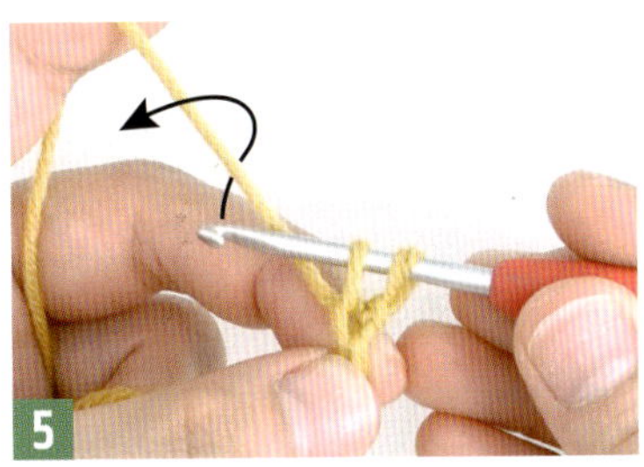

바늘에 2가닥의 실이 걸려 있습니다. 화살표 방향으로 실을 걸어줍니다.

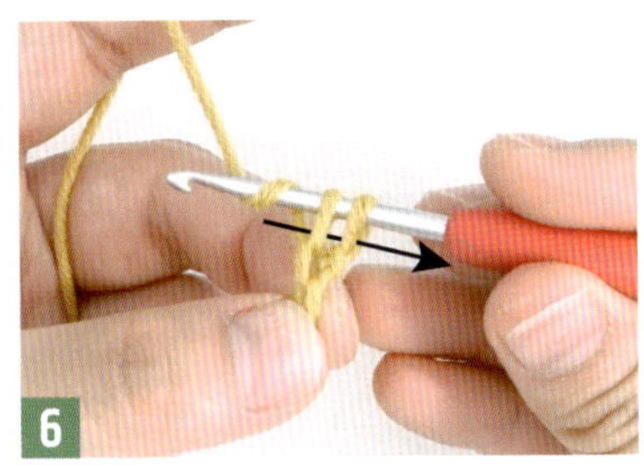

실 2가닥을 통과하여 한 번에 빼냅니다.

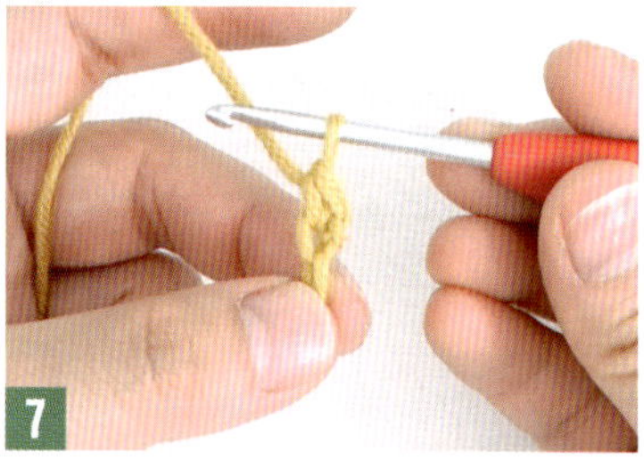

짧은뜨기 1코가 떠진 상태입니다.

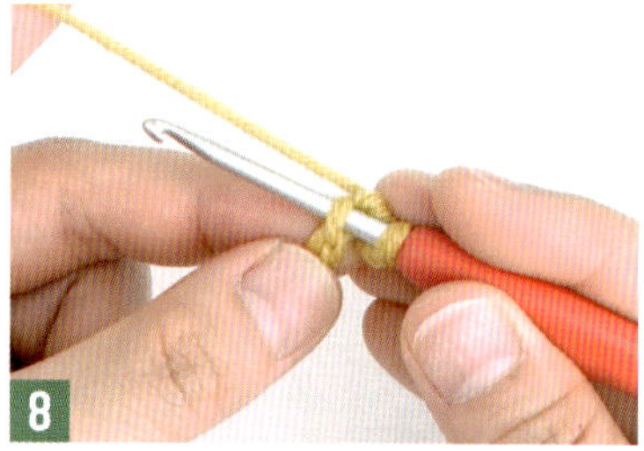

다음 코산에 바늘을 넣습니다.

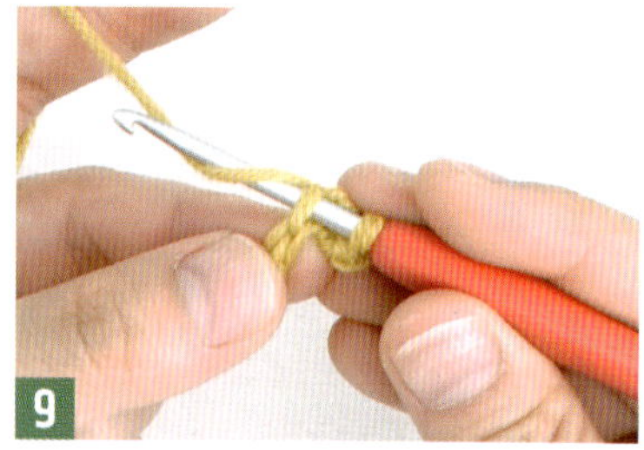

바늘에 실을 걸어 빼옵니다.

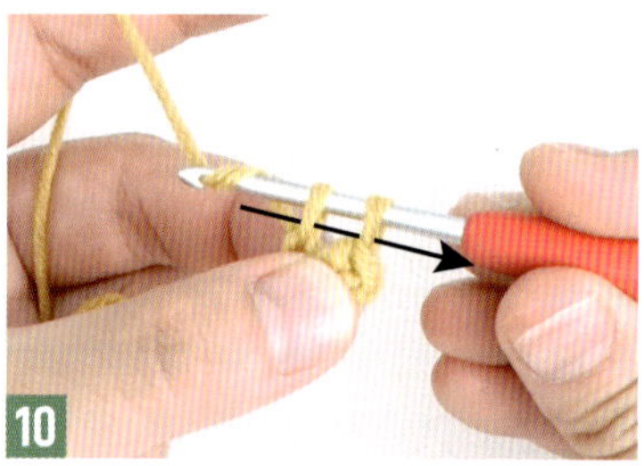

바늘에 실 2가닥이 걸려 있을 때 실을 걸어 한 번에 빼냅니다.

짧은뜨기 2코가 떠진 상태입니다.

동일한 방법으로 모든 코에 짧은뜨기를 떠서 총 8코가 되었습니다.

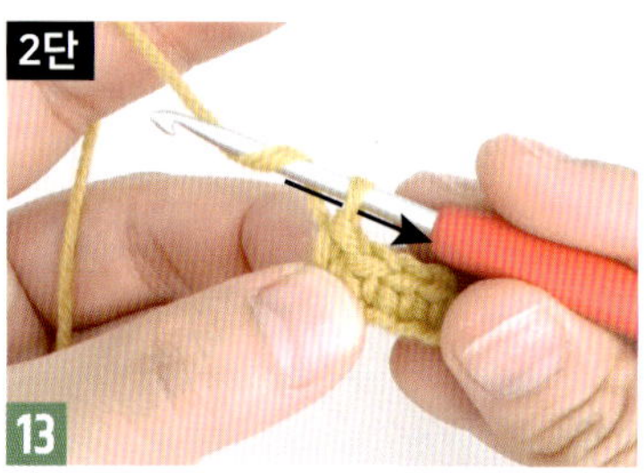

매 단 첫 위치에는 기둥코를 세워야 합니다. 바늘에 실을 걸어 고리로 가지고 나옵니다.

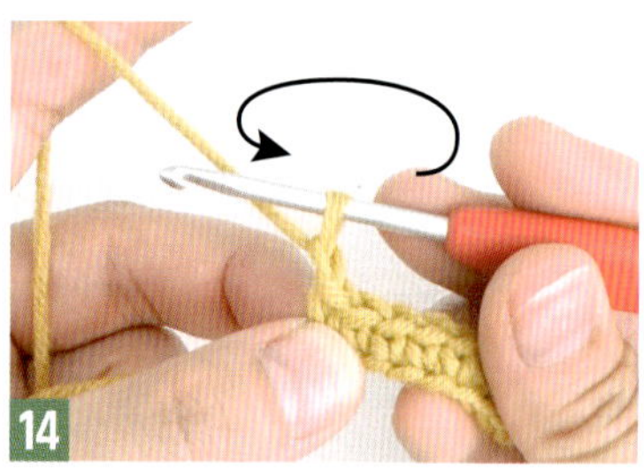

기둥코(사슬 1코)가 만들어졌습니다. 시계 반대 방향으로 편물을 뒤집습니다.

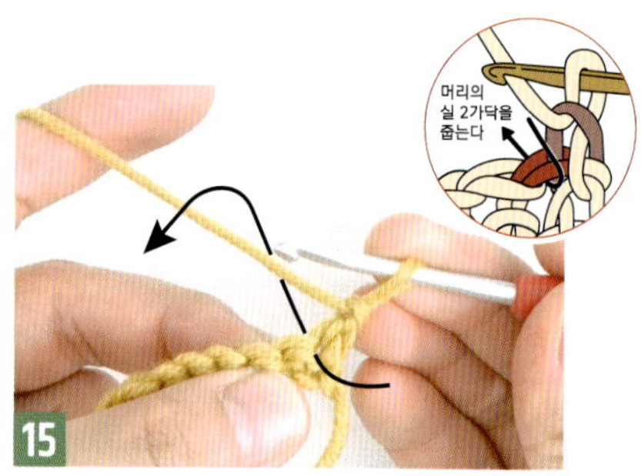

첫 번째 코를 찾아 바늘을 넣고 실을 걸어줍니다. 2단부터는 짧은뜨기 머리(V자로 이루어진 사슬 2가닥)를 줍습니다.

16

실을 걸어 빼옵니다.

17

실이 2가닥 걸린 상태입니다.

18

바늘에 실을 걸어 한 번에 빼내옵니다.

19

2단의 짧은뜨기 1코가 떠졌습니다.

20

다음 코도 짧은뜨기 머리에 바늘을 넣어 동일하게 뜹니다.

21

2코가 떠졌습니다.

22

동일한 방식으로 끝까지 짧은뜨기한 모습입니다.

긴뜨기 T

도톰하고 단단하면서도 부드러운 매력이 있는 스티치입니다. 짧은뜨기와 한길긴뜨기 중간 정도의 느낌으로 형태를 만들거나 무늬를 낼 때 보조적인 역할로 주로 사용됩니다.

DESIGN

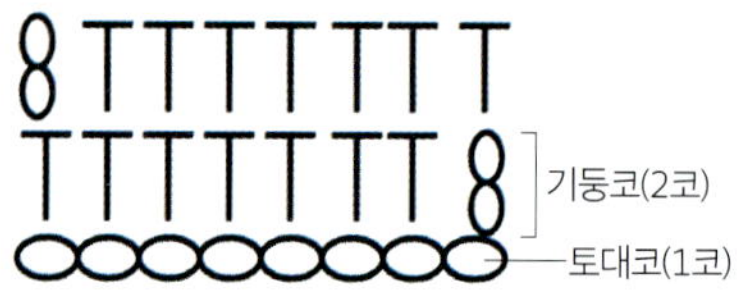

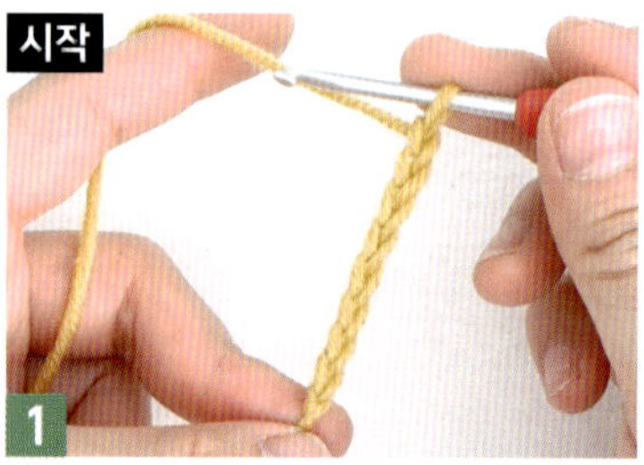

사슬뜨기를 이용해 기초코 8코를 만든 모습입니다. 【26p】

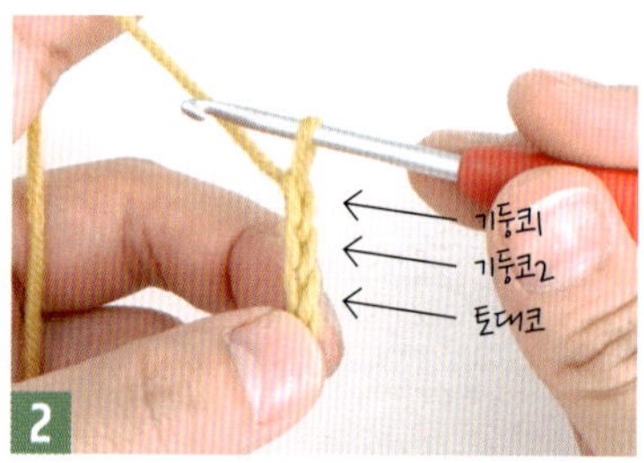

긴뜨기의 기둥코는 사슬 2코이므로 사슬을 2코 더 떠 줍니다. 총 10코가 됩니다.

tip. 긴뜨기의 기둥코는 뜨개코 1코로 인정합니다.

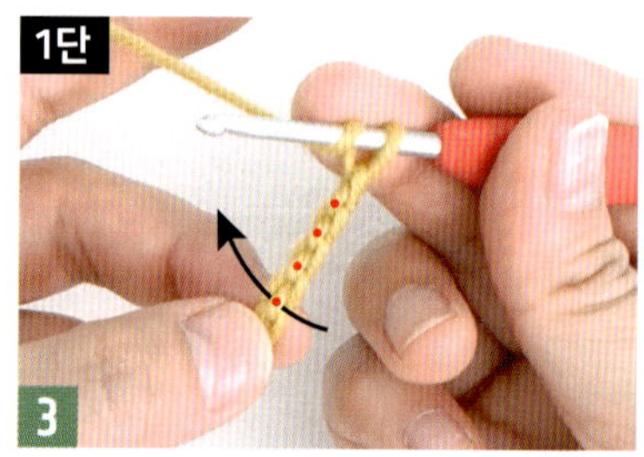

코산을 주워 긴뜨기를 할 예정입니다. 바늘에 실을 건 후 뒷면의 네 번째 코산에 바늘을 넣습니다.

tip. 기둥코(2코)와 토대코(1코)를 건너뛰고 뜨기 시작합니다.

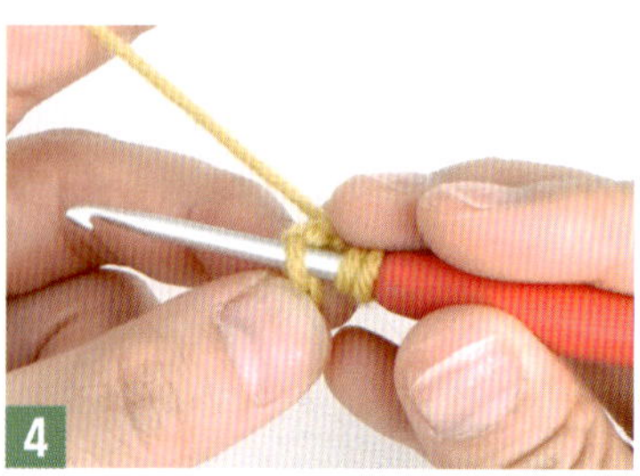

네 번째 코산에 바늘을 넣은 모습입니다.

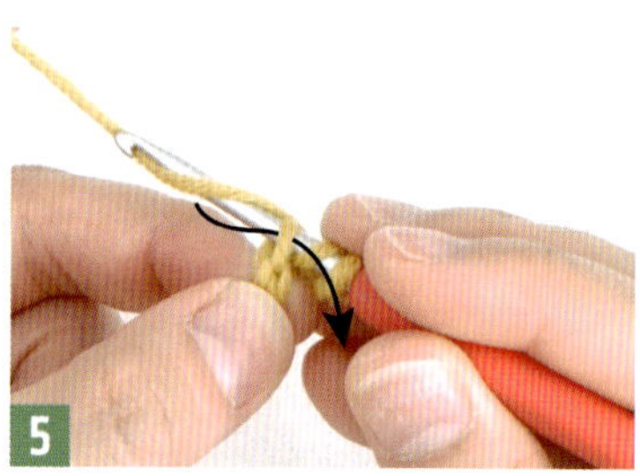

바늘에 실을 걸고 코산을 통과하여 실을 빼냅니다.

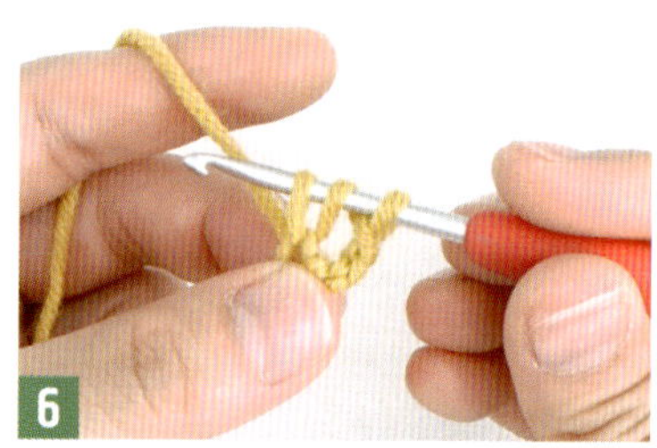

코산을 통과하여 실을 빼낸 상태입니다. 실을 감아 떴기 때문에 바늘에는 총 3가닥의 실이 걸려 있습니다.

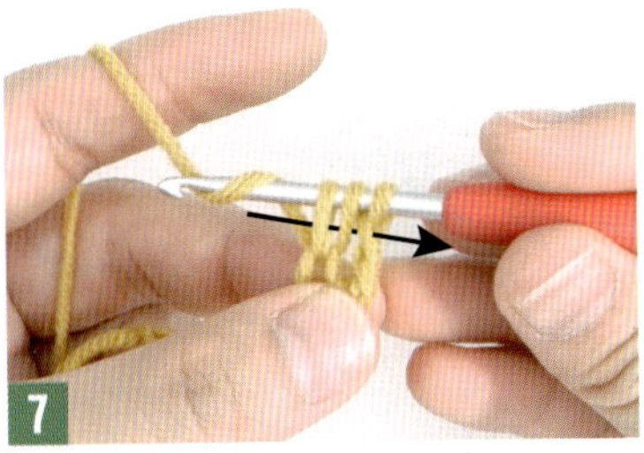

다시 바늘에 실을 걸어주고 3가닥의 실을 한 번에 빼냅니다.

3가닥의 실을 한꺼번에 통과한 상태입니다. 긴뜨기가 1코 떠졌습니다.

다시 실을 걸어줍니다.

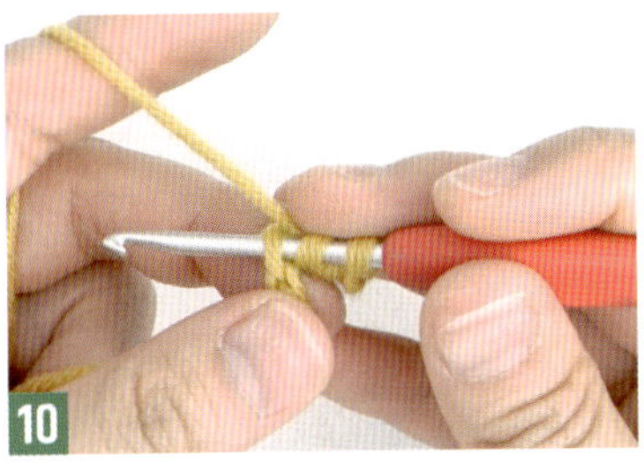

다음 코산에 바늘을 넣습니다.

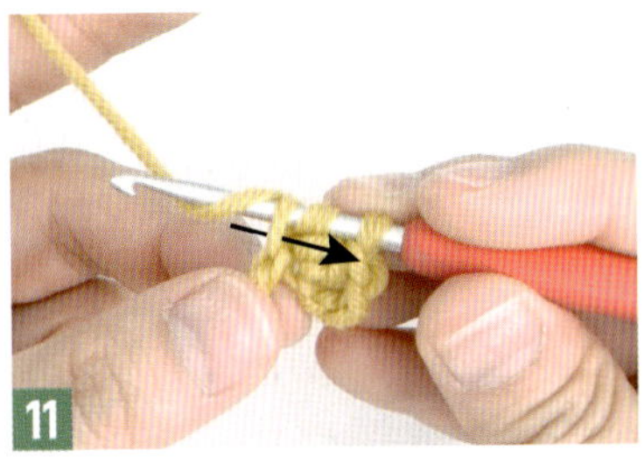

다시 바늘에 실을 걸어주고 코산을 통과하여 실을 빼냅니다.

코산을 통과하면 3가닥의 실이 걸립니다.

같은 방식으로 3가닥의 실을 한 번에 빼내 긴뜨기를 1코 더 뜬 모습입니다. 기둥코까지 총 3코가 떠진 상태입니다.

끝까지 뜬 모습입니다. 기둥코 1코와 긴뜨기 7코로 이루어져 총 8코의 뜨개코가 만들어졌습니다.

2단

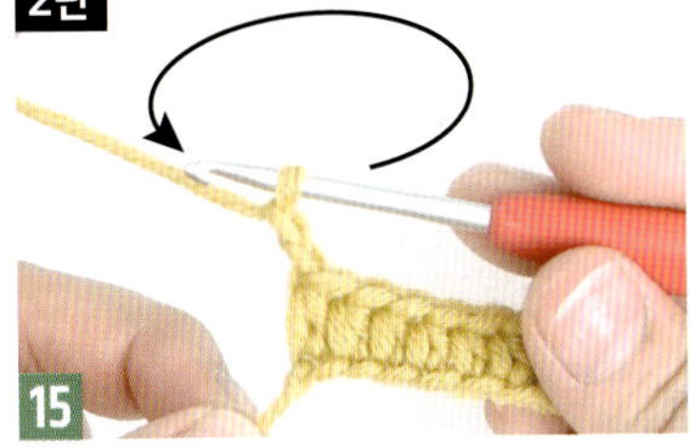

긴뜨기 기둥코(사슬 2코)를 만든 후, 시계 반대 방향으로 편물을 뒤집습니다.

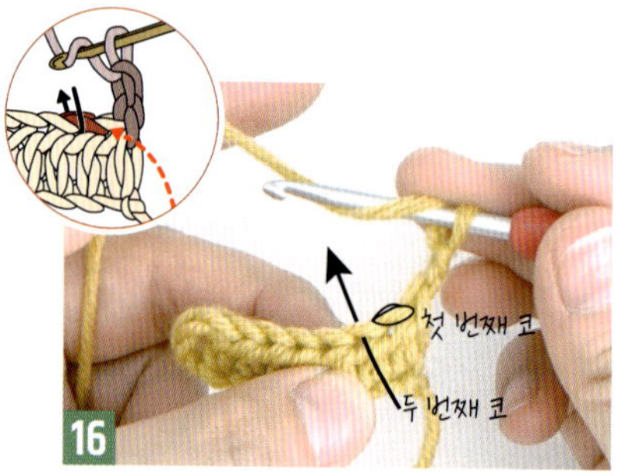

기둥코를 세운 것이 곧 첫 번째 코를 뜬 셈이 되므로, 첫 번째 코 부분을 비우고 두 번째 코부터 긴뜨기를 뜨기 시작합니다.

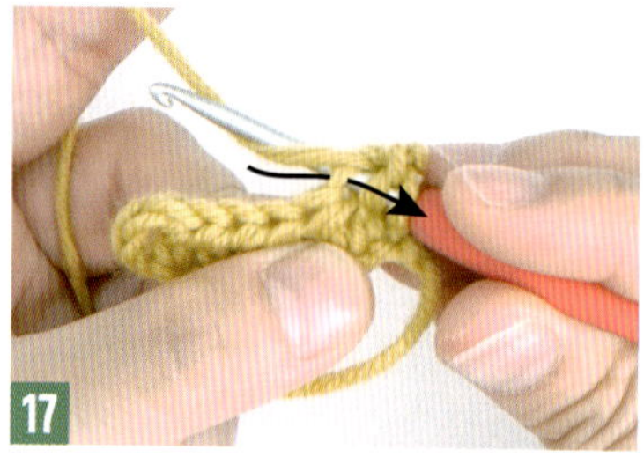

바늘에 실을 걸어 화살표 방향으로 빼냅니다.

3가닥의 실이 걸려 있는 모습입니다.

실을 걸고 3가닥의 실을 한 번에 빼냅니다. 기둥코 1코, 긴뜨기 1코를 떴으므로 총 2코가 떠졌습니다.

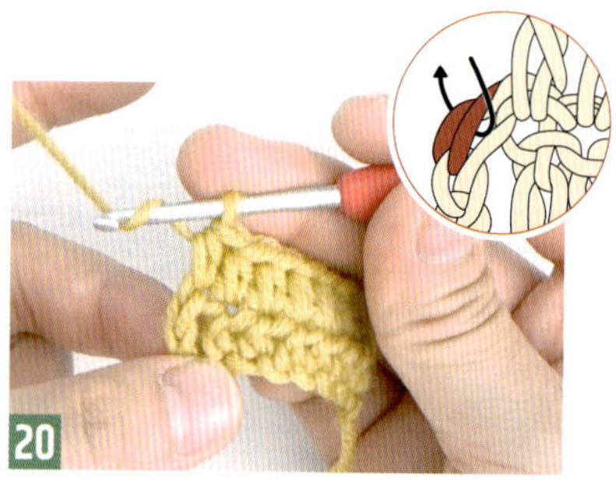

마지막 코에서는 가장 위쪽에 위치한 사슬을 주워 뜹니다. 사슬의 중앙에 바늘을 넣어 뒤쪽 코산과 함께 2가닥을 주워 뜹니다.

tip. 가장 마지막 코는 전 단에서 뜬 기둥코를 주워야 합니다. 코의 모양이 달라 코를 놓치는 경우가 잦으니 주의해주세요.

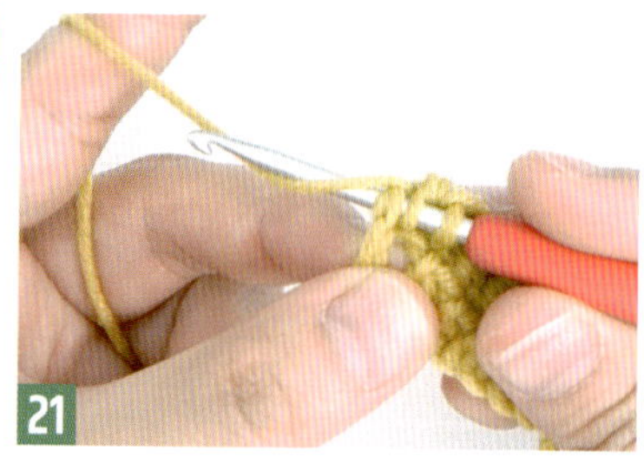

가장 윗부분의 사슬을 코산과 함께 주은 모습입니다.

기둥코 1코와 긴뜨기 7코를 떠 총 8코를 완성하였습니다.

한길긴뜨기

스티치 크기가 큰 편이라 더 빠른 속도로 편물을 뜰 수 있습니다.
옷이나 블랭킷 등 부드러운 작품 뜨기에 알맞습니다.

DESIGN

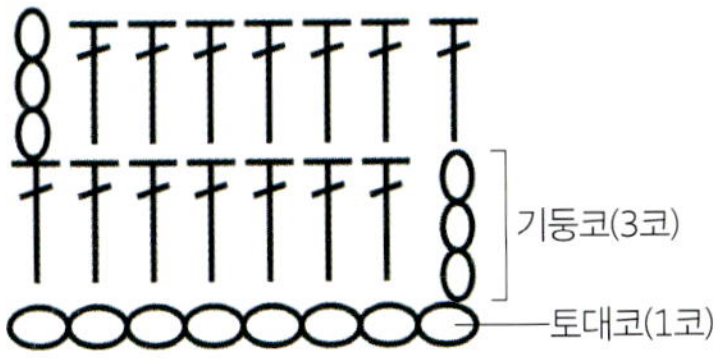

사슬뜨기를 이용해 기초코 8코를 만든 모습입니다. 【26p】

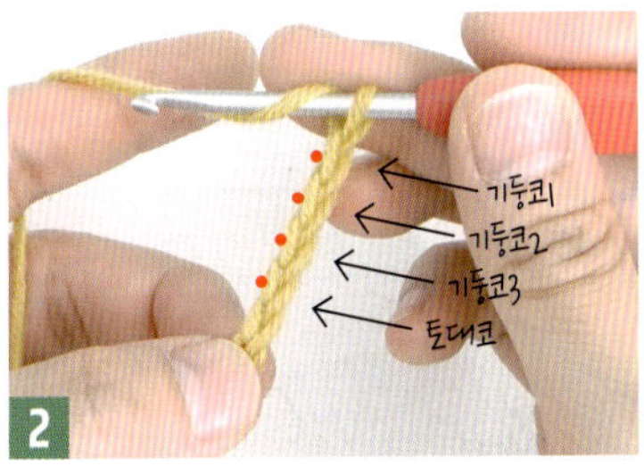

한길긴뜨기의 기둥코는 사슬 3코이므로, 사슬을 3코 더 떠 줍니다. 총 11코가 됩니다.

tip. 한길긴뜨기의 기둥코는 뜨개코 1코로 인정합니다.

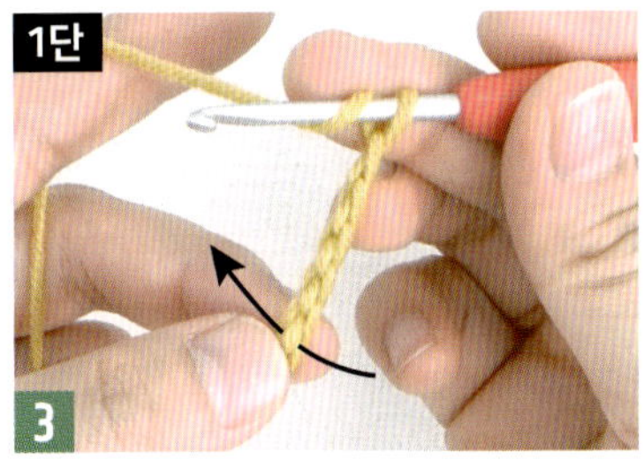

코산을 주워 한길긴뜨기를 할 예정입니다. 바늘로 실을 한 번 감은 후, 뒷면의 다섯 번째 코산에 바늘을 넣습니다.

tip. 기둥코(3코)와 토대코(1코)를 건너뛰고 뜨기 시작합니다.

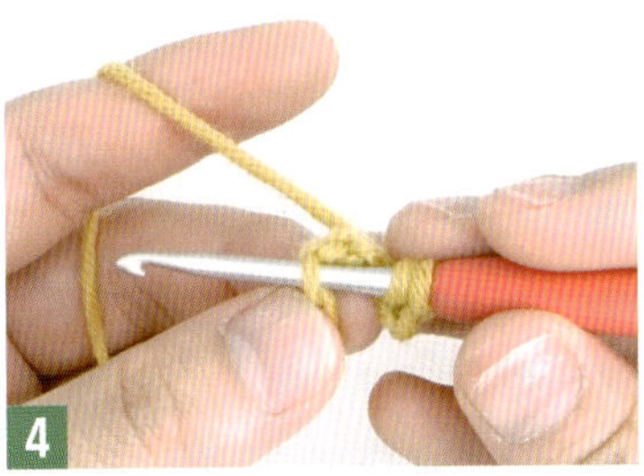

다섯 번째 코산에 바늘을 넣은 모습입니다.

바늘에 실을 걸고 코산을 통과하여 실을 빼냅니다.

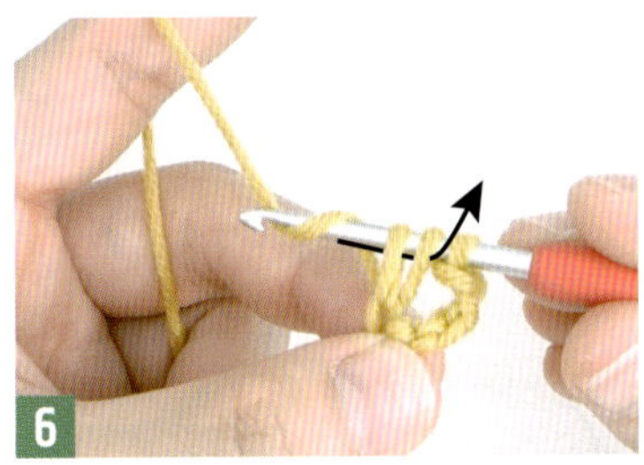

실을 감아 떴기 때문에 바늘에는 총 3가닥의 실이 걸려 있습니다. 바늘 등으로 실을 걸고 실 2가닥을 통과해 빼냅니다.

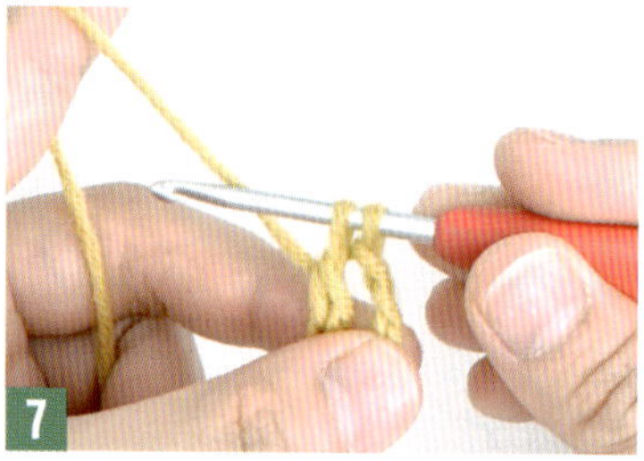

실 2가닥을 통과해 빼 온 모습입니다.

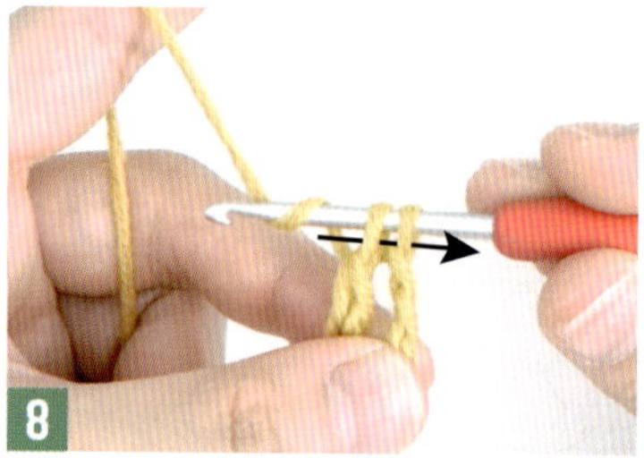

남은 2가닥의 실을 한꺼번에 통과하여 실을 빼냅니다.

한길긴긴뜨기 1코가 떠졌습니다.

바늘에 실을 걸고 다음 코산에 바늘을 넣습니다.

동일한 방식으로 한길긴뜨기를 뜹니다.

끝까지 뜬 상태입니다. 기둥코 1코와 한길긴뜨기 7코로 이루어져 총 8코의 뜨개코가 만들어졌습니다.

2단

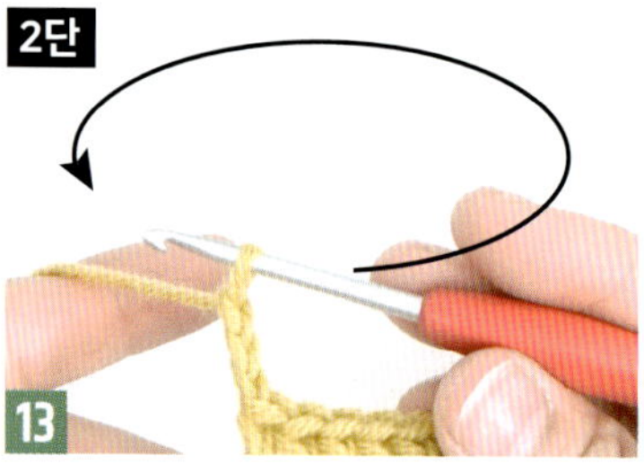

한길긴뜨기 기둥코(사슬 3코)를 만든 후, 시계 반대 방향으로 편물을 뒤집습니다.

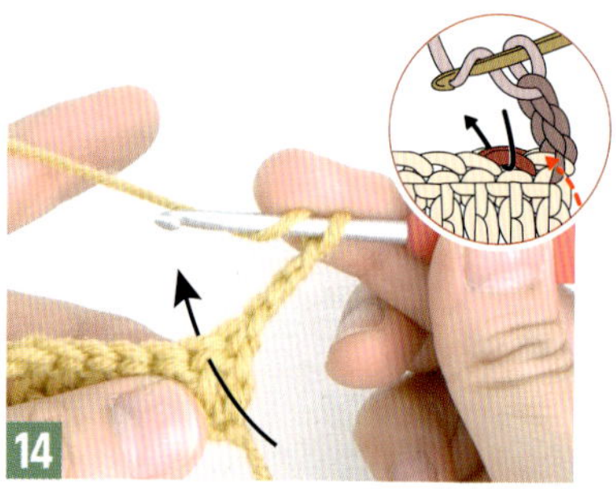

기둥코를 세운 것이 곧 첫 번째 코를 뜬 셈이 되므로, 첫 번째 코를 건너뛰고 두 번째 코에 바늘을 넣어 한길긴뜨기를 시작합니다.

바늘에 실을 걸어 빼냅니다.

역시 3가닥의 실이 걸려 있는 모습입니다.

다시 바늘에 실을 걸고 2가닥만 통과하여 빼냅니다.

바늘에 실을 걸고 남은 2가닥 사이로 실을 한 번 더 빼냅니다. 기둥코 1코, 한길긴뜨기 1코를 떴으므로 총 2코가 떠졌습니다.

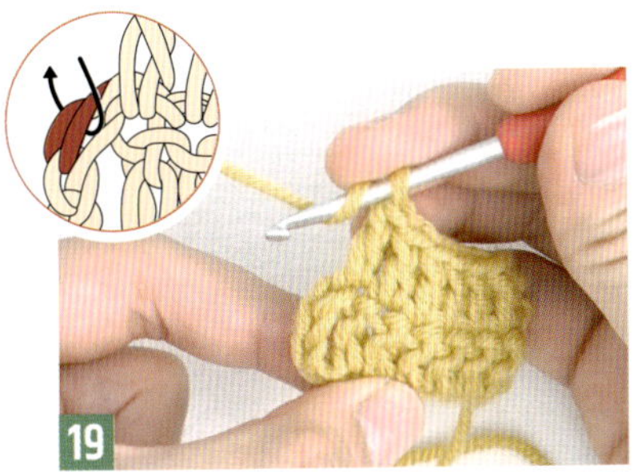

마지막 코에서는 가장 위쪽에 위치한 사슬을 주워 뜹니다. 사슬의 중앙에 바늘을 넣어 뒤쪽 코산과 함께 2가닥을 주워 뜹니다.

tip. 가장 마지막 코는 전 단에서 뜬 기둥코를 주워야 합니다. 코의 모양이 달라 코를 놓치는 경우가 잦으니 주의해주세요.

가장 윗부분의 사슬을 코산과 함께 주은 모습입니다.

기둥코 1코와 한길긴뜨기 7코를 떠 총 8코를 완성합니다.

두길긴뜨기

한길긴뜨기에 비해 한 단계 더 큰 스티치입니다. 길이가 너무 길어 불안정한 감이 있어서 주요 기법으로 사용되기보다는 보조적인 역할로 활용되는 경우가 많습니다.

DESIGN

사슬뜨기를 이용해 기초코 8코를 만든 모습입니다. 【26p】

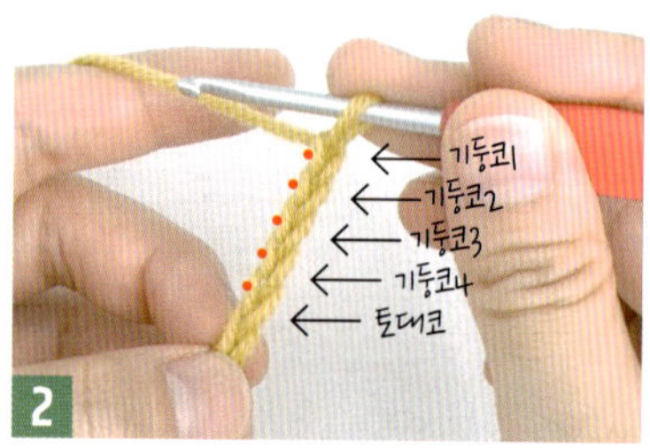

두길긴뜨기의 기둥코는 사슬 4코이므로, 사슬뜨기를 4코 더 떠줍니다. 총 12코가 됩니다.

tip. 두길긴뜨기의 기둥코는 뜨개코 1코로 인정합니다.

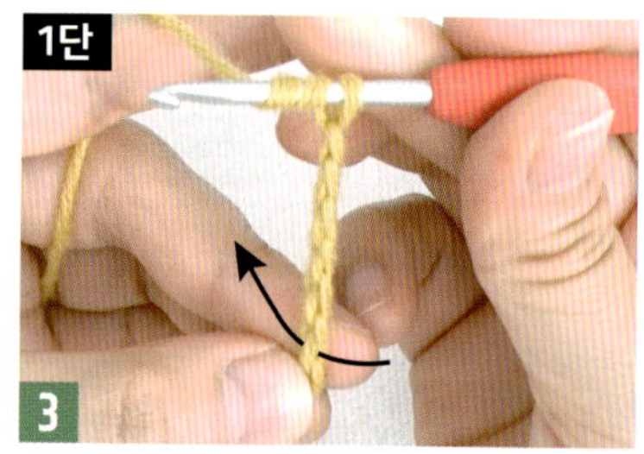

코산을 주워 두길긴뜨기를 할 예정입니다. 바늘로 실을 두 번 감은 후, 뒷면의 여섯 번째 코산에 바늘을 넣습니다.

tip. 기둥코(4코)와 토대코(1코)를 건너뛰고 뜨기 시작합니다.

여섯 번째 코산에 바늘을 넣은 모습입니다. 바늘에 실을 걸어준 후, 코산을 통과하여 실을 빼냅니다.

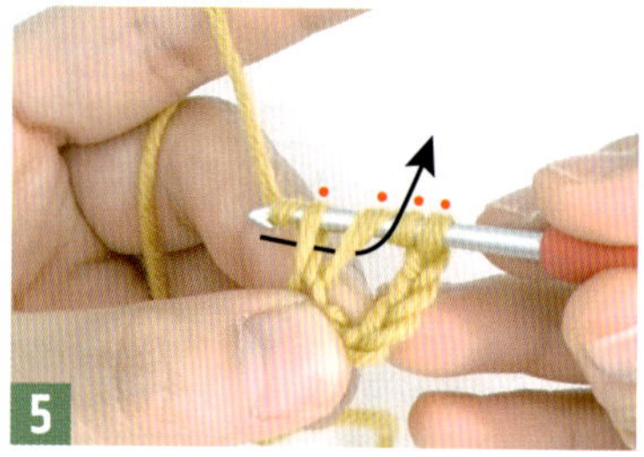

실을 두 번 감아 떴기 때문에 바늘에는 총 4가닥의 실이 걸려 있습니다. 바늘에 실을 걸고 실 2가닥을 통과합니다.

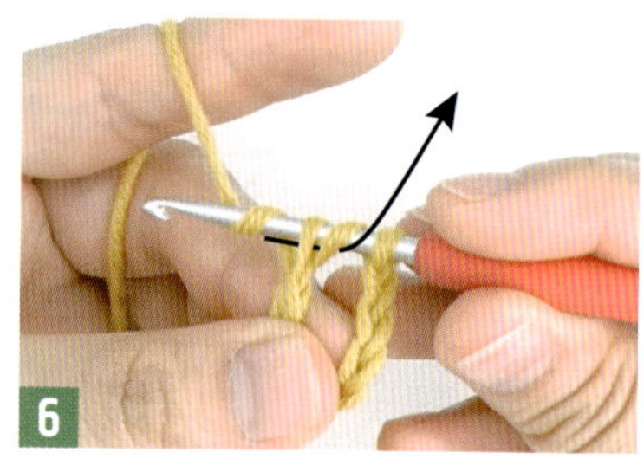

실 2가닥을 통과해 총 3가닥의 실이 걸려 있습니다. 바늘에 실을 걸어준 모습입니다. 이번에는 실을 2가닥만 통과합니다.

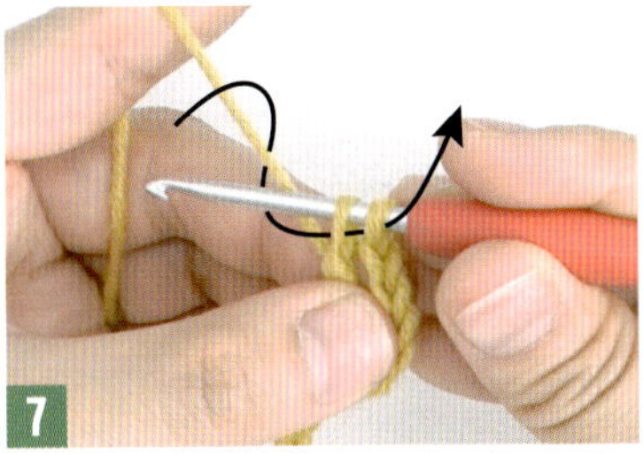

실 2가닥을 통과해 총 2가닥의 실이 걸려 있는 모습입니다. 바늘에 실을 걸고 남은 2가닥의 실을 한꺼번에 통과하여 실을 꺼냅니다.

두길긴긴뜨기가 1코 떠졌습니다.

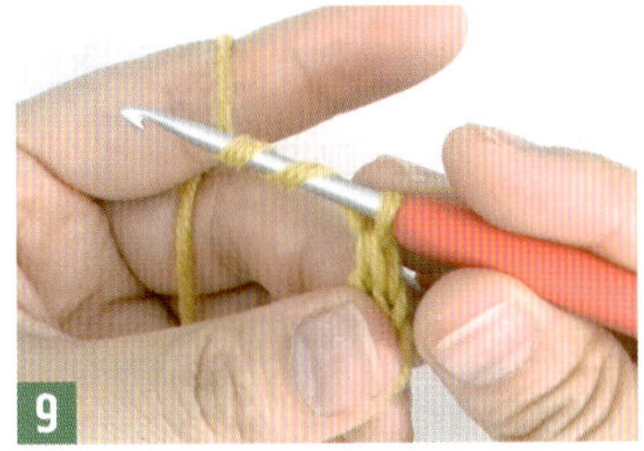

실을 두 번 감아줍니다.

그 다음 코산에 바늘을 넣습니다.

동일한 방식으로 두길긴뜨기를 뜹니다.

끝까지 뜬 상태입니다. 기둥코 1코와 두길긴뜨기 7코로 이루어져 총 8코의 뜨개코가 만들어졌습니다.

빼뜨기 ●

높이가 없는 뜨개코입니다. 주로 코와 코 사이를 연결할 때, 편물을 연결할 때, 편물의 가장자리를 마무리할 때 활용됩니다. 사슬뜨기 위에 빼뜨기를 하면 단단한 스트랩을 만들 수 있습니다.

DESIGN

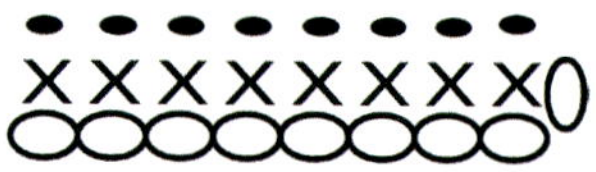

원하는 위치에 바늘을 넣습니다. 바늘에 실을 걸어준 후, 2가닥을 통과해 한 번에 빼냅니다.

빼뜨기를 1코 떴습니다.

tip. 빼뜨기는 높이가 없는 뜨기법입니다.

다음 코에 바늘을 넣습니다.

실을 걸어준 후, 2가닥을 통과해 한 번에 빼냅니다.

빼뜨기 2코가 떠졌습니다.

04 평면 도안 쉽게 읽기

1. 뜨개코의 형태와 명칭

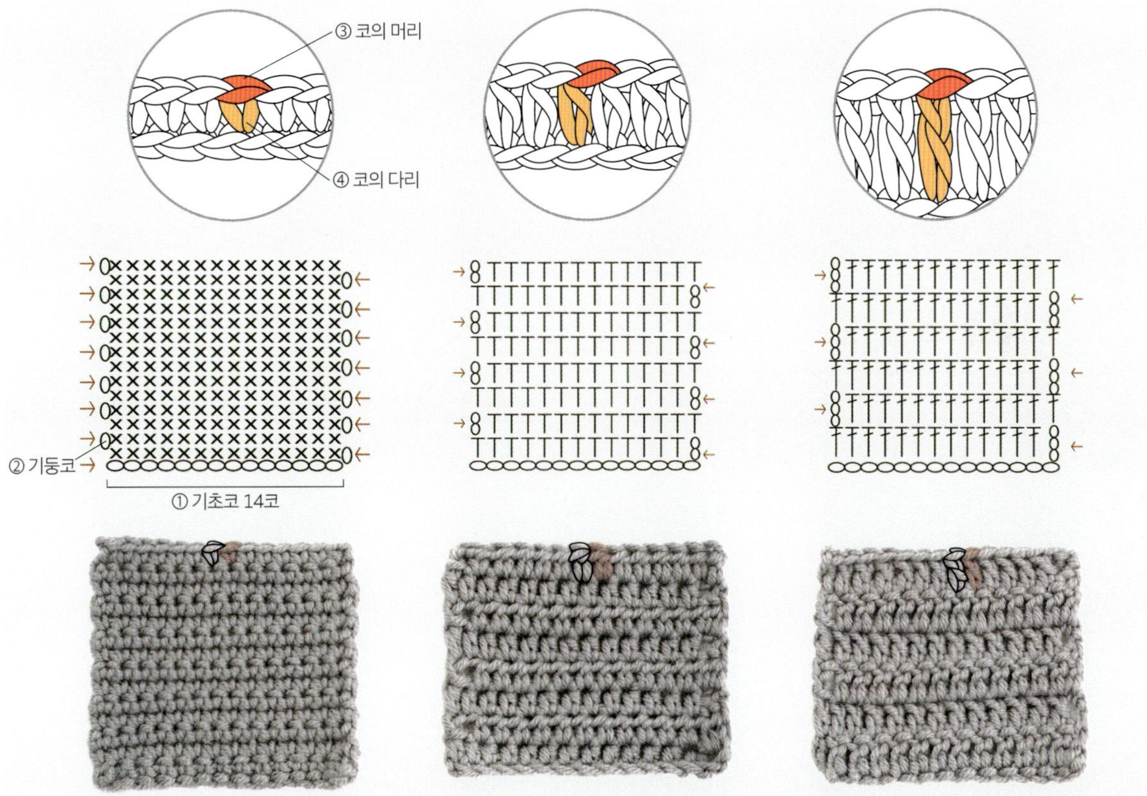

짧은뜨기
14코 × 14단

긴뜨기
14코 × 8단

한길긴뜨기
14코 × 6단

① 기초코(시작코)

편물을 뜨기 위한 기초가 되는 코입니다. 작품 전체 폭의 사이즈를 결정하며 단으로 세지 않습니다.

② 기둥코

각 단을 시작할 때 처음 뜨는 코(사슬)입니다.

③ 코의 머리

뜨개코 위쪽 V자 형태 부분입니다.

④ 코의 다리

뜨개코의 머리를 제외한 부분입니다.

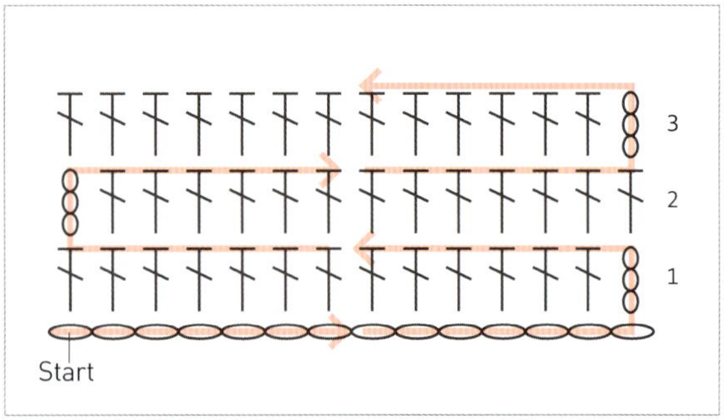

2. 평면 도안 읽기

평면 도안은 지그재그 방향으로 읽습니다. '사슬뜨기'로 만들어지는 기초코를 먼저 찾아 뜬 후, 우에서 좌로, 좌에서 우로 단이 바뀔 때마다 편물을 뒤집어가며 왔다갔다하며 뜹니다. 기본적으로 기둥코가 있는 부분이 첫 코라는 점을 기억하면 좋습니다. 기호로 이루어진 도안은 겉에서 본 모습이 그대로 그려지지만 실제로 뜰 때에는 한 단을 뜰 때마다 편물을 뒤집어 겉면과 안쪽 면을 번갈아 보면서 뜨게 됩니다.

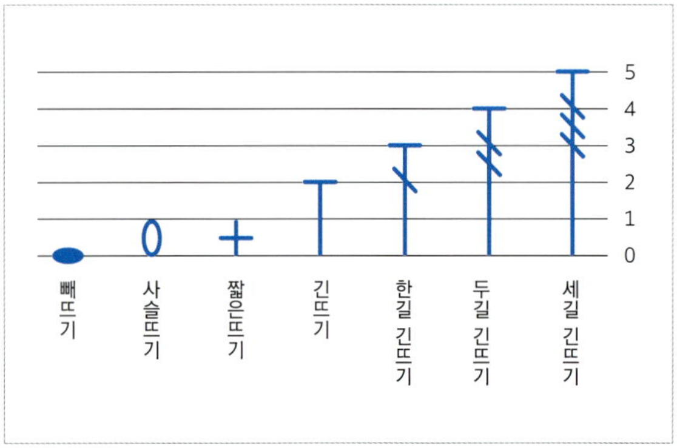

3. 뜨개코의 높이

사슬뜨기와 빼뜨기를 제외한 모든 뜨개코는 특정한 높이를 가지고 있습니다. 코의 높이는 단의 높이와 편물의 촉감을 좌우하게 됩니다. 짧은뜨기와 사슬뜨기를 같은 높이라고 보았을 때, 긴뜨기는 그의 2배, 한길긴뜨기는 3배, 두길긴뜨기는 4배, 세길긴뜨기는 5배만큼 높아진다고 생각하며 일정한 높이로 작업합니다.

4. 기둥코의 개념

① 평면뜨기의 시작은 기둥코로 뜬다. (예외 있음)

매 단 첫 코 부분에서 '기둥코'를 만들어 높이를 맞춰주어야 가장자리가 뭉개지지 않고 각 단의 높이가 잘 살아나게 됩니다. 따라서 첫 코를 시작할 때 기둥코를 세워준 후 뜨개코를 시작합니다. 빼뜨기 단을 뜨거나 한길긴뜨기늘리기를 이용해 물결무늬를 내는 등 사각 형태가 아닌 새로운 모양을 낼 때는 기둥코로 시작하지 않는 경우도 있습니다.

② 기둥코의 사슬 개수는 뜨개코의 높이에 따라 달라진다.

기둥코는 활용하는 뜨개코의 높이가 낮으면 낮게, 높으면 높게 만들어야 합니다. 예를 들어 짧은뜨기는 사슬 1코, 한길긴뜨기는 사슬 3코로 기둥코를 만들게 됩니다.

③ 긴뜨기 이상의 기둥코는 1코로 간주된다.

짧은뜨기의 기둥코는 사슬 1코로 존재감이 적어 콧수에 포함시키지 못합니다. 하지만 사슬 2코 이상이 되는 긴뜨기 기둥코부터는 기둥코를 1코로 간주합니다. 따라서 기둥코를 세움과 동시에 첫 코를 뜬 셈이 되는 것이니, 첫 코를 한 번 더 떠서 코가 늘어나지 않도록 주의합니다.

• 반듯한 사각형 모양의 편물이 나오지 않는 이유

초보자 분들의 경우 사각형 편물을 뜨다 보면 윗단으로 갈수록 편물이 좁아지거나 늘어나는 경우가 많습니다. 직사각 또는 정사각 편물을 뜰 때는 첫 단과 마지막 단의 너비가 고르게 떠져야 완성도 높은 작품으로 만들 수 있으니 꼭 참고하세요.

① 기초코의 크기가 너무 작은 경우

실제 뜨개 바탕을 뜰 때에는 사슬을 살짝 당겨 뜨기 때문에 기초코는 약간 느슨하게 떠야 합니다. 기초코가 너무 작게 만들어지면 하단 부분이 오그라들어 단정한 네모 모양이 나오지 않을 수 있습니다.

기초코를 잡을 때만 한두 호수 큰 바늘을 사용하는 것도 좋은 방법입니다.

② 코가 늘어난 경우

긴뜨기나 한길긴뜨기를 할 때 초보가 가장 많이 하는 실수입니다. 긴뜨기 이상의 기둥코(사슬 2코)를 떴다면 첫 코를 뜬 셈이므로 두 번째 코로 넘어가야 하는데 첫 코에 한 번 더 한길긴뜨기를 뜨는 경우가 많습니다. 이 경우 코가 늘어나 상단이 벌어진 사다리꼴이 됩니다.

③ 코가 줄어든 경우

각 단의 마지막 코를 놓치기 쉬워 발생하는 실수입니다. 특히나 긴뜨기 이상의 뜨개코는 마지막 코가 기둥코로 되어 있어 코의 머리가 없습니다. 이 부분을 놓치면 코가 줄어들어 상단이 좁은 사다리꼴이 됩니다.

---

05 원형 뜨기

1. 원형뜨기 기초코 만들기

① 매직링으로 원형 기초코 만들기

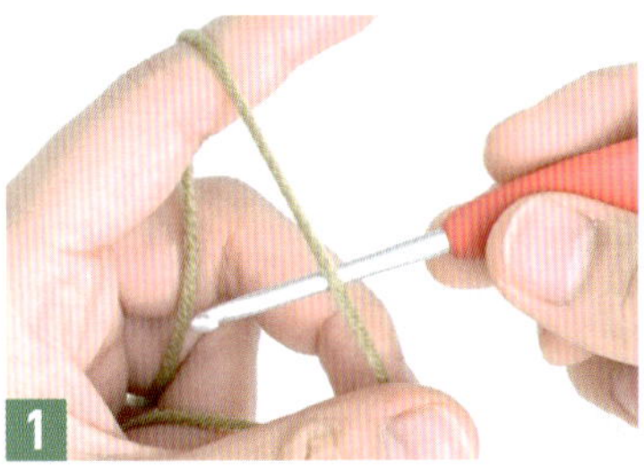

기본 자세로 실을 잡고 실의 뒤편에 바늘을 위치시킵니다. 【25p】

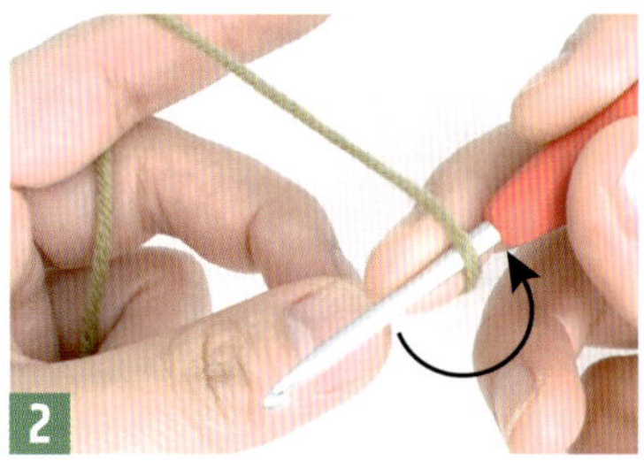

시계 반대 방향으로 바늘을 돌려 고리를 만듭니다.

왼손으로 고리의 교차점을 잡아 작은 원형을 만듭니다.

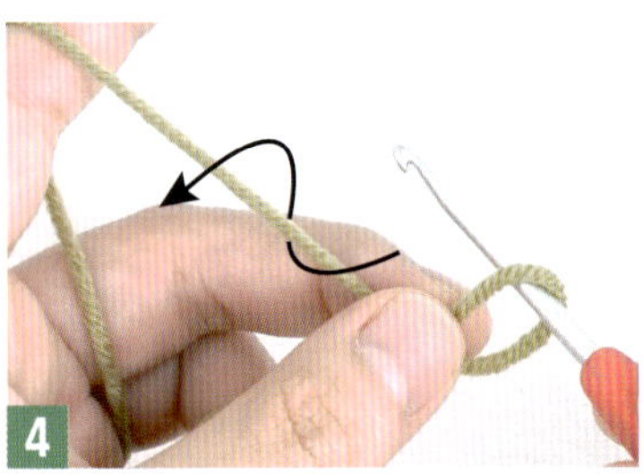

고리 안으로 바늘을 넣습니다. 화살표 방향으로 바늘에 실을 걸어줍니다.

바늘에 실을 걸어준 모습입니다.

고리를 통과해 실을 가지고 나옵니다.

tip. 왼손으로 잡은 교차점은 놓지 않습니다.

바늘에 실을 한 번 더 걸어 꺼내옵니다.

이 때 만들어진 코는 코로 세지 않습니다.

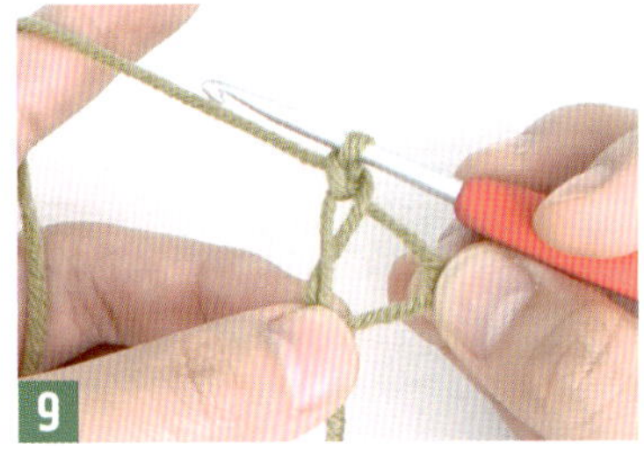

잡고 있던 원형을 벌리면 반지 모양의 기초코(매직링)가 보입니다. 좌측에 실 2가닥, 우측에 1가닥이 위치해 있는 것을 알 수 있습니다.

② 사슬뜨기로 원형 기초코 만들기(작은 원형)

사슬 6코를 만든 후 표시된 첫 번째 코에 바늘을 넣어 빼뜨기합니다. 【26p】

가운데가 빈 원형이 만들어졌습니다.

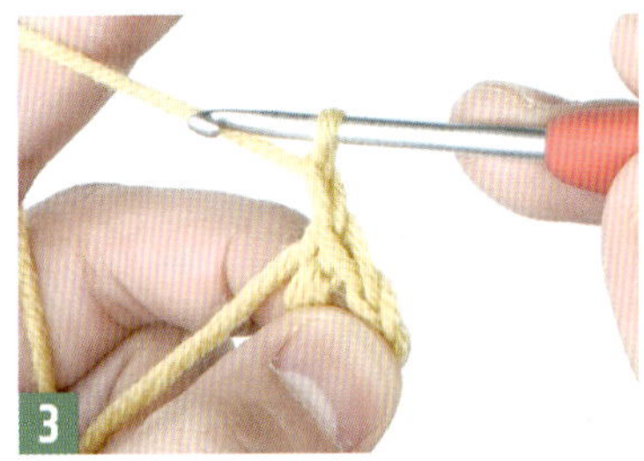

기둥코(사슬1코)를 만듭니다.

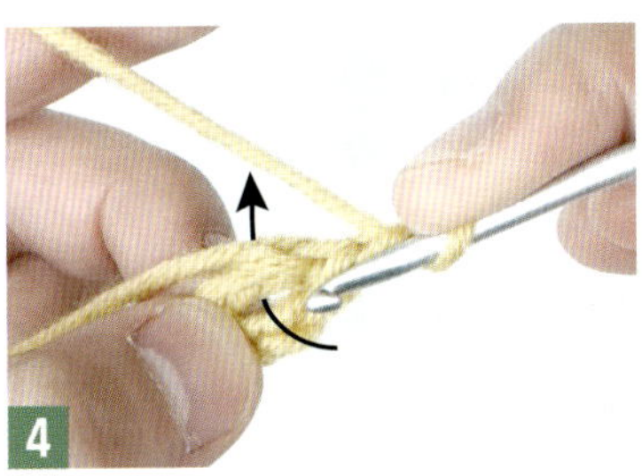

원형 안으로 바늘을 넣습니다.

짧은뜨기를 뜹니다.

짧은뜨기 1코가 완성되었습니다.

원하는 개수만큼 짧은뜨기합니다.

tip. 8코~10코가 적당합니다.

첫 코에 바늘을 넣고 빼뜨기합니다.

원형 1단이 만들어 졌습니다. 중앙을 조일 수 없다는 점이 특징입니다.

③ 사슬뜨기로 원형 기초코 만들기(큰 원형)

원하는 원의 둘레만큼 사슬을 만듭니다.
【26p】

사슬이 꼬이지 않도록 확인하여 잘 잡은 후, 첫번째 코에 바늘을 넣습니다.

실을 걸고 한 번에 통과해 빼뜨기합니다.

첫 번째 코와 마지막 코가 이어지며 커다란 원형이 만들어졌습니다.

한길긴뜨기를 뜨기 위해 기둥코(사슬 3코)를 만듭니다.

다음 사슬에 바늘을 넣습니다.

7

한길긴뜨기를 1코 더 떴습니다.

8

좌측으로 이동하며 끝까지 한길긴뜨기를 뜹니다.

9

마지막 코까지 떴다면 첫 번째 코(기둥코)의 가장 윗 사슬에 빼뜨기합니다.

tip. 기둥코에 빼뜨기할 때에는 가장 위쪽에 있는 사슬의 중앙을 주워야 하는데, 이때 뒤쪽에 있는 코산과 함께(2가닥) 주워줍니다.

10

첫 번째 코의 머리를 주은 모습입니다.

11

빼뜨기한 모습입니다. 1단이 완성되었습니다.

2. 짧은뜨기로 원형 뜨기

DESIGN

매직링을 만들어줍니다. 【44p】

기둥코(사슬 1코)를 만듭니다.

tip. 짧은뜨기의 기둥코는 사슬 1코입니다.

기둥코(사슬 1코)를 만든 모습입니다.

왼손으로 잡고 있던 고리 좌측에 위치한 실 2가닥을 잘 잡고, 짧은뜨기 8코를 뜰 예정입니다.

tip. 화살표 방향으로 바늘을 넣고 실을 걸어줍니다.

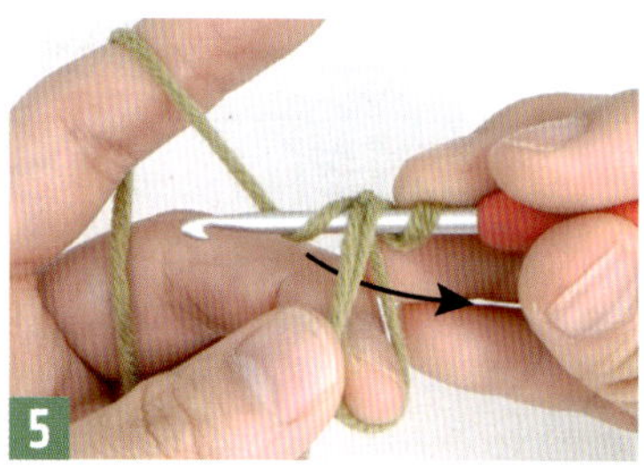

고리 사이로 바늘을 꺼내옵니다.

실을 걸고 한 번 더 꺼내와 짧은뜨기합니다.

고리 좌측으로 짧은뜨기 1코가 만들어졌습니다.

좌측 고리에 다시 바늘을 넣고 실을 걸어 빼냅니다.

실을 빼온 모습입니다. 이 상태에서 짧은뜨기를 합니다.

짧은뜨기 2코가 만들어졌습니다.

같은 방식으로 짧은뜨기 8코가 될 때까지 뜬 모습입니다.

실 끝을 당겨 코를 모아줍니다.

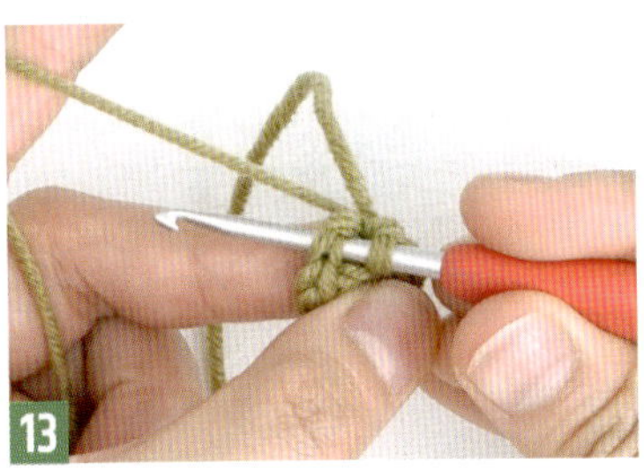

동그란 원형을 만들기 위해 첫 번째 짧은뜨기 머리에 바늘을 넣어줍니다.

빼뜨기합니다.

동그란 원형이 만들어졌습니다.

2단을 뜨기 위해 기둥코(사슬 1코)를 만듭니다.

모든 코를 '늘리기'하는 단입니다. 첫 번째 코에 짧은뜨기늘리기(한 코에 2번 뜨기)를 합니다.

첫 코에 바늘을 넣어줍니다.

tip. 1단의 마지막 단계에서 한 빼뜨기로 인해 첫 번째 코가 약간 작아져 있습니다. 첫 번째 코를 지나치지 않도록 주의하세요.

짧은뜨기합니다.

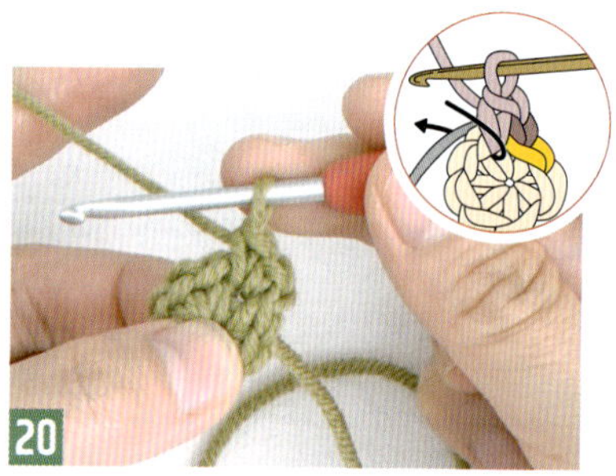

같은 위치에 짧은뜨기를 한 번 더 하여 '짧은뜨기늘리기'합니다.

동일한 방법으로 1회 더 뜬 모습입니다.

동일한 방식으로 끝까지 뜬 후 첫 번째 코에 빼뜨기하여 마무리합니다.

두 번째 단을 완성하였습니다.

3단을 뜨기 위해 기둥코(사슬 1코)를 만듭니다.

첫 번째 코에 바늘을 넣습니다.

짧은뜨기 1번을 뜹니다.

두 번째 코는 짧은뜨기늘리기를 합니다.

[짧은뜨기 1번, 짧은뜨기늘리기 1번]을 끝까지 반복합니다.

첫 번째 코에 빼뜨기합니다.

3단까지 완성하였습니다.

3. 한길긴뜨기로 원형 뜨기

DESIGN

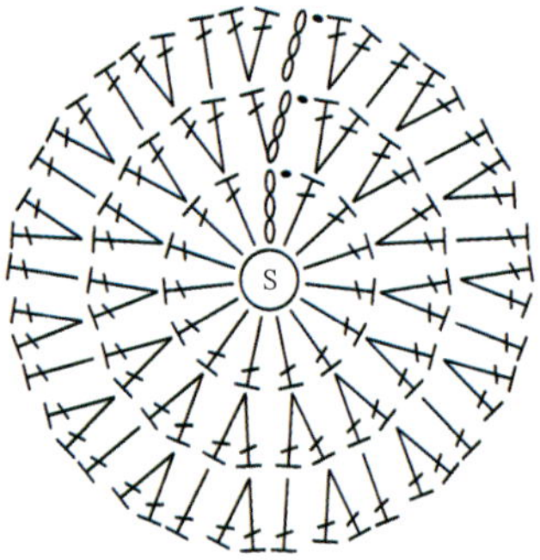

매직링을 만든 모습입니다. 한길긴뜨기 기둥코(사슬 3코)를 만들 예정입니다. 【44p】

기둥코(사슬 3코)를 만든 모습입니다.

tip. 한길긴뜨기의 기둥코는 뜨개코 1코로 인정합니다.

왼손으로 잡고 있는 고리 좌측에 위치한 실 2가닥을 잘 잡고, 한길긴뜨기 14번을 추가로 뜰 예정입니다.

tip. 한길긴뜨기 14번을 더 뜨면 기둥코까지 총 15코가 됩니다.

바늘에 실을 걸어 고리 사이로 꺼내옵니다.

한길긴뜨기를 뜹니다.

기둥코까지 총 2코가 되었습니다.

좌측 공간에 다시 바늘을 넣습니다.

동일한 방법으로 한길긴뜨기를 14번 뜹니다.

기둥코 포함 총 15코가 만들어졌습니다. 실 끝을 당겨 코를 모아줍니다.

작은 원형이 만들어졌습니다.

동그란 원형을 만들기 위해 첫 번째 한길긴뜨기(기둥코) 머리에 바늘을 넣어줍니다.

tip. 한길긴뜨기의 기둥코는 사슬 3코로 이루어져 있으므로 가장 위쪽에 위치한 3번째 사슬에 빼뜨기합니다.

빼뜨기를 합니다.

동그란 원형이 만들어졌습니다.

2단을 뜨기 위해 기둥코(사슬 3코)를 만듭니다.

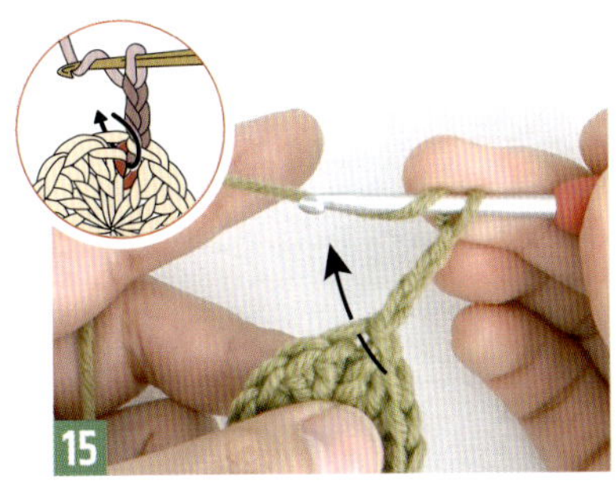

모든 코를 늘리기하는 단입니다. 첫 번째 코를 늘리기 위해 1단에서 빼뜨기한 위치에 한 번 더 한길긴뜨기를 뜹니다.

첫 코에 바늘을 넣고 한길긴뜨기를 떠 한길 긴뜨기늘리기를 합니다.

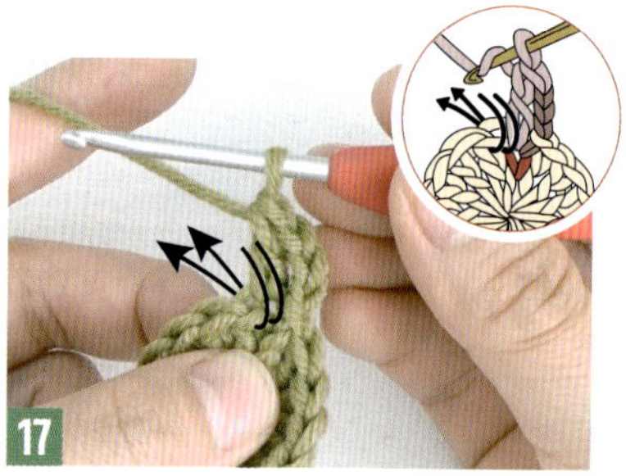

다음 코에도 한길긴뜨기 2코를 뜹니다.

tip. 2단의 두 번째 코는 살짝 벌어져 있어 놓치기 쉽습니다. 벌어진 코를 잘 모아 주워주세요.

두 번째 코에 늘리기한 모습입니다.

늘리기를 끝까지 반복하였습니다. 총 30코가 됩니다. 역시 첫 번째 한길긴뜨기(기둥코) 머리에 바늘을 넣어줍니다.

빼뜨기합니다.

2단이 완성되었습니다.

3단

3단을 뜨기 위해 기둥코(사슬 3코)를 만듭니다.

다음 코에 한길긴뜨기늘리기를 합니다.

한길긴뜨기와 한길긴뜨기늘리기를 끝까지 반복합니다.

마지막 코까지 반복하였습니다.

첫번째 한길긴뜨기(기둥코) 머리에 바늘을 넣어 빼뜨기합니다.

3단이 완성되었습니다.

06 원형 도안 쉽게 읽기

1. 뜨개코의 형태와 명칭

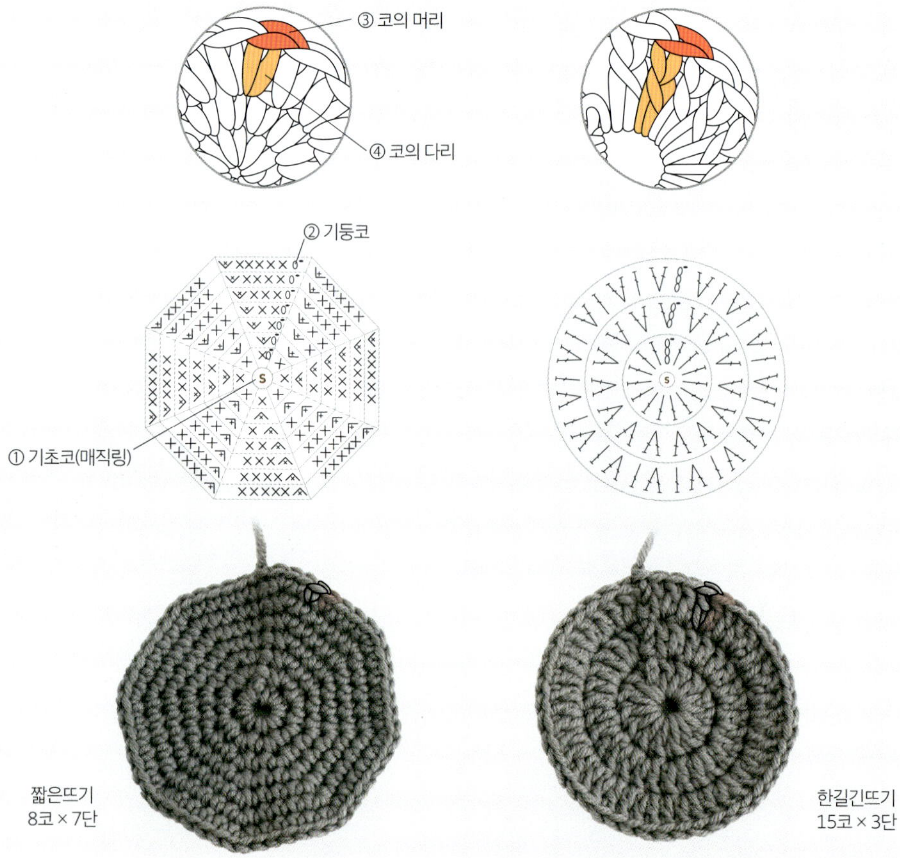

① 기초코(매직링)

원형 편물을 뜨기 위한 기초가 되는 코로 중앙에서 시작합니다.

② 기둥코

각 단에서 처음 뜨는 코입니다.

③ 코의 머리

뜨개코 위쪽 V자 형태 부분입니다.

④ 코의 다리

뜨개코의 머리를 제외한 부분입니다.

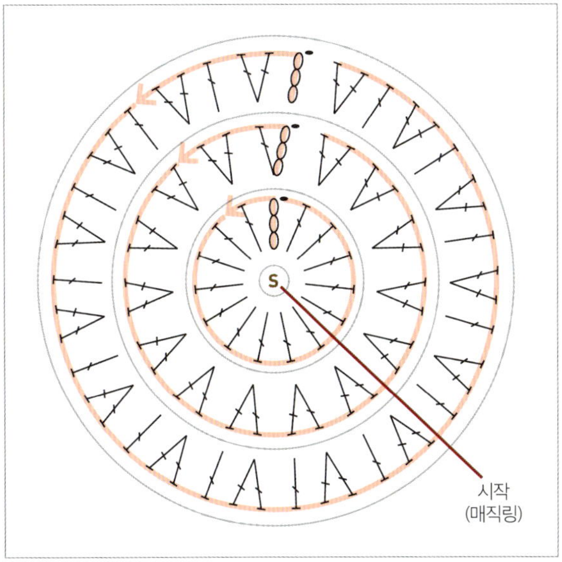

2. 원형 도안 읽기

원형 도안은 중앙에서부터 시계 반대 방향으로 읽습니다. 단이 올라갈수록 원의 둘레가 커지므로 더 많은 콧수를 필요로 하게 됩니다. 따라서 동그란 원형을 만들기 위해서는 끊임없이 코를 늘려가며 떠야 합니다. 도안은 겉에서 본 모습이 그대로 그려지며 원형 편물의 경우는 겉면만을 보며 뜨게 됩니다. 일반적으로 기둥코가 있는 부분이 첫 코이며, 빼뜨기로 마무리하게 되는 점을 알아두면 좋습니다.

• 완전히 동그란 원형을 뜨고 싶을 때

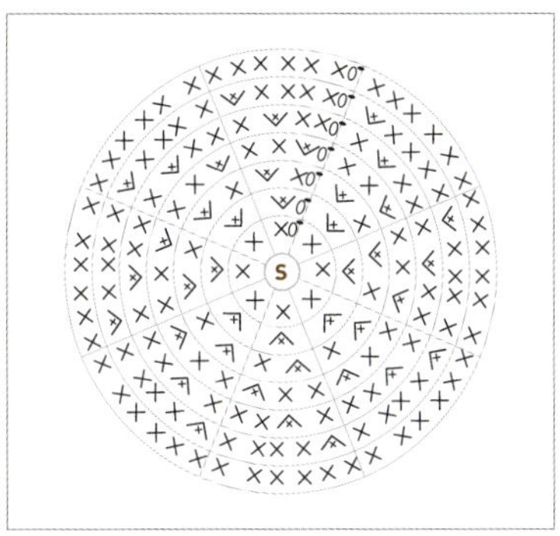

짧은뜨기 원형을 만들 때에는 1단의 콧수를 7코~8코로 잡습니다. 이때, 기존의 도안(56p 왼쪽 도안)과 같이 코 늘림을 일정한 위치에서 진행하게 되면 해당 위치에 '각'이 생겨 7각형~8각형의 형태가 나타나게 됩니다. 각이 없는 동그란 형태의 편물을 만들기 위해서는 중간중간 코 늘림 부분을 옮겨주어야 합니다. 원형뜨기가 익숙해졌다면 본 도안과 같이 코 늘림이 이동하는 '동그란 형태의 원형'도 떠 보세요.

• 원형 편물이 오그라들 때와 울 때

코가 모자란 경우에는 편물이 오그라들고, 코가 넘치는 경우에는 편물이 울게 됩니다. 이 경우 콧수나 바늘 호수를 조절하여 편물을 정리할 수 있습니다.

편물이 예상보다 오그라드는 경우 코늘림을 더하거나 바늘의 호수를 높여주세요. 반대로 편물이 울 경우 코늘림을 덜하거나 바늘의 호수를 낮춰주세요.

도안대로 뜬다 하더라도 실과 바늘의 굵기, 뜨는 힘의 강도에 의해 미세하게 편물이 오그라들거나 울 수 있으니 최대한 일정하게 작업하는 것이 좋습니다.

07 응용 뜨개 기법

구분	기호	명칭
늘려뜨기		짧은뜨기늘리기
		긴뜨기늘리기(한 코에서/코 아래에서)
		한길긴뜨기늘리기(한 코에서/코 아래에서)
		한길긴2코늘리기 - 사이 사슬 1코(한 코에서/코 아래에서)
		한길긴3코늘리기(한 코에서/코 아래에서)
		한길긴4코늘리기(한 코에서/코 아래에서)
		한길긴4코늘리기 - 사이 사슬 1코(한 코에서/코 아래에서)
모아뜨기		짧은뜨기줄이기
		이랑뜨기줄이기
		한길긴뜨기줄이기
		긴3코구슬뜨기
		한길긴3코구슬뜨기(코 머리에서/코 아래에서)
기타 기법		이랑뜨기
		긴이랑뜨기
		겹짧은뜨기
		피코뜨기
		한길긴1코교차뜨기 - 사이 사슬 1코
		변형 한길긴1코교차뜨기(오른 코 뒤/왼 코 뒤)
		되돌아짧은뜨기
		한길긴앞걸어뜨기
		한길긴뒤걸어뜨기
		실 걸기
		실 끊기

짧은뜨기늘리기

원하는 위치에 바늘을 넣어 짧은뜨기를 합니다.

짧은뜨기한 상태입니다.

같은 위치에 바늘을 넣어줍니다.

실을 걸고 빼내옵니다.

짧은뜨기늘리기가 완성되었습니다.

긴뜨기늘리기

바늘에 실을 걸고 원하는 위치에 바늘을 넣어 긴뜨기를 합니다.

긴뜨기를 뜬 상태입니다.

같은 위치에 바늘을 넣어줍니다.

긴뜨기를 1코 더 뜹니다.

긴뜨기늘리기가 완성되었습니다.

한길긴뜨기늘리기

원하는 위치에 바늘을 넣어 한길긴뜨기를 합니다.

한길긴뜨기를 한 상태입니다.

같은 위치에 바늘을 넣어줍니다.

한길긴뜨기를 1코 더 뜹니다.

한길긴뜨기늘리기가 완성되었습니다.

한길긴2코늘리기(사이 사슬 1코)

원하는 위치에 한길긴뜨기 1코를 뜬 모습입니다.

사슬 1코를 뜹니다.

실을 걸고 한길긴뜨기를 했던 위치에 바늘을 넣어줍니다.

한길긴뜨기를 1코 더 뜹니다. 한길긴뜨기 사이에 사슬이 1코 있는 한길긴2코늘리기가 완성되었습니다.

한길긴3코늘리기

원하는 위치에 한길긴뜨기 1코를 뜬 모습입니다.

같은 위치에 한길긴뜨기 1코를 더 뜬 상태입니다.

같은 위치에 한길긴뜨기 1코를 한 번 더 뜬 모습입니다. 한길긴3코늘리기가 완성되었습니다.

한길긴4코늘리기

한길긴3코늘리기를 한 후 같은 위치에 한길긴뜨기를 1코 더 뜹니다. 한길긴4코늘리기가 완성되었습니다.

한길긴4코늘리기(사이 사슬 1코)

원하는 위치에 한길긴뜨기 2코를 떴습니다.

사슬 1코를 뜹니다.

같은 위치에 한길긴뜨기 2코를 더 뜹니다. 사이 사슬이 1코 있는 한길긴4코늘리기가 완성되었습니다.

짧은뜨기줄이기

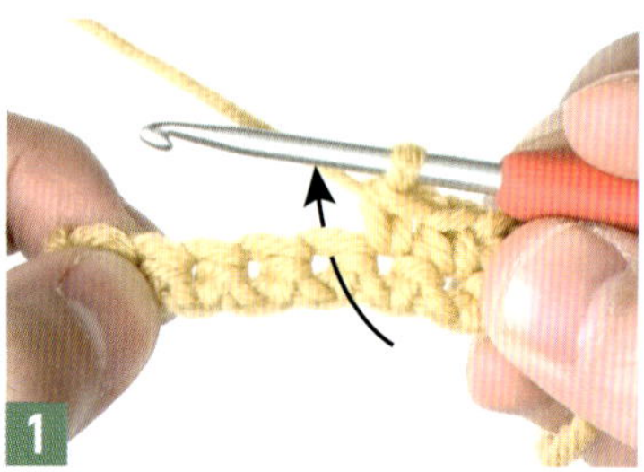

줄이기 시작하는 위치에 바늘을 넣습니다.

실을 가지고 나옵니다.

실을 한 번 가지고 나온 상태가 '미완성 짧은뜨기'입니다. 짧은뜨기를 마무리하지 않은 상태에서 다음 코에 바늘을 넣습니다.

실을 가지고 나옵니다.

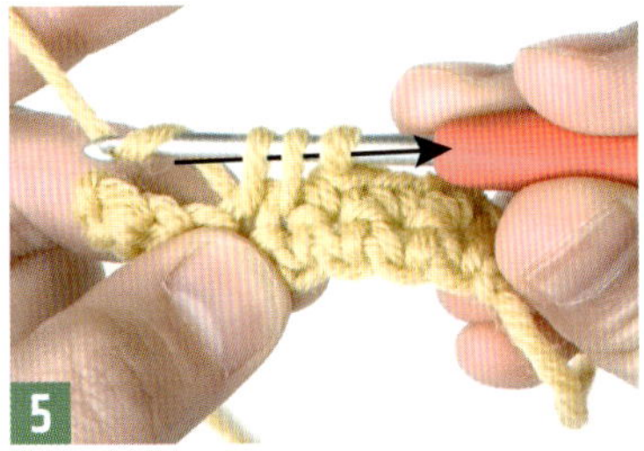

미완성 짧은뜨기 2회가 된 상태에서 바늘에 실을 걸고 한 번에 빼냅니다.

짧은뜨기 두 코가 한 코로 줄어 '짧은뜨기줄이기'가 완성되었습니다.

이랑뜨기줄이기

줄이기 시작하는 위치에 바늘을 넣습니다.

tip. 이랑뜨기줄이기는 사슬 반 코만 줍습니다.

실을 가지고 나옵니다.

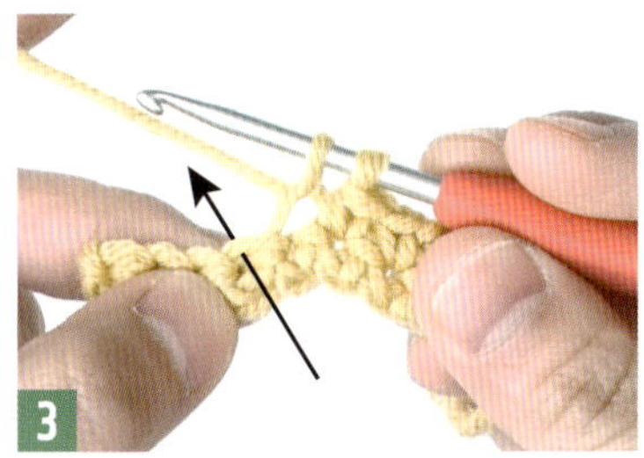

실을 한 번 가지고 나온 상태가 '미완성 이랑뜨기'입니다. 이랑뜨기를 마무리하지 않은 상태에서 다음 코에 바늘을 넣습니다.

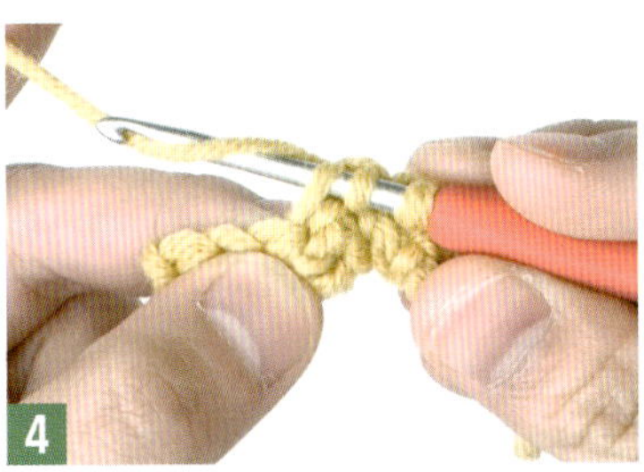

실을 가지고 나옵니다.

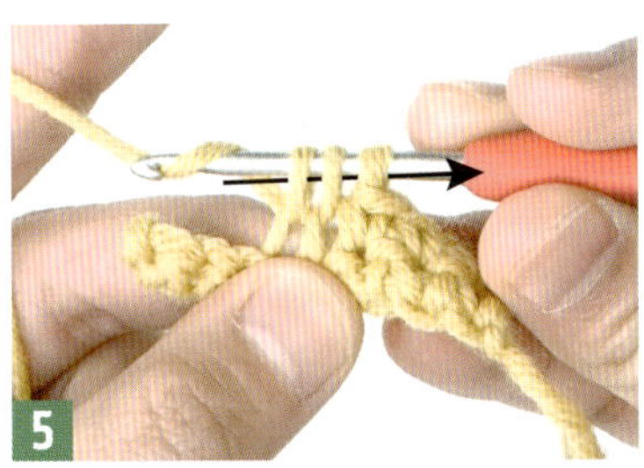

미완성 이랑뜨기 2회가 된 상태에서 바늘에 실을 걸고 한 번에 빼냅니다.

이랑뜨기 두 코가 한 코로 줄어 '이랑뜨기줄이'가 완성되었습니다.

한길긴뜨기줄이기

실을 걸어 원하는 위치에 바늘을 넣고 실을 걸어 빼냅니다.

실을 한 번 가지고 나온 상태가 '미완성한길긴뜨기'입니다. 미완성 한길긴뜨기 1코를 뜬 상태입니다.

바늘에 실을 걸어줍니다.

다음 코에 바늘을 넣고 바늘에 실을 걸어줍니다.

화살표 방향으로 바늘을 빼내 미완성 한길긴뜨기를 1코 더 뜹니다.

tip. 실 2가닥만 빼내옵니다.

미완성 한길긴뜨기가 2코 만들어졌습니다.

바늘에 실 3가닥이 걸려 있을 때 실을 걸어 한 번에 빼냅니다.

한길긴뜨기 두 코가 한 코로 줄어드는 '한길긴뜨기줄이기'가 완성되었습니다.

긴3코구슬뜨기

실을 걸어 원하는 위치에 바늘을 넣고 실을 걸어 빼냅니다.

미완성 긴뜨기 1코를 뜬 상태입니다.

tip. 긴뜨기 높이만큼 실을 늘려줍니다. 실을 충분히 늘려야 더 볼륨이 살아 있는 구슬뜨기를 완성할 수 있습니다.

바늘에 실을 한 번 더 감아줍니다.

같은 위치에 바늘을 넣고 실을 걸어 빼냅니다.

미완성 긴뜨기 2코가 떠진 상태입니다.

tip. 긴뜨기 높이만큼 실을 늘려줍니다.

실을 한 번 더 걸어 같은 위치에 바늘을 넣습니다.

실을 걸고 빼내면 총 7개의 고리가 생깁니다. 실을 걸어 한 번에 빼냅니다.

긴3코구슬뜨기가 완성되었습니다.

한길긴3코구슬뜨기

1 바늘에 실을 걸고 원하는 위치에 바늘을 넣습니다.

2 미완성 한길긴뜨기를 뜹니다.

3 실을 한 번 더 감습니다.

4 같은 위치에 바늘을 넣어 미완성 한길긴뜨기를 1코 더 뜹니다.

5 실을 한 번 더 감습니다.

6 같은 위치에 바늘을 넣어 미완성 한길긴뜨기를 1코 더 뜹니다.

7 총 4개의 고리가 생깁니다.

8 실을 걸어 한 번에 빼냅니다.

9 한길긴3코구슬뜨기가 완성되었습니다.

이랑뜨기 × ±

첫 단은 짧은뜨기와 동일하게 뜹니다.

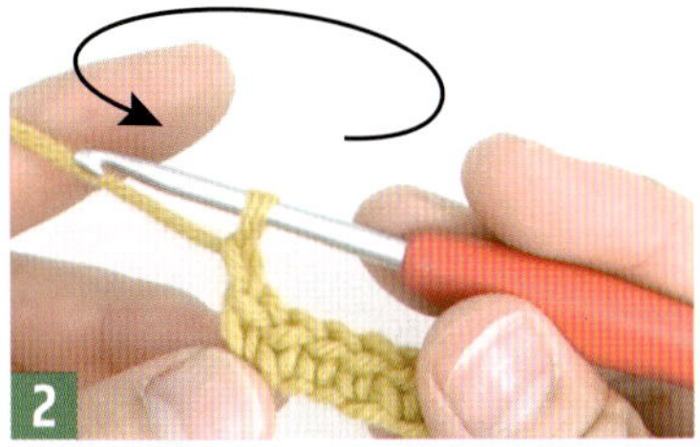

기둥코(사슬 1코)를 만든 후, 시계 반대 방향으로 편물을 뒤집습니다.

첫 번째 코의 사슬 반 코(1가닥)만 주워 실을 감아 빼냅니다.

사슬 반 코(1가닥)만 주은 모습입니다.

짧은뜨기와 동일한 방식으로 뜹니다.

이랑뜨기가 완성되었습니다.

긴이랑뜨기

바늘에 실을 걸고 사슬 반 코(1가닥)만 줍습니다.

다시 바늘에 실을 걸고 빼냅니다.

다시 바늘에 실을 걸고 긴뜨기와 동일한 방식으로 한 번에 빼냅니다.

긴이랑뜨기가 완성되었습니다.

겹짧은뜨기

1 일반 짧은뜨기 편물에 기둥코(사슬 1코)를 만든 후, 편물을 뒤집은 모습입니다. 코의 머리가 아닌, 전 단의 코의 머리로 바늘을 넣습니다.

2 실을 걸어 빼냅니다.

3 바늘을 깊숙이 넣으므로, 일반 짧은뜨기에 비해 코를 여유 있게 늘려주어야 합니다.

4 실을 한 번 더 걸고 나와 겹짧은뜨기 1코를 떴습니다. 다음 코도 역시 전 단의 머리 부분에 바늘을 넣습니다.

5 실을 걸어 바늘을 빼냅니다.

6 실을 늘려 짧은뜨기로 마무리합니다.

7 겹짧은뜨기 2코가 만들어졌습니다.

8 끝까지 뜬 모습입니다. 뾰족한 무늬가 생기는 뜨개 기법입니다.

피코뜨기

원하는 위치에서 사슬 3코를 만듭니다.

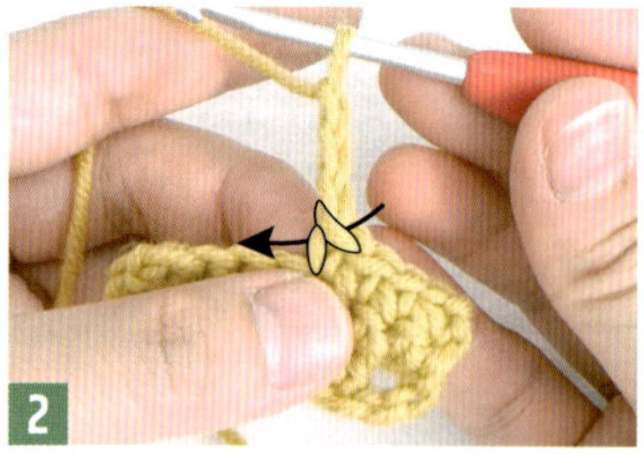

사슬뜨기 3코가 만들어졌습니다. 뿌리 부분의 2가닥을 줍습니다.

2가닥을 통과해 바늘을 넣은 모습입니다.

실을 걸어 한 번에 빼냅니다.

작은 돌기가 생겼습니다.

끝까지 짧은뜨기한 모습입니다.

한길긴1코교차뜨기

실을 한 번 감은 후 '옆옆코'에 바늘을 넣습니다.

한길긴뜨기를 뜹니다.

건너뛴 코에 공간이 생긴 채로 한길긴뜨기가 떠진 모습입니다.

실을 걸어 건너뛰었던 코에 바늘을 넣어줍니다.

앞의 한길긴뜨기 코를 감싸듯이 실을 걸어 빼냅니다.

한길긴뜨기를 뜹니다.

한길긴1코교차뜨기가 완성되었습니다.

변형 한길긴1코교차뜨기(오른코 뒤)

'옆옆코'에 한길긴뜨기를 뜬 후, 화살표와 같이 건너뛴 코에 바늘을 넣습니다.

앞의 한길긴뜨기를 감싸지 않고 코의 머리만 정확히 주워 한길긴뜨기를 뜹니다.

변형 한길긴1코교차뜨기(오른코 뒤)가 완성되었습니다.

변형 한길긴1코교차뜨기(왼코 뒤)

1 옆옆코에 한길긴뜨기를 뜬 후, 화살표와 같이 건너뛴 코에 바늘을 넣습니다.

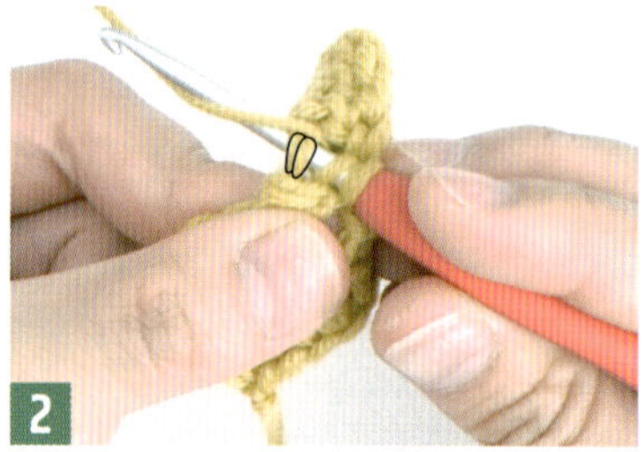

2 옆의 한길긴뜨기를 앞으로 젖혀 코의 머리만 정확히 줍습니다.

3 한길긴뜨기를 뜹니다. 변형 한길긴1코교차뜨기(왼코 뒤)가 완성되었습니다.

되돌아짧은뜨기

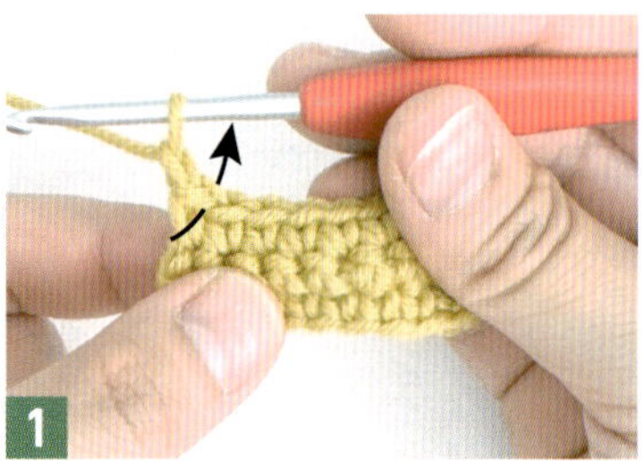

1 짧은뜨기 기둥코(사슬 1코)를 만듭니다. 편물을 뒤집지 않고 왼쪽에서 오른쪽을 향해 코를 주워 떠 나갑니다.

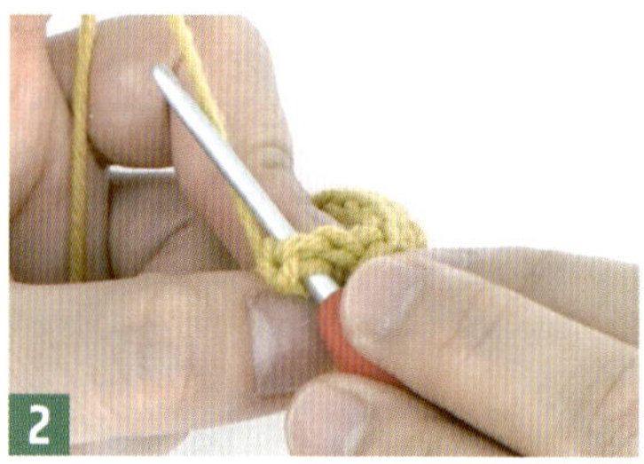

2 첫 코에 바늘을 넣은 모습입니다. 실을 꺼내옵니다.

3 짧은뜨기와 동일하게 실을 걸어 한 번 더 꺼내옵니다.

4 되돌아짧은뜨기 1코가 완성되었습니다. 우측으로 이동하여 바늘을 넣습니다.

5 바늘을 넣어 코를 주은 모습입니다.

6 되돌아짧은뜨기를 뜹니다.

되돌아짧은뜨기 2코가 완성되었습니다.

끝까지 뜬 모습입니다. 가방이나 모자 등 끝 마무리를 할 때 자주 쓰이는 기법입니다.

한길긴앞걸어뜨기

실을 감은 후, 편물의 앞쪽에서 '한길긴뜨기 다리'를 줍습니다.

다리를 주은 모습입니다.

한길긴뜨기를 뜹니다.

코의 머리보다 아래쪽에서 주으므로, 실을 여유 있게 늘리며 떠 줍니다.

앞면으로 돌출된 형태의 한길긴앞걸어뜨기가 완성되었습니다.

한길긴뒤걸어뜨기

실을 감은 후, 편물의 뒤쪽에서 '한길긴뜨기 다리'를 줍습니다.

다리를 주은 모습입니다.

한길긴뜨기를 뜹니다.

코의 머리보다 아래쪽에서 주으므로 실을 살짝 늘리며 떠 줍니다.

뒷면으로 함몰된 형태의 한길긴뒤걸어뜨기가 완성되었습니다.

08

뜨개실 연결과 배색

뜨개실을 새로 연결하는 방법은 크게 두 가지가 있습니다.
미완성 코의 상태에서 새로운 실을 빼오는 방법과 마무리된 편물에 새로 실을 거는 방법이 가장 많이 사용됩니다.

1. 평면 뜨기의 실 연결과 배색

❶ 짧은뜨기 단을 뜨고 있는 모습입니다. 가장 마지막 짧은뜨기를 미완성 상태에서 멈춥니다.

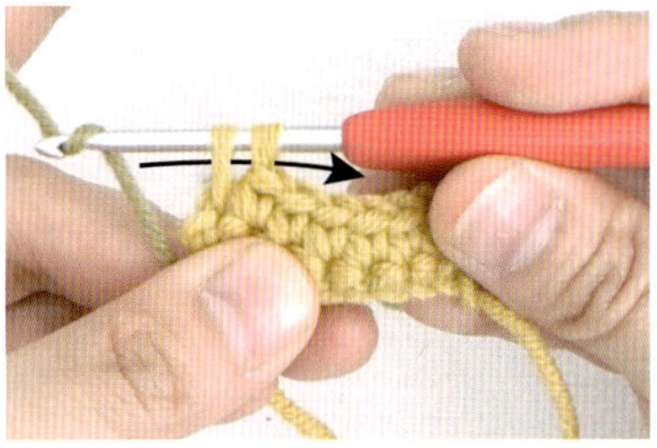

❷ 새로 연결할 실을 걸어 화살표 방향으로 바늘을 빼냅니다.

❸ 새로운 실이 연결되었습니다.

❹ 기둥코(사슬 1코)를 만든 후, 시계 반대 방향으로 편물을 뒤집습니다.

❺ 짧은뜨기를 뜨는 과정에서 남은 실을 가운데에 숨겨가며 뜨면 별도로 실을 숨기지 않아도 되어 편합니다.

❻ 짧은뜨기 1코를 뜬 모습입니다.

❼ 실 색을 바꿔 끝까지 뜬 모습입니다.

2. 원형 뜨기의 실 연결과 배색

❶ 한길긴뜨기 원형을 3단까지 뜬 모습입니다. 마지막 빼뜨기 단계에서 멈춥니다.

tip. 도안집 4p '원형 모티브' 도안을 참고하세요.

❷ 새로 연결할 실을 걸고 빼뜨기합니다.

❸ 새로운 실이 연결되었습니다.

❹ 기둥코(사슬 3코)를 만듭니다.

❺ 중앙에 남은 실을 숨겨가며 뜨기 시작합니다.

❻ 한길긴뜨기 1코를 떴습니다.

❼ 실 색을 바꿔가며 뜨는 모습입니다.

3. 모티브 뜨기의 실 연결과 배색

① 미완성코에서 연결하기

❶ 모티브 1단의 마지막 코까지 뜬 상태입니다.

tip. 도안집 5p를 참고하세요.

❷ 첫 번째 코(기둥코) 머리에 빼뜨기하기 위해 바늘을 넣습니다.

❸ 빼뜨기하는 과정에서 새로운 실을 걸어 꺼내옵니다.

❹ 새로운 실이 연결된 모습입니다.

❺ 기둥코(사슬 3코)를 만듭니다.

❻ 도안대로 떠 나갑니다.

② 편물을 마무리한 후 새 실 연결하기

❶ 1단을 완성한 후 빼뜨기로 마무리합니다.

❷ 빼뜨기한 모습입니다.

❸ 실을 10cm 정도 남기고 잘라냅니다.

❹ 고리 안에 실을 넣어 마무리합니다.

❺ 1단에서 편물이 마무리되었습니다.

❻ 시작코 부분에 바늘을 넣어줍니다.

❼ 새로운 실을 걸고 꺼내옵니다.

❽ 기둥코(사슬 3코)를 만듭니다.

❾ 도안대로 떠 나갑니다.

❿ 새로운 실로 배색이 되었습니다.

• 미완성코의 개념

미완성 뜨개코는 뜨개코를 완성하기 직전(마지막 뜨기를 하지 않은 상태) 단계에서 멈춘 상태를 말합니다. ① 실을 바꿀 때, ② 배색할 때, ③ 코를 줄일 때, ④ 구슬뜨기를 할 때 등의 상황에서 사용하게 됩니다.

짧은뜨기 미완성코

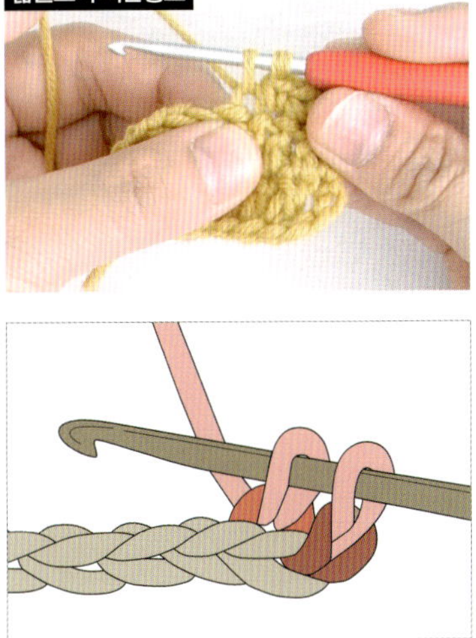

긴뜨기 미완성코

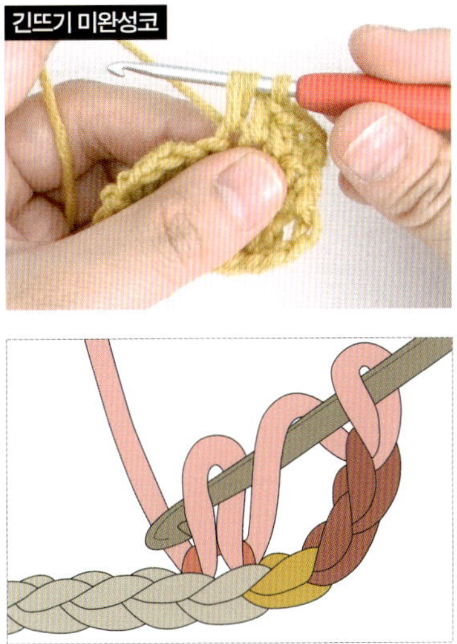

한길긴뜨기 미완성코

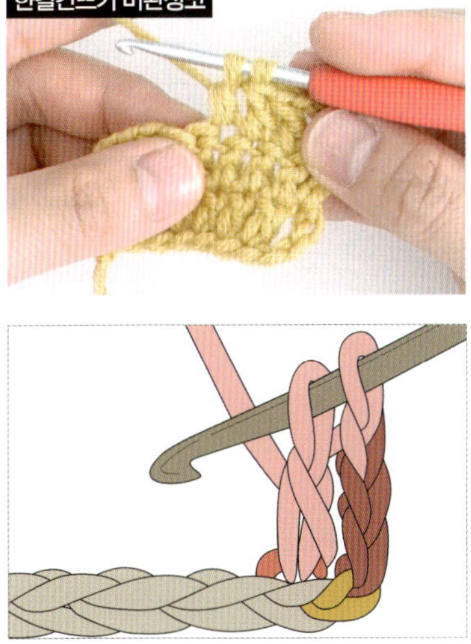

09 편물 정리하기

편물이 완성되면 남은 실 끝을 정리하는 작업을 해야 합니다.
편물을 정리할 때는 가위와 돗바늘이 필요합니다.

한길긴뜨기로 편물을 모두 뜬 상태입니다.

실을 약 10cm 정도 남기고 자릅니다.

실 끝을 잡고 고리에 넣어 당겨줍니다.

매듭이 생기며 뜨개 끝이 마무리되었습니다.

남은 실을 돗바늘에 끼웁니다.

편물의 뒷면에 실을 넣어 정리할 예정입니다.

한길긴뜨기 다리 근처로 바늘을 넣어 실 끝을 옮깁니다.

실을 옮긴 모습입니다.

한길긴뜨기 다리 부분에 바늘을 넣기 시작합니다.

쭉 넣어줍니다.

실을 당겨 통과시킵니다.

실 끝이 보이지 않도록 가위로 바짝 잘라줍니다.

LESSON
03

실용 소품
만들기

8각 토파즈 모티브 ★☆☆☆☆

도안 4p

코바늘 뜨개의 가장 기본인 짧은뜨기와 사슬뜨기로 만드는 모티브예요.
사슬뜨기로 기둥코를 만들고 짧은뜨기로 편물을 늘리면서 뜨다보면 코바늘 뜨개의 기본을 확실히 다질 수 있어요.
8각 모티브를 완성했다면 도안집에 있는 원형 모티브도 연습해보세요.

READY

뜨개 기법 매직링, 사슬뜨기, 짧은뜨기, 짧은뜨기늘리기, 빼뜨기
응용 소품 컵받침, 냄비받침, 원형 바구니
준비물 피사코튼 2볼, 모사용코바늘 7/0호, 돗바늘, 가위

완성 이미지는 얇은 실(피사코튼) 2가닥을 함께 잡고 뜬 형태입니다.

SIZE

9cm

HOW TO MAKE

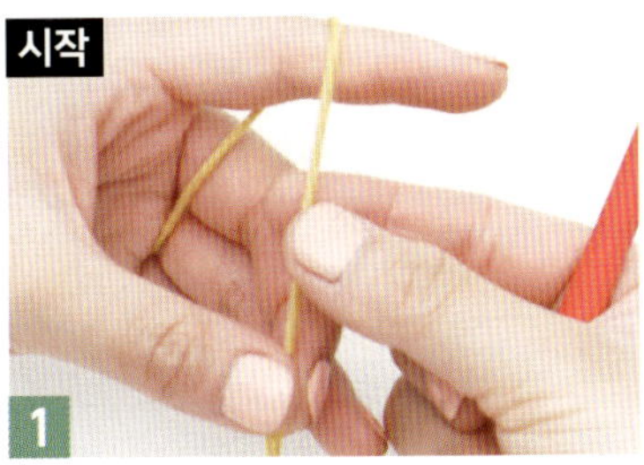

기본 자세로 실을 잡습니다. 【25p】

실의 중앙을 잡아 안쪽으로 돌립니다.

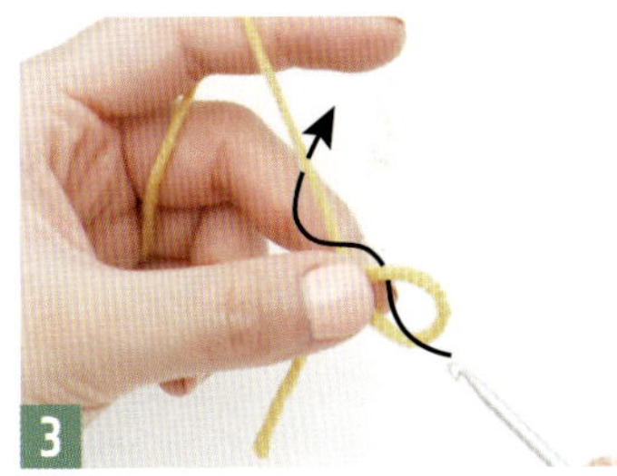

이때 만들어진 원형의 교차점을 왼손으로 눌러 고정합니다. 화살표 방향으로 바늘을 넣어 실을 걸어줍니다.

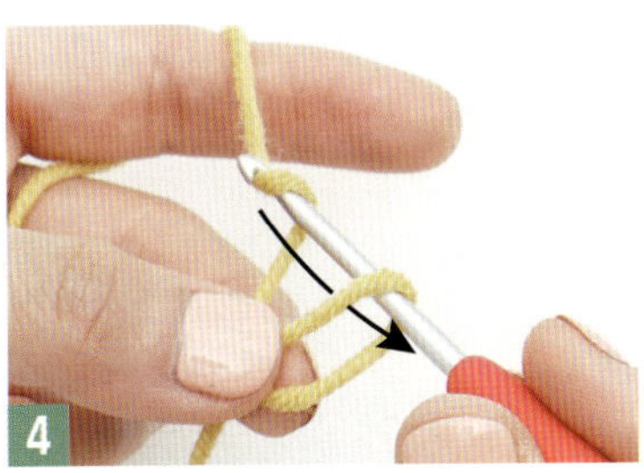

원형 안으로 바늘을 빼옵니다.

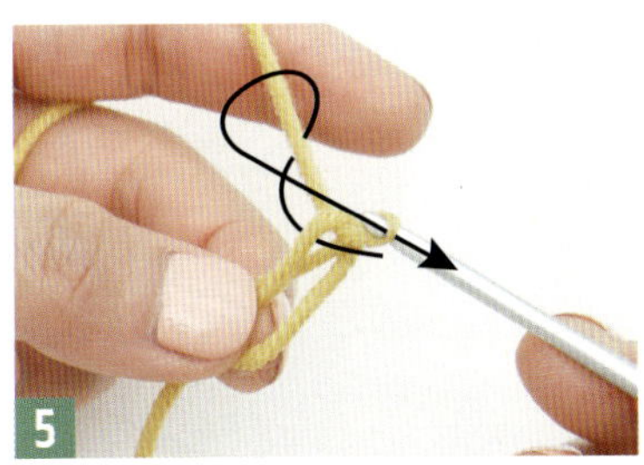

빼낸 고리 안으로 실을 한 번 더 꺼내옵니다.

원형의 기초코인 매직링이 만들어졌습니다. 이렇게 만들어진 코는 콧수로 세지 않습니다.

짧은뜨기 단을 뜰 것이므로 기둥코(사슬 1코)를 만듭니다.

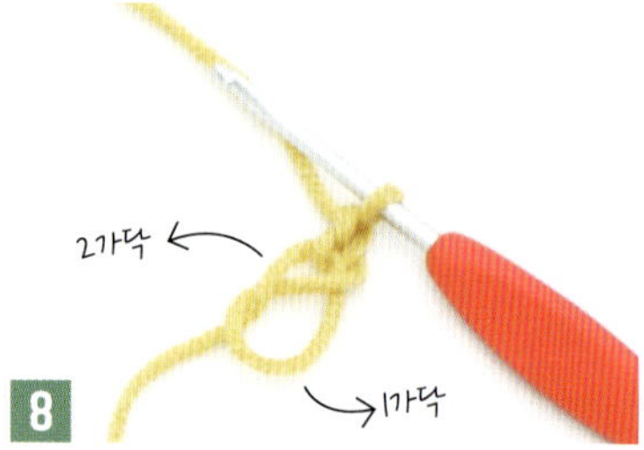

좌측에 2가닥, 우측에 1가닥이 위치한 매직링의 모습입니다. 좌측의 2가닥을 함께 잡으며 원형 1단을 뜰 예정입니다.

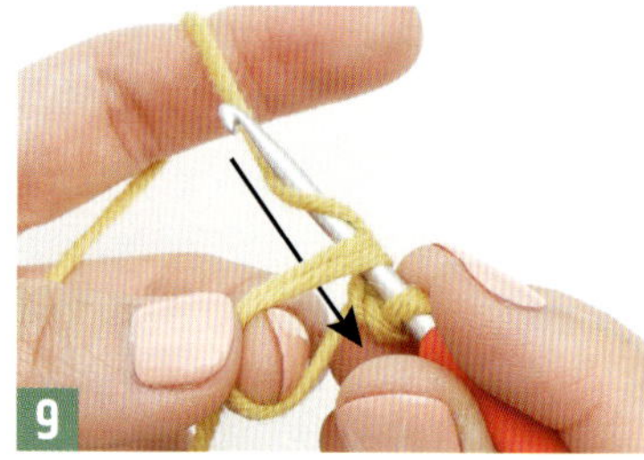

원형 부분을 왼손으로 잘 잡고 실을 걸어 구멍 안쪽으로 꺼내옵니다.

tip. 좌측에 위치한 실 2가닥을 끝까지 함께 잡고 떠 주세요.

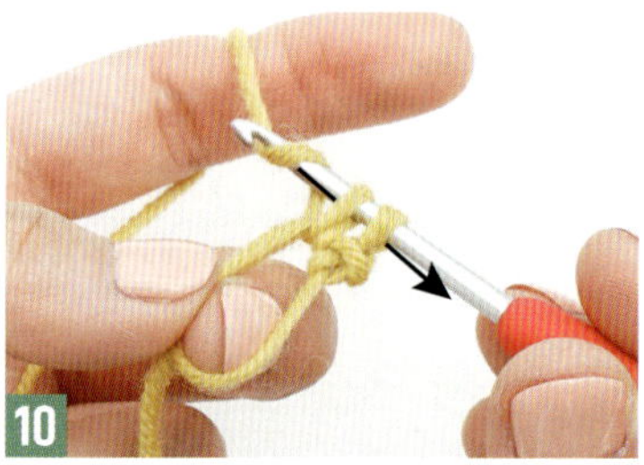

실을 한 번 꺼내온 모습입니다. 바늘에 2가닥이 함께 걸린 상태에서 실을 걸고 한 번 더 빼냅니다.

짧은뜨기를 1번 떴습니다. 같은 방식으로 7번 더 뜹니다.

짧은뜨기를 총 8번 뜬 모습입니다.

함께 잡고 떴던 짧은 실을 쭉 잡아당겨 원형을 모아줍니다.

원형이 모아진 모습입니다. 첫 번째 코와 마지막 코 사이가 벌어져 있어 완벽한 형태의 원형이 아니므로 첫 코에 빼뜨기하여 모아줄 예정입니다.

가장 처음에 떴던 첫 번째 코 머리에 바늘을 넣고 빼뜨기합니다.

16

2단 역시 짧은뜨기 단이므로 기둥코(사슬 1코)를 만듭니다.

17

기둥코를 세웠습니다. 첫 코는 기둥코 바로 아래에 위치해 있습니다.

tip. 1단의 마지막 단계에서 첫 코에 빼뜨기했기 때문에 첫 코가 다른 코보다 작아져 있습니다. 기둥코 바로 아래에 위치한 첫 코를 놓치지 마세요.

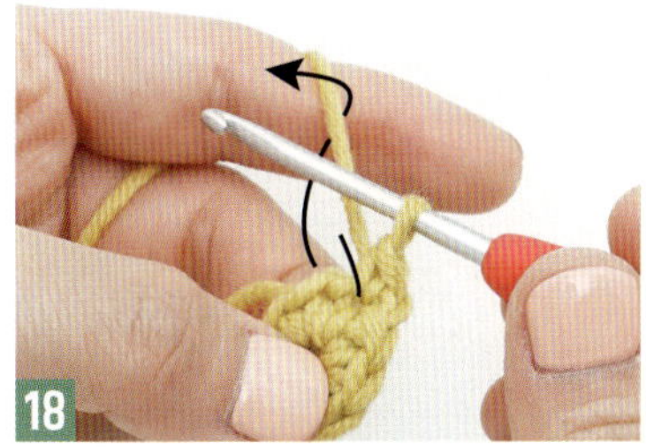

18

2단의 모든 코는 짧은뜨기늘리기를 할 것이므로 각 코마다 짧은뜨기를 2번씩 뜹니다.

19

첫 코에 짧은뜨기를 2번 뜬 모습입니다.

20

모든 코에 짧은뜨기를 2번씩 떠 늘리기한 모습입니다. 콧수는 1단의 2배인 16코가 됩니다.

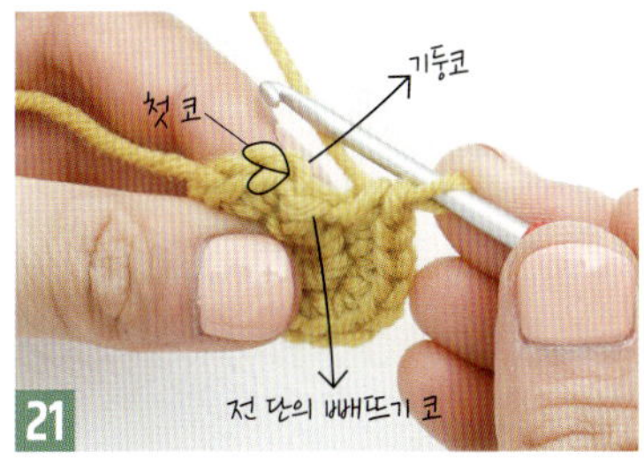

21

빼뜨기할 첫 코를 찾아 보세요.

tip. 마지막 코까지 떴다면 바닥에 '빼뜨기 코' 1코가 남아 있습니다. 빼뜨기 코는 떠야 할 코로 착각하기 쉽지만 1단의 원형을 이어준 역할을 할 뿐 '코'가 아니므로 뜨지 않습니다.(뜨면 코의 개수가 늘어납니다.)

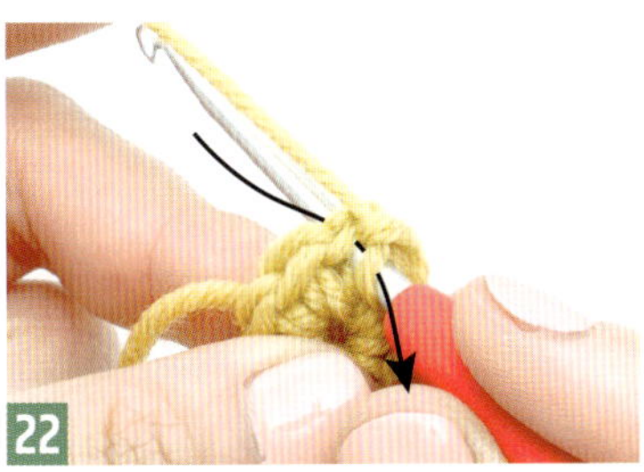

22

2단의 첫 코를 찾아 빼뜨기하여 마무리합니다.

23

2단이 완성되었습니다.

24

역시 기둥코(사슬 1코)를 만듭니다. 첫 코를 놓치지 않도록 주의하세요.

3단은 [짧은뜨기 1번, 짧은뜨기늘리기 1번]을 끝까지 반복합니다.

첫 코에는 짧은뜨기를 1번, 두 번째 코에는 짧은뜨기를 2번 뜬 모습입니다.

같은 방식으로 6단까지 뜬 모습입니다.

마지막 단은 다른 컬러 실을 사용할 예정입니다. 빼뜨기하는 과정에서 새로운 실을 걸고 나옵니다.

실을 빼온 후 다시 기둥코(사슬 1코)를 만듭니다.

실을 새로 거는 과정에서 남게 된 짧은 실은 사진처럼 숨기면서 뜨면 나중에 따로 정리할 필요가 없어 편합니다.

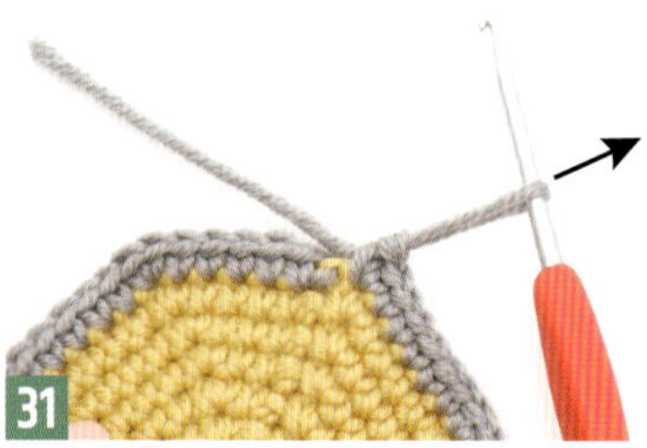

도안대로 마지막 단까지 뜬 후 실을 자릅니다. 바늘로 실을 당겨 빼주세요.

tip. 마지막 코에 빼뜨기해도 무방하지만 더 깔끔한 마무리를 위해 돗바늘로 마무리합니다.

돗바늘에 실을 끼웁니다.

빼뜨기할 코의 뒤에서 앞으로 바늘을 넣습니다.

가장 마지막에 떴던 코 머리 사슬 중앙으로 바늘을 넣습니다.

첫 코와 마지막 코 사이에 사슬 모양 1개가 추가되면서 자연스럽게 마무리됩니다.

편물 뒷면에 바늘을 넣어 실을 숨겨줍니다.

여러 코를 통과한 실을 가위로 바짝 잘라 마무리합니다.

DELICIOUSLY UBIQUITOUS
TO TAIWAN'S FOODIES,
'Q' ISN'T JUST A LETTER
w York Times

4각 트위드 모티브 ★☆☆☆☆ 도안 5p

사슬뜨기와 짧은뜨기에 익숙해졌다면 4각 모티브를 뜨면서 코바늘 뜨개에서 가장 많이 사용하는 한길긴뜨기 기법을 익혀보세요. 두 가지 색의 실을 함께 잡고 뜨면 트위드 느낌이 나는 모티브를 완성할 수 있어요. 모티브를 여러 개 만들어 짧은뜨기로 연결하면 근사한 블랭킷을 만들 수 있어요.

READY

뜨개 기법 매직링, 사슬뜨기, 짧은뜨기, 한길긴뜨기, 빼뜨기
응용 소품 컵받침, 파우치, 블랭킷
준비물 코튼볼 2볼, 모사용코바늘 5/0호, 돗바늘, 가위

SIZE

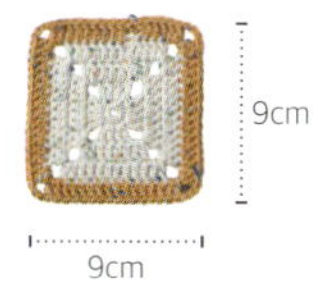

HOW TO MAKE

시작, 1단

매직링으로 짧은뜨기 8개짜리 원형을 만듭니다. 짧은뜨기 단을 뜨기 위해 기둥코(사슬 1코)를 만들고 짧은뜨기 8코를 뜬 후 빼뜨기 합니다. [48p]

2단

한길긴뜨기 단을 뜨기 위해 기둥코(사슬 3코)를 만듭니다. 2단에서는 모든 코에 한길긴뜨기를 2번씩 떠 늘리기할 예정입니다.

기둥코와 동일한 위치에 한길긴뜨기를 1번 더 떠 늘리기한 모습입니다.

두 번째 코에 한길긴뜨기를 2번 떠 늘리기한 모습입니다.

모서리 각을 만들기 위해 사슬 3코를 만듭니다.

세 번째 코에도 한길긴뜨기를 2번 떠 늘리기 합니다.

다음 코에도 한길긴뜨기를 2번 떠 늘리기합니다.

5~7번을 반복하여 2단을 뜬 모습입니다. 첫 코인 기둥코의 가장 위쪽 사슬에 빼뜨기합니다.

기둥코(사슬 3코)를 만듭니다.

면 부분입니다. 모든 한길긴뜨기 머리에 한길긴뜨기를 1번씩 뜹니다.

모서리 부분입니다. 사슬 공간 아래에 바늘을 넣어 한길긴뜨기를 2번 뜹니다.

사슬 3코를 만들고 동일한 사슬 공간 아래에 한길긴뜨기를 2번 더 뜹니다. 모서리 부분이 만들어졌습니다.

같은 방식으로 3단을 뜬 모습입니다.

첫 코인 기둥코에 빼뜨기하여 마무리합니다.

동일한 방법으로 4단까지 뜬 모습입니다.

5단부터는 다른 컬러로 뜨기 위해 4단 마지막 빼뜨기 단계에서 새로운 실을 걸고 나옵니다.

기둥코(사슬 3코)를 만듭니다.

3~4단과 같은 방식으로 5단을 뜹니다.

마지막 코를 뜨고 실을 10cm 정도 남겨 자른 후 바늘을 당겨 실을 빼냅니다.

돗바늘에 실을 끼웁니다. 두 번째 코의 머리를 찾아 뒤에서 앞으로 바늘을 넣어 빼냅니다.

가장 마지막에 뜬 코 중앙으로 다시 바늘을 넣습니다.

완성된 모습입니다.

6각 스노우 모티브 ★☆☆☆☆

도안 6p

눈꽃을 닮은 6각 모티브예요.
단색으로만 떠도, 비슷하거나 대배되는 컬러 두 가지 배색으로 떠도 예쁜 모양이에요.
규칙적으로 늘어나는 도안이니 용도에 맞게 크기를 조절해보세요. 패브릭얀처럼 굵은 실로 뜨면 방석으로 사용할 수도 있어요.

READY

뜨개 기법 매직링, 사슬뜨기, 한길긴뜨기, 빼뜨기
응용 소품 컵받침, 블랭킷, 쿠션
준비물 코튼볼 2볼, 모사용코바늘 5/0호, 돗바늘, 가위

SIZE

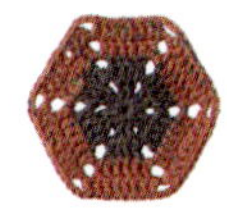

9cm
10cm

HOW TO MAKE

매직링을 만든 후 기둥코(사슬 3코)를 만듭니다. 【52p】

원형 안에 한길긴뜨기를 1번 뜹니다.

사슬 3코를 떠 모서리 부분을 만듭니다.

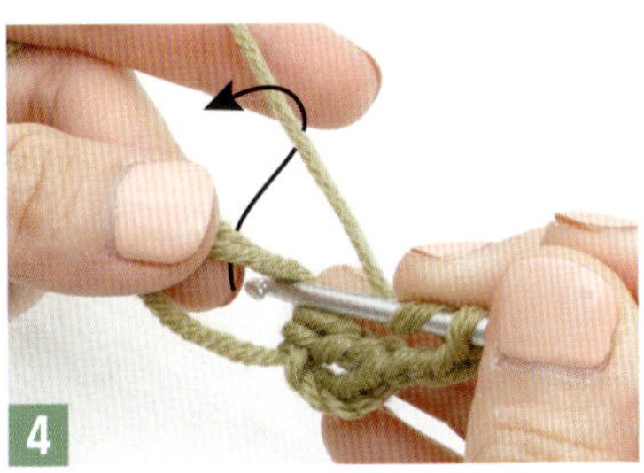

원형 안에 한길긴뜨기를 2번 뜬 후 사슬 3코를 만듭니다.

같은 방식으로 [한길긴뜨기 2번, 사슬 3코]를 총 6세트 뜹니다.

짧은 실을 당겨 원형을 모아줍니다.

원형이 모아진 모습입니다. 사슬 3코를 뜬 후 첫 코에 빼뜨기하여 1단을 마무리합니다.

빼뜨기로 마무리한 모습입니다. 총 6세트가 완성된 것을 확인하세요.

2단을 뜨기 위해 기둥코(사슬 3코)를 만듭니다.

1단 한길긴뜨기 머리에 한길긴뜨기를 1번씩 뜹니다.

모서리 부분을 뜰 때에는 사슬 공간 아래에 바늘을 넣어 편하게 뜹니다.

사슬 공간 아래에 한길긴뜨기를 1번 뜬 모습입니다.

사슬 3코를 만듭니다.

동일한 사슬 공간 아래에 한길긴뜨기를 1번 더 뜹니다.

[한길긴뜨기 1번, 사슬 3코, 한길긴뜨기 1번]으로 이루어진 모서리 부분이 만들어졌습니다.

다음 한길긴뜨기 머리 2개에 한길긴뜨기를 각각 1번씩 뜹니다.

동일한 방식으로 끝까지 뜬 모습입니다.

첫 코에 빼뜨기하여 마무리합니다. 3단부터는 새로운 컬러로 뜰 것이므로 2단의 빼뜨기 단계에서 새로운 실을 가지고 나옵니다.

새로운 컬러의 실이 걸린 모습입니다.

기둥코(사슬 3코)를 만듭니다.

2단과 마찬가지로 한길긴뜨기 머리마다 한길긴뜨기를 1번씩 뜹니다.

tip. 실을 새로 거는 과정에서 남겨진 실을 가운데에 숨겨가며 뜨면 나중에 숨길 필요가 없어 편합니다.

첫 번째 모서리까지 한길긴뜨기를 뜬 모습입니다.

모서리를 만들기 위해 사슬 3코를 만듭니다.

같은 위치에 한길긴뜨기 1번을 추가로 떠 줍니다.

모서리 부분이 만들어졌습니다.

마지막까지 동일한 방식으로 뜬 후 빼뜨기 한 모습입니다.

4단을 뜨기 위해 기둥코(사슬 3코)를 만듭니다.

2, 3단과 동일하게 한길긴뜨기 머리마다 한길긴뜨기를 1번씩 뜹니다.

[한길긴뜨기 1번, 사슬 3코, 한길긴뜨기 1번]으로 모서리를 만듭니다.

같은 방식으로 끝까지 뜬 후 실을 자릅니다. 바늘을 바깥쪽으로 당겨 실을 빼냅니다.

돗바늘에 실을 끼운 후 두 번째 한길긴뜨기 머리 뒤에서 앞으로 돗바늘을 넣습니다.

마지막으로 뜬 한길긴뜨기 사슬 중앙 부분으로 다시 바늘을 넣습니다.

뒤쪽에 실을 숨겨 마무리합니다.

handmade
handmade
handmade
handmade

크래커 양면 컵받침 ★☆☆☆☆ 도안 7p

양면의 색이 다른 원형 모티브예요.
두 개의 편물을 감침질로 이을 때에는 편물과 비슷한 컬러보다는 대비되는 컬러를 사용해야 포인트가 되어 더 예쁘답니다.
다른 모티브보다 도톰해 컵받침으로 사용하기 좋고 7단까지 뜨면 냄비 받침으로도 활용할 수 있어요.

READY

뜨개 기법 매직링, 사슬뜨기, 한길긴뜨기, 한길긴뜨기늘리기, 빼뜨기
응용 소품 컵받침, 냄비받침, 원형 러그
준비물 피사코튼 2볼, 모사용코바늘 5/0호, 돗바늘, 가위

SIZE

9cm

HOW TO MAKE

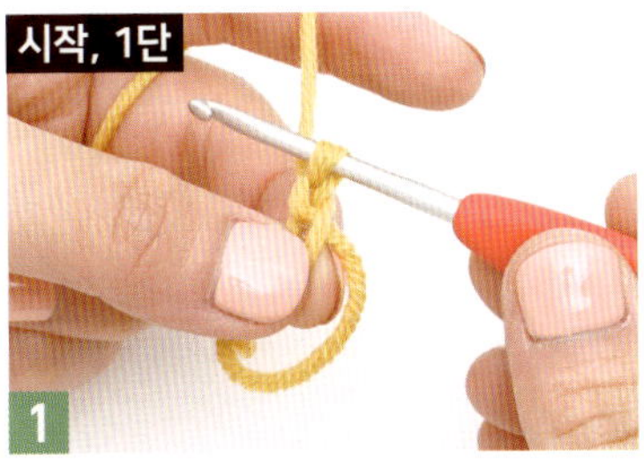

매직링을 만듭니다. 【52p】

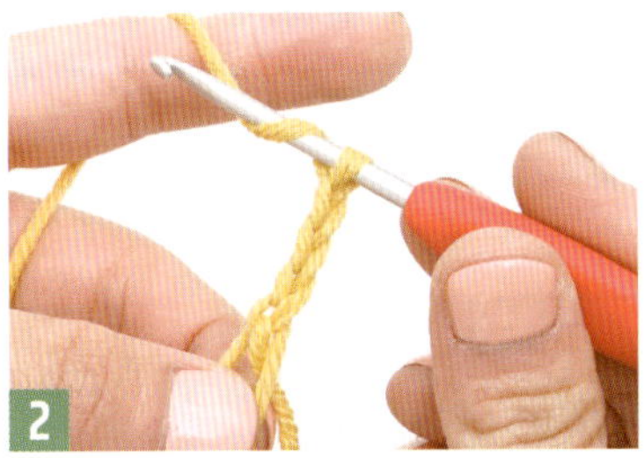

한길긴뜨기 단을 뜰 것이므로 기둥코(사슬 3코)를 만듭니다.

tip. 한길긴뜨기의 기둥코는 '1코'로 간주되므로 14코만 더 뜨면 총 15코가 됩니다.

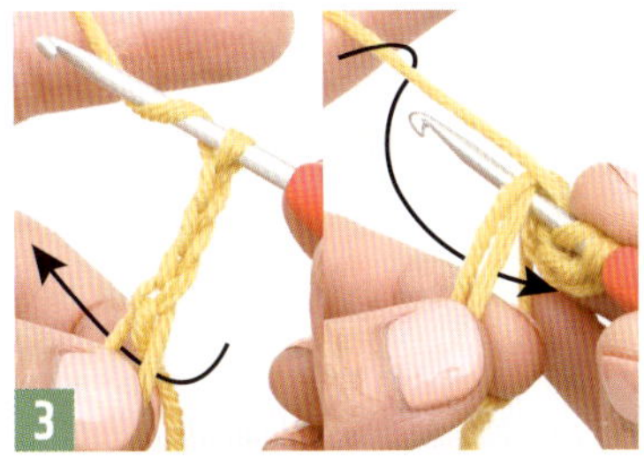

원형 부분을 왼손으로 잡고 실을 감은 후 바늘을 넣어 실을 가지고 나옵니다.

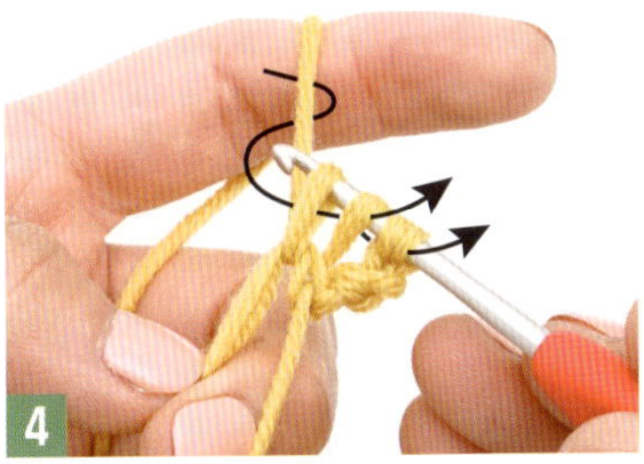

한길긴뜨기를 마무리합니다. 매직링 안쪽으로 한길긴뜨기를 13번 더 뜰 예정입니다. 좌측에 위치한 실 2가닥은 끝까지 함께 잡고 떠주세요.

기둥코와 한길긴뜨기 1코를 더 떠 총 2코가 된 모습입니다.

기둥코를 포함해 총 15코가 될 때까지 뜬 후 함께 잡고 떴던 짧은 실을 잡아당겨 원형으로 모아줍니다.

원형이 모아진 모습입니다.

첫 코에 빼뜨기하여 원형을 모아줄 예정입니다.

tip. 한길긴뜨기 원형의 첫 코는 '기둥코'이므로 코의 머리가 없습니다. 기둥코에 빼뜨기할 때에는 가장 위쪽에 위치한 사슬의 가운데 부분에 바늘을 넣어 뜨면 됩니다. 이때 사슬 반 코만 주으면 코가 늘어나므로 뒤쪽에 위치한 '코 산'을 함께 줍습니다.

기둥코 머리를 잘 주워 빼뜨기합니다.

첫 코와 마지막 코가 연결되어 원형이 완성되었습니다.

기둥코(사슬 3코)를 만듭니다. 모든 코에 한길긴뜨기를 2번씩 떠 늘리기하는 단이므로 기둥코와 같은 자리에 한길긴뜨기를 한 번 더 뜰 예정입니다.

기둥코 자리에 한길긴뜨기를 한 번 더 떠 늘리기한 모습입니다.

tip. 다음에 떠야 할 두 번째 코가 벌어져 있어 놓치기 쉽습니다. 코 머리를 잘 모아 잊지 않고 뜹니다.

모든 코에 한길긴뜨기를 2번씩 떠 늘리기하는 모습입니다.

모든 코를 늘렸으면 첫 코 머리(기둥코의 가장 위쪽 사슬)를 찾아 빼뜨기하여 마무리합니다.

기둥코(사슬 3코)를 만듭니다.

두 번째 코에 한길긴뜨기를 2번 떠 늘리기합니다.

[한길긴뜨기 1번, 한길긴뜨기늘리기 1번]이 완성된 모습입니다.

[한길긴뜨기 1번, 한길긴뜨기늘리기 1번]이 2세트 완성된 모습입니다. 끝까지 동일한 방식으로 뜹니다.

3단의 마지막 코까지 뜬 모습입니다.

tip. 사진은 3단에서 마무리한 크기입니다. 동일한 방식으로 도안을 보며 4단까지 뜨면 더 큰 원형 모티브를 완성할 수 있습니다.

실을 10cm 정도 남기고 자른 후 바늘을 바깥쪽으로 당겨 실을 빼주세요.

돗바늘로 마무리하기 위해 두 번째 코 머리를 찾아주세요.

돗바늘에 실을 끼운 후 두 번째 코 머리 뒤에서 앞으로 바늘을 넣습니다.

가장 마지막에 떴던 코 머리의 사슬 중앙으로 바늘을 넣습니다.

기둥코(첫 코) 위로 사슬 모양이 생기면서 자연스럽게 마무리됩니다.

편물 뒷면에 실을 숨깁니다.

여러 코를 통과한 실을 가위로 바짝 잘라 마무리합니다.

가운데 남은 실은 1단에 둥글게 숨긴 후 바짝 잘라 마무리하세요.

편물 연결

같은 크기의 원형 편물을 1장 더 만듭니다. 감침질할 컬러는 마지막 실을 길게 남긴 후 잘라줍니다.

편물 두 장을 함께 맞대고 바깥쪽 사슬을 함께 주워 감침질합니다.

1코씩 좌측으로 이동하며 감침질합니다.

끝까지 감침질한 모습입니다.

같은 컬러의 편물에 실을 숨겨 마무리합니다.

제이드 바스켓 ★☆☆☆☆ 도안 8p

사슬로 기둥을 만들지 않고 짧은뜨기만으로 나선형처럼 원통을 올려가며 만드는 바스켓이에요.
원하는 높이로 완성해 가방으로 들고 다닐 수도 있고 털실을 보관하는 바스켓으로도 사용할 수 있어요.
손잡이를 만들지 않고 원통형으로 높게 떠 윗부분을 접어주어 색다른 바스켓으로도 완성할 수 있어요.

READY
뜨개 기법 매직링, 사슬뜨기, 짧은뜨기, 짧은뜨기늘리기, 이랑뜨기, 빼뜨기
준비물 패브릭얀 700g, 점보코바늘 10mm, 단수링, 돗바늘, 가위

SIZE

HOW TO MAKE

시작, 1단

매직링으로 원형을 만들고 짧은뜨기를 7번 뜹니다. 【48p】

2단

나선형으로 완성할 것이므로 첫 번째 코에 빼뜨기와 기둥코를 뜨지 않고 바로 2단을 뜹니다.

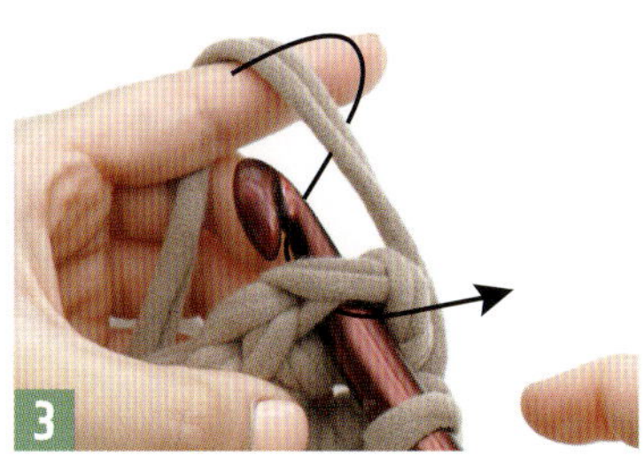

실을 꺼내와 짧은뜨기를 뜹니다.

짧은뜨기를 1번 뜬 모습입니다.

첫 코를 알아보기 쉽도록 단수링을 걸어 표시합니다.

tip. 단수링이 없다면 실이나 옷핀을 이용해도 좋습니다.

모든 코에 짧은뜨기늘리기를 하는 단이므로 같은 코에 짧은뜨기를 1번 더 뜹니다.

첫 번째 짧은뜨기늘리기가 완성되었습니다. 모든 코에 짧은뜨기늘리기하여 총 14코가 되도록 만듭니다.

늘리기를 끝까지 하면 단수링을 만나게 됩니다.

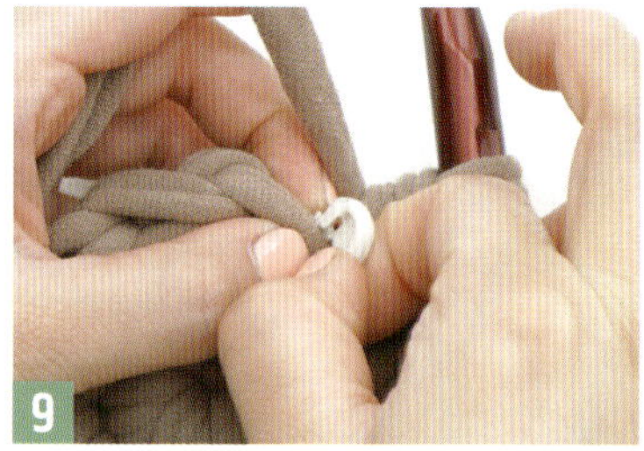

3단을 뜨기 위해 단수링을 제거합니다.

첫 번째 코에 짧은뜨기를 1번 뜹니다. 3단은 [짧은뜨기 1번, 짧은뜨기늘리기 1번]을 반복할 예정입니다.

1개의 코를 뜬 후 잊지 말고 단수링을 걸어 주세요. 이곳이 시작코입니다.

도안대로 코를 늘려가며 6단까지 뜹니다.

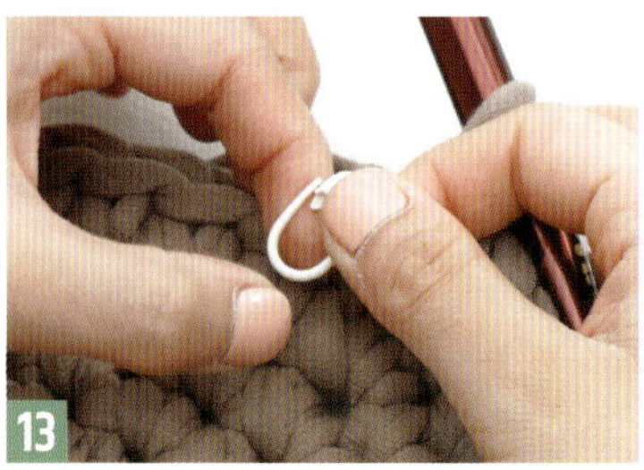

단수링을 제거합니다.

7단부터는 코를 늘리지 않고 떠 원통 형태로 만들 예정입니다. 7단에서만 바깥 사슬 반 코만 줍는 이랑뜨기를 합니다.

tip. 늘리기를 멈추는 단계에서 이랑뜨기를 하면 바닥의 각이 명확하게 나타납니다.

첫 번째 이랑뜨기를 뜬 후 단수링을 꼭 끼워 주세요.

tip. 반 코만 줍는 이랑뜨기를 했기 때문에 나머지 반 코가 아래쪽에 남게 됩니다.

이랑뜨기로 한 바퀴 뜬 모습입니다. 단수링은 제거하지 않고 그대로 둡니다.

원하는 높이까지 짧은뜨기를 뜹니다.

tip. 코를 늘리는 부분이 없으므로 첫 코의 위치가 절대적으로 중요하지는 않습니다. 대략적인 첫 코만 알 수 있도록 단수링을 그대로 둔 채 떠도 무방합니다.

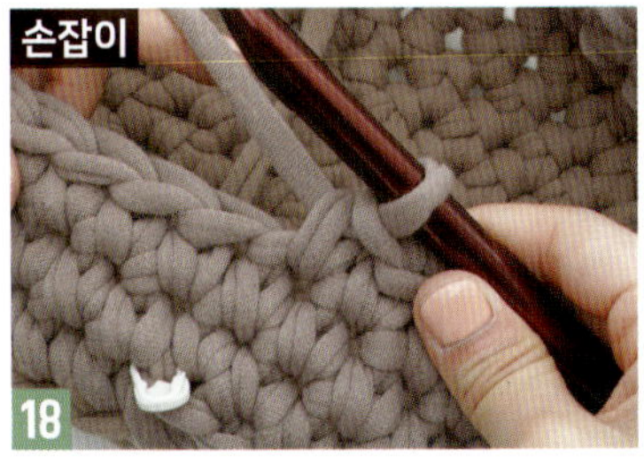

원하는 높이까지 떴다면 손잡이를 만들기 시작합니다. 단수링이 있는 위치를 기준으로 잡고 짧은뜨기를 7번 뜹니다.

짧은뜨기를 7번 뜬 모습입니다.

손잡이 부분을 만들기 위해 사슬을 7코 뜹니다.

아랫단 짧은뜨기 머리 7코를 건너뛰고 여덟 번째 코를 왼손으로 잡아줍니다.

왼손으로 잡은 여덟 번째 코부터 짧은뜨기를 시작합니다.

짧은뜨기 7번, 사슬 7코, 짧은뜨기 7번을 떠 한 쪽 손잡이가 완성된 모습입니다. 동일한 방법으로 반대쪽 손잡이도 완성합니다.

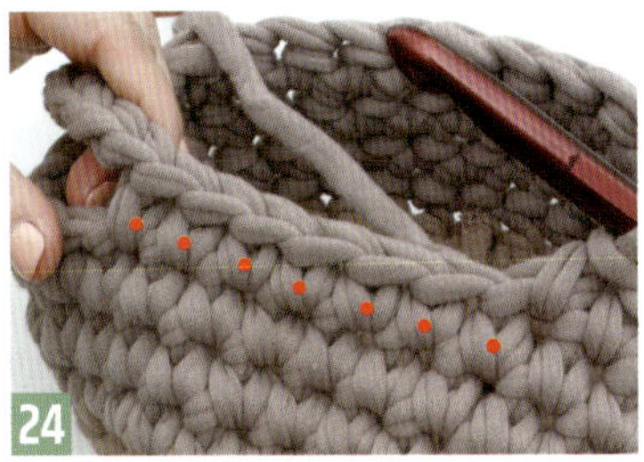

한 바퀴를 돌아온 모습입니다. 짧은뜨기머리마다 짧은뜨기를 1번씩, 총 7번 뜹니다.

짧은뜨기 7번을 모두 뜬 모습입니다.

손잡이 부분을 뜰 때에는 사슬 공간 아래에 바늘을 넣어 짧은뜨기를 7번 뜹니다.

손잡이 부분에 짧은뜨기를 7번 뜬 모습입니다.

동일한 방법으로 반대편 손잡이를 만들고 단수링 부분까지 돌아옵니다.

한 바퀴 돌아온 모습입니다.

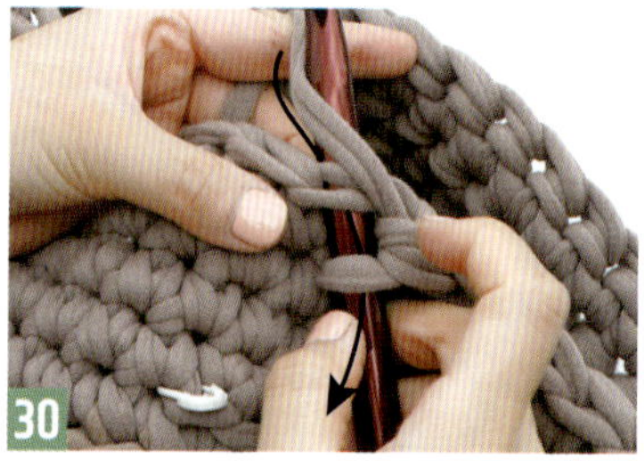

바로 다음 코에 빼뜨기합니다.

빼뜨기하여 턱이 없어진 모습입니다.

실을 10cm 정도 남기고 가위로 잘라줍니다.

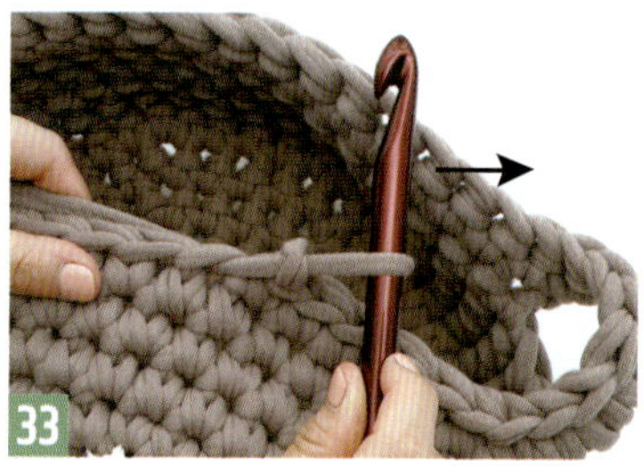

바늘을 바깥으로 당겨 실을 빼옵니다.

돗바늘에 실을 끼운 후 두 번째 코 뒤에서 앞으로 돗바늘을 넣습니다.

마지막 코 사슬 가운데에 돗바늘을 넣어 마무리합니다.

tip. 빼뜨기로 마무리할 수도 있지만 돗바늘로 마무리하면 새로운 사슬 모양이 생기면서 원래의 사슬 모양으로 마무리되어 깔끔하게 완성할 수 있습니다.

깔끔하게 마무리된 모습입니다.

그래니 카드지갑 ★☆☆☆☆ 도안 10p

카드를 넣을 수도, 명함을 넣을 수도 있는 앙증맞은 지갑이에요.
배색하는 실의 색에 따라, 사용하는 단추의 모양에 따라 완성된 지갑의 느낌이 다르답니다.
생각보다 많은 카드와 명함이 들어가 실용성도 높은 아이템이에요.

READY

뜨개 기법 매직링, 사슬뜨기, 짧은뜨기, 한길긴뜨기, 한길긴3코늘리기, 빼뜨기

준비물 포지타노 3볼, 모사용코바늘 5/0호, 단추 1개, 돗바늘, 가위

SIZE

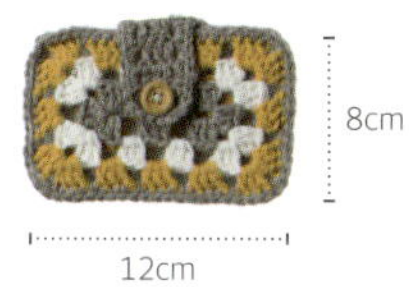

HOW TO MAKE

사슬 9코를 만듭니다.

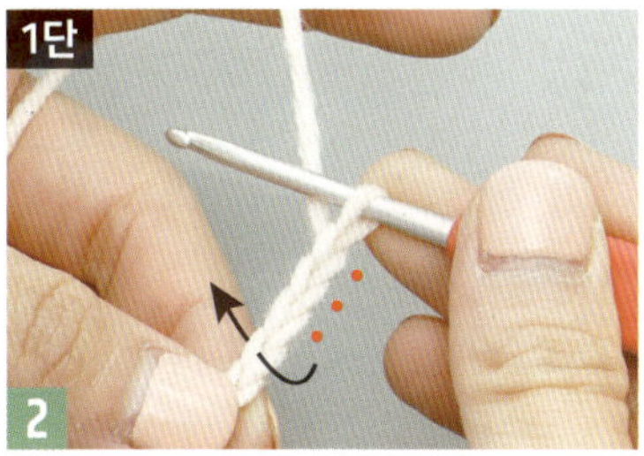

기둥코(사슬 3코)를 만든 후 시작코에서 네 번째 코에 사슬 반 코를 주워 한길긴뜨기를 2번 뜹니다.

기둥코를 포함하여 총 3코가 떠진 모습입니다.

사슬 2코를 만들고 세 번째 코부터 사슬 반 코를 주워 한길긴뜨기를 1번씩 총 3번 뜹니다.

사슬마다 반 코를 주워 한길긴뜨기를 1번씩 총 3번 뜬 모습입니다.

다시 사슬을 2코를 만든 후 가장 마지막 코에 한길긴뜨기를 3번 뜬 모습입니다.

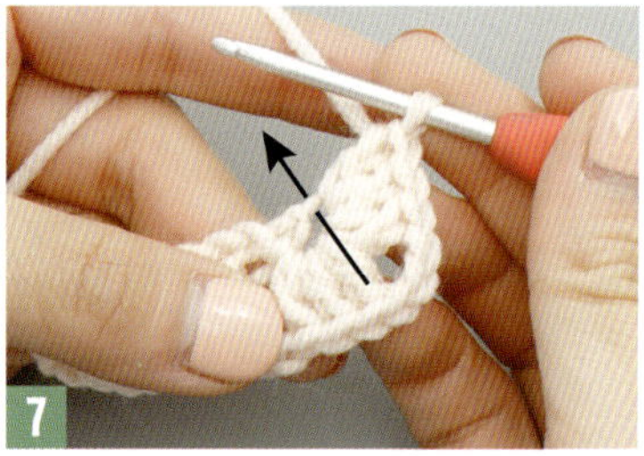

사슬 3코로 모서리 부분을 만든 후 6과 같은 코에 한길긴뜨기를 3번 더 뜹니다.

다시 사슬 3코로 모서리 부분을 만듭니다. 편물을 돌려 반대편을 뜨기 시작합니다.

6과 같은 코에 한길긴뜨기를 3번 더 뜹니다.

반대편과 대칭이 되도록 사슬 반 코를 주워 가며 같은 방식으로 뜹니다.

끝까지 뜬 후 첫 번째 코에 빼뜨기합니다.

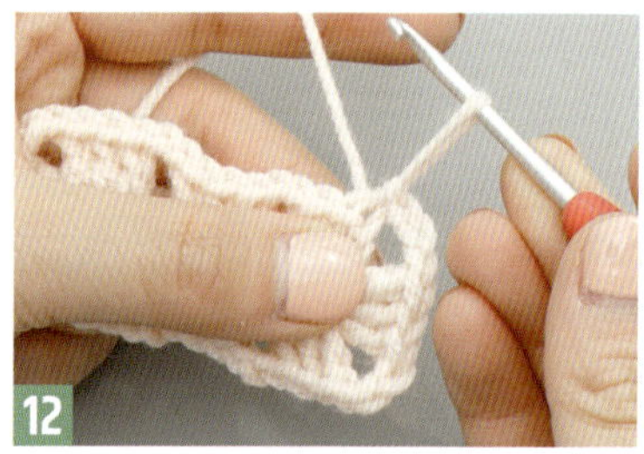

바늘로 코를 살짝 늘린 후 실을 자릅니다.

구멍으로 실 끝을 꺼내 매듭을 짓습니다.

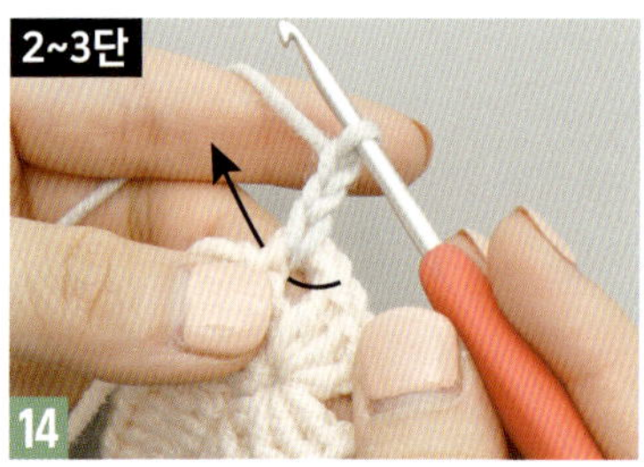

1단 모서리 부분에 다른 색 실을 걸어 기둥코(사슬 3코)를 만듭니다.

같은 자리에 한길긴뜨기를 2번 더 뜹니다.

사슬 2코를 만들고 다음 사슬 공간에 한길긴뜨기를 3번 뜹니다. 모서리 부분을 잘 파악하면서 동일한 방식으로 3단까지 완성합니다.

3단의 마지막 코까지 뜨고 돗바늘로 마무리합니다. 【103p】

앞면, 뒷면이 될 사각 편물을 총 2장 완성합니다. 편물 2장을 맞대고 테두리를 연결할 예정입니다.

좌측 상단 모서리부터 연결합니다. 2장을 겹쳐 함께 뜰 예정입니다.

모서리 사슬 공간에 새로운 실을 꺼내와 기둥코(사슬 1코)를 만듭니다.

같은 자리에 짧은뜨기를 2번 뜹니다.

한길긴뜨기 머리마다 짧은뜨기를 1번씩 뜹니다.

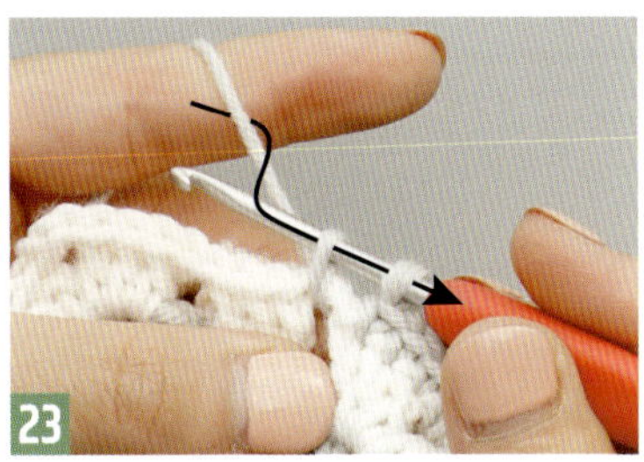

사슬 공간은 짧은뜨기를 1번 뜹니다.

동일한 방법으로 우측 상단까지 뜬 모습입니다.

상단 부분은 입구가 될 부분이므로 이제부터는 앞면 편물에만 짧은뜨기로 테두리를 뜹니다.

테두리를 끝까지 뜬 후 실을 자르고 바늘을 당겨 실을 빼냅니다.

돗바늘로 마무리합니다. 【98p】

우측에서 세 번째(모서리 포함) 사슬 공간에 실을 걸고 기둥코(사슬 3코)를 만듭니다.

한길긴뜨기 머리마다 한길긴뜨기를 1번씩 총 3번, 사슬 공간은 한길긴뜨기를 1번 뜹니다.

다시 기둥코(사슬 3코)를 만들고 편물을 뒤집어가며 동일한 방법으로 4단까지 뜹니다.

기둥코(사슬 3코), 한길긴뜨기를 1번 뜬 5단의 모습입니다.

단춧구멍을 만들기 위해 사슬 1코를 만듭니다.

세 번째 코를 건너뛰고 네 번째, 다섯 번째 코에 한길긴뜨기를 1번씩 뜹니다. 세 번째 코를 건너뛰어 단춧구멍이 생긴 모습입니다.

6단은 1~4단과 같은 방법으로 뜬 후 돗바늘로 마무리합니다.

뒷면 편물의 우측 상단 모서리 사슬 공간에 실을 걸어 기둥코(사슬 1코)를 만듭니다.

같은 사슬 공간에 짧은뜨기를 1번 뜹니다.

한길긴뜨기 머리마다 짧은뜨기를 1번씩 뜹니다.

사슬 공간에는 짧은뜨기를 1번만 뜹니다.

우측 테두리를 모두 뜬 모습입니다. 이제부터 덮개 부분 테두리를 뜰 예정입니다.

덮개의 양옆 테두리를 뜨기 위해 사슬 공간, 한길긴뜨기 공간에 각각 짧은뜨기를 2번씩 뜹니다.

tip. 코를 갈라 줍지 않고 한길긴뜨기 다리 공간에 편하게 뜹니다.

덮개 상단 테두리는 각 코마다 짧은뜨기를 1번씩 뜹니다.

빼뜨기로 마무리하여 테두리를 모두 완성한 모습입니다.

실을 20cm 정도 잘라 돗바늘에 끼운 후 X자로 한 땀씩 꿰매어 단추를 연결합니다.

편물 안쪽에서 2회 묶어준 후 돗바늘로 실을 숨겨 마무리합니다.

식빵 냄비받침 ★☆☆☆☆ 도안 12p

보기만 해도 먹고 싶은 식빵 모양 냄비받침이에요.
냄비받침으로 사용할 수도 있지만 주방 인테리어 소품으로 사용해도 좋아요.
냄비 때문에 하얀 실이 얼룩이 지는 것이 걱정된다면 베이지색 실을 사용해 호밀식빵으로 만들어보세요.

READY

뜨개 기법 사슬뜨기, 짧은뜨기, 짧은뜨기늘리기, 긴뜨기, 한길긴뜨기, 한길긴뜨기늘리기, 두길긴뜨기, 빼뜨기

준비물 포지타노 2볼, 모사용코바늘 5/0호, 돗바늘, 가위

SIZE

11.5cm

11.5cm

HOW TO MAKE

9단: 봉우리

사슬뜨기 20코로 시작해 도안을 따라 한길긴뜨기 8단까지 뜬 모습입니다. 【35p】

9단을 뜨기 위해 기둥코(사슬 1코)를 만듭니다.

편물을 시계 반대 방향으로 뒤집습니다.

첫 코에 짧은뜨기를 1번 뜹니다.

두 번째 코에는 긴뜨기를 1번 뜹니다.

세 번째 코에는 한길긴뜨기, 네 번째 코에는 두길긴뜨기를 뜹니다.

네 번째 코부터 일곱 번째 코까지는 두길긴 뜨기를 1번씩 뜹니다.

두길긴뜨기를 모두 뜬 모습입니다.

여덟 번째 코에는 한길긴뜨기를 1번 뜹니다.

아홉 번째 코에는 긴뜨기 1번, 열 번째 코에는 짧은뜨기 1번을 떠 봉우리 1개를 마무리한 모습입니다.

동일한 방식으로 9단 봉우리를 완성합니다.

10단을 뜨기 위해 기둥코(사슬 1코)를 만듭니다.

편물을 시계 반대 방향으로 뒤집습니다.

첫 코에 짧은뜨기를 1번 뜹니다.

두 번째 코에는 긴뜨기를 1번 뜹니다.

세 번째 코에는 한길긴뜨기를 1번 뜹니다.

네 번째 코부터 일곱 번째 코까지는 한길긴뜨기늘리기를 합니다. 그 다음 한길긴뜨기 1번, 긴뜨기 1번, 짧은뜨기 1번을 떠 오른쪽 봉우리를 완성합니다.

동일한 방식으로 왼쪽 봉우리까지 완성한 모습입니다. 실을 10cm 정도 남기고 자릅니다.

고리에 실 끝을 넣어 당기며 매듭을 짓습니다.

두 번째 단 우측 부분에 실을 새로 걸어 테두리를 뜨기 시작합니다.

짧은뜨기를 뜨기 위해 기둥코(사슬 1코)를 만듭니다.

한길긴뜨기 다리 공간에 짧은뜨기를 2번 뜹니다.

다음 단에도 짧은뜨기를 2번 뜹니다.

짧은뜨기를 2번씩 뜬 모습입니다.

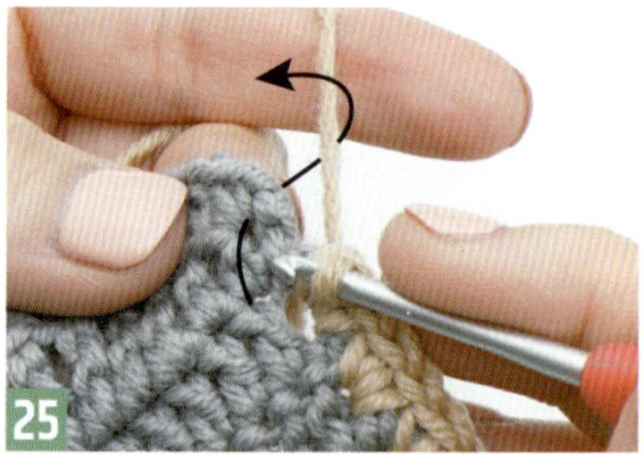

9~10단 부분에는 짧은뜨기 2단이 연이어 있습니다. 이 부분은 짧은뜨기를 1번 뜹니다.

짧은뜨기를 1번 뜬 모습입니다.

봉우리의 첫 번째 코에 짧은뜨기를 1번 뜹니다.

총 5개 코에 짧은뜨기를 1번씩 뜬 모습입니다.

봉우리 중앙 4코에는 짧은뜨기늘리기를 합니다.

도안을 따라 짧은뜨기를 5번 더 뜬 모습입니다.

왼쪽 봉우리도 동일한 방식으로 뜹니다.

좌측 테두리도 도안을 따라 동일한 방식으로 뜹니다. 가장 아래쪽 1단 부분은 짧은뜨기를 3번 뜹니다.

시작코 부분에서는 사슬마다 짧은뜨기를 1번씩 뜹니다. 단과 이어지는 부분의 코(모서리)를 놓치지 않도록 주의하세요.

모서리는 자연스럽게 둥근 모양으로 완성됩니다.

모든 사슬에 짧은뜨기를 1번씩 뜬 모습입니다.

오른쪽 1단에도 짧은뜨기를 3번 뜹니다.

실을 자른 후 바늘을 바깥으로 당겨 실을 빼 줍니다.

돗바늘로 마무리합니다. 【103p】

폴딩 버킷햇 ★★☆☆☆ 도안 14p

햇살이 내리쬐는 한여름의 필수품인 챙이 넓은 모자예요.
접을 수 있고 모양도 망가지지 않아 캐리어나 가방에 넣어도 걱정이 없답니다.
두상에 맞게 원형 크기를 조절하면서 원하는 챙 길이로 완성해 마음에 드는 나만의 모자를 만들어보세요.

READY

뜨개 기법 매직링, 사슬뜨기, 짧은뜨기, 짧은뜨기늘리기, 이랑뜨기, 이랑뜨기줄이기, 빼뜨기

준비물 피사코튼 2볼, 모사용코바늘 8/0호, 돗바늘, 가위

[완성 이미지는 얇은 실(피사코튼) 2가닥을 함께 잡고 뜬 형태입니다.]

SIZE

HOW TO MAKE

매직링으로 원형을 만들고 짧은뜨기를 8번 뜹니다. 【48p】

나선형으로 뜰 것이므로 첫 번째 코에 빼뜨기하지 않고 바로 짧은뜨기늘리기를 합니다.

짧은뜨기를 1번 뜬 모습입니다.

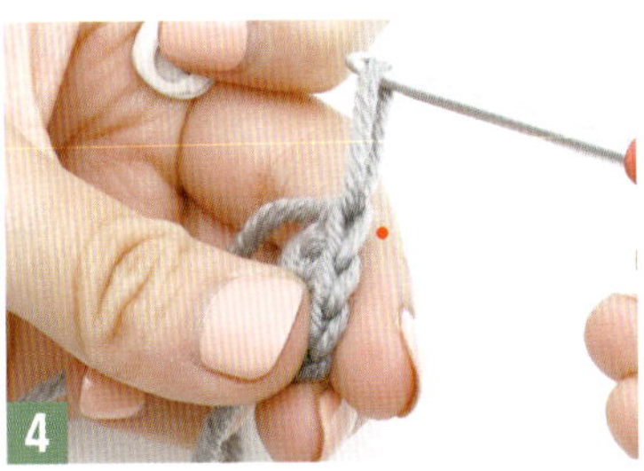

방금 뜬 첫 번째 코에 단수링을 걸어줍니다.

tip. 단수링이 없다면 실이나 옷핀을 이용해도 좋습니다.

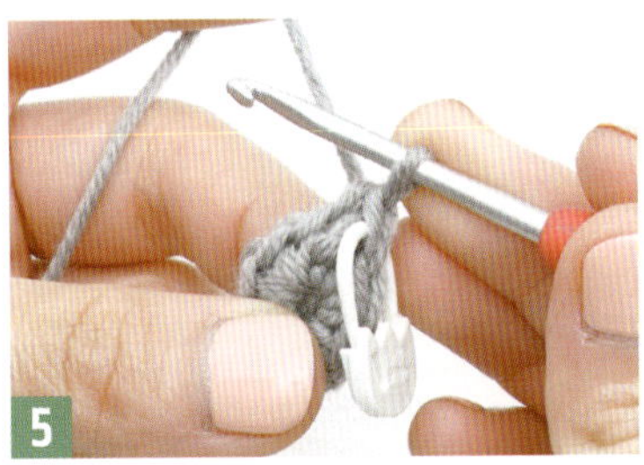

단수링을 걸어준 모습입니다.

첫 번째 코를 짧은뜨기늘리기를 해야 하므로 같은 코에 짧은뜨기를 1번 더 뜹니다.

남은 7코도 모두 짧은뜨기늘리기합니다. 한 바퀴를 돌아 단수링을 만난 모습입니다.

단수링을 뺀 후 빼뜨기 없이 바로 3단을 뜨기 시작합니다.

3단의 첫 코에 짧은뜨기한 후 단수링을 걸어 줍니다.

다음 코는 짧은뜨기늘리기를 해줍니다.

도안 대로 6단까지 뜬 모습입니다.

이제부터 12단에서 진행될 이랑뜨기를 설명하기 위해 기둥코(사슬 1코)를 만들고 시작하겠습니다.

tip. 도안을 따라 12단까지 뜬 후 참고하세요.

바깥 사슬 반 코만 주워 짧은뜨기 하는 것을 '이랑뜨기'라고 합니다.

tip. 이랑뜨기를 하는 이유는 정수리 부분의 각을 주기 위해서입니다.

사슬 반 코를 주은 모습입니다.

사슬 반 코만 주웠기 때문에 반 코가 바닥에 남아 있습니다.

잊지 말고 단수링을 걸어줍니다.

이랑뜨기를 3번 뜬 모습입니다. 12단에서 진행할 이랑뜨기줄이기를 해보겠습니다.

반 코를 주워 실을 꺼내옵니다.

이 상태에서 실을 바로 꺼내오면 이랑뜨기로 완성되지만, 이 상태에서 멈추면 '미완성 이랑뜨기'가 됩니다.

미완성 이랑뜨기를 한 상태에서 바로 다음 코를 줍습니다.

실을 꺼내 오면 바늘에 실 3가닥이 걸립니다. 이 상태에서 실을 한 번에 빼냅니다.

'이랑뜨기줄이기'가 완성되었습니다.

끝까지 뜬 모습입니다. 정수리 부분에 각이 생겼습니다. 도안을 따라 늘리고 줄이는 부분을 잘 확인하여 끝까지 완성해 빼뜨기로 마무리합니다.

구름 슈즈 ★☆☆☆☆

도안 16p

구름을 닮은 폭신한 느낌의 실내 슈즈예요.
발등에 스트랩이 있어 밋밋하거나 투박해 보이지 않아요.
발이 시린 추운 겨울 수면양말 대신 신어보세요. 예쁜 신발을 신은 발에 자꾸만 눈이 가게 될 거예요.

READY

뜨개 기법 매직링, 사슬뜨기, 짧은뜨기, 한길긴뜨기, 빼뜨기

준비물 클라우드얀 2볼, 점보코바늘 10mm, 돗바늘, 가위

SIZE

HOW TO MAKE

시작, 1단

매직링으로 원형을 만듭니다. 한길긴뜨기 단을 뜰 것이므로 기둥코인 사슬 3코를 만듭니다. 【52p】

매직링 안쪽으로 한길긴뜨기를 9번 더 뜹니다. 좌측에 위치한 실 2가닥을 함께 잡고 끝까지 떠줍니다.

기둥코를 포함해 한길긴뜨기를 총 10코 완성한 모습입니다.

함께 잡고 떴던 짧은 실을 쭉 잡아당겨 원형을 모아줍니다.

원형이 모아진 모습입니다.

기둥코의 가장 위쪽 사슬 가운데를 찔러 빼뜨기합니다.

기둥코(사슬 3코)를 만듭니다. 기둥코가 첫 코가 됩니다. 두 번째 코에 한길긴뜨기늘리기를 합니다.

[기둥코(사슬 3코), 한길긴뜨기늘리기 1번]을 완성한 모습입니다.

[한길긴뜨기 1번, 한길긴뜨기늘리기 1번]을 끝까지 반복하여 첫 코에 빼뜨기합니다.

오목한 형태의 앞 코가 만들어졌습니다.

한길긴뜨기를 뜨기 위해 기둥코(사슬 3코)를 만듭니다. 다음 코부터는 한길긴뜨기를 1번씩 떠줍니다.

한길긴뜨기로 끝까지 뜬 후 첫 코에 빼뜨기합니다.

4단부터는 평면뜨기를 할 예정입니다. 먼저 기둥코(사슬 3코)를 만듭니다.

편물을 반시계 방향으로 돌려 반대쪽으로 뜨기 시작합니다.

한길긴뜨기를 9번 떠 총 10코를 완성합니다. 뜨지 않은 5코는 남아 있는 상태입니다.

기둥코(사슬 3코)를 만든 후 편물을 뒤집어 한길긴뜨기를 9번 뜹니다. 이 과정을 8단까지 반복합니다.

8단까지 모두 떴다면 실을 15cm 정도 남기고 잘라줍니다.

바늘을 바깥쪽으로 당겨 실을 빼줍니다.

뒤꿈치를 모아 감침질합니다. 사슬 반 코씩을 주워 꿰맵니다. 【104p】

사슬 반 코씩을 잡아 아래쪽으로 한 코씩 이동하면서 끝까지 감침질합니다.

실을 안쪽으로 넣습니다.

남은 실은 돗바늘로 잘 숨겨줍니다.

뒤꿈치를 기준으로 좌측에 있는 기둥코에 실을 걸고 테두리를 뜨기 시작할 예정입니다.

기둥코 아래에 바늘을 넣고 실을 걸어줍니다.

실을 꺼내옵니다.

여기에서 실을 한 번 더 꺼내오면 기둥코(사슬 1코)가 생깁니다.

기둥코 공간에 짧은뜨기를 2번 뜹니다.

모든 사슬 공간과 한길긴뜨기 공간에 짧은뜨기를 2번씩 뜹니다.

네 번째 한길긴뜨기 공간에는 스트랩을 만들 것이므로 짧은뜨기를 한 번만 먼저 뜹니다.

스트랩을 만들기 위해 사슬 8코를 만들고 기둥코(사슬 1코)를 만듭니다. 사슬이 총 9코 만들어졌습니다.

8개의 사슬에 모두 빼뜨기하면서 원래 자리로 되돌아옵니다.

사슬을 시작했던 자리에 짧은뜨기를 1번 떠 스트랩 부분을 완성합니다.

마지막 사슬 공간에도 짧은뜨기를 2번 떠 한 면을 완성합니다.

34

신발 앞부분 한길긴뜨기머리 5코에 각각 짧은뜨기를 1번씩 뜹니다.

35

반대편 면도 좌측 면과 동일한 방법으로 뜹니다.

36

끝까지 뜬 후 여분의 실을 남기고 자른 후 당겨줍니다.

37

마무리를 위해 첫 코의 머리에 바늘을 넣습니다.

38

가장 마지막에 떴던 코 머리 사슬 중앙으로 바늘을 넣습니다.

39

중간에 사슬 1코가 생기면서 자연스럽게 마무리됩니다.

40

일반 실과 바늘로 스트랩 끈을 반대편에 연결해 완성합니다.

tip. 반대쪽 신발은 스트랩이 반대쪽으로 위치하도록 뜹니다.

MAISON FONDÉE EN
1854
THÉ
MARIAGE

솔리드 바스켓 ★☆☆☆☆ 도안 18p

머리끈이나 매니큐어, 립스틱 같은 작은 소품들을 보관할 수 있는 미니 바스켓이에요.
치앙마이 실을 사용하면 라탄 느낌의 빳빳한 질감을 표현할 수 있어요.
모서리 부분은 각이 잘 살아나도록 도안대로 코를 줄여가며 떠야 각이 잘 잡힌 바스켓을 완성할 수 있어요.

READY

뜨개 기법 매직링, 사슬뜨기, 짧은뜨기, 겹짧은뜨기, 빼뜨기

준비물 치앙마이 3볼, 모사용코바늘 5/0호, 돗바늘, 가위

SIZE

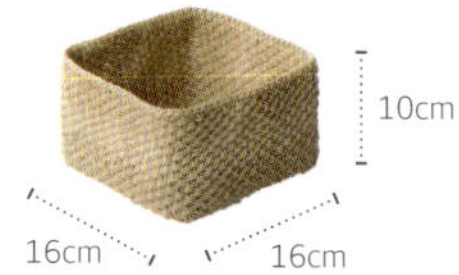

HOW TO MAKE

매직링을 만든 후 기둥코(사슬 1코)를 만듭니다. [48p]

원형 안에 짧은뜨기를 1번 뜹니다.

모서리 부분을 만들기 위해 사슬 2코를 만듭니다.

다시 원형 안에 짧은뜨기를 1번 뜨고 사슬 2코를 만듭니다. [짧은뜨기 1번, 사슬 2코]를 2세트 완성한 모습입니다.

동일한 방법으로 총 4세트를 완성한 모습입니다.

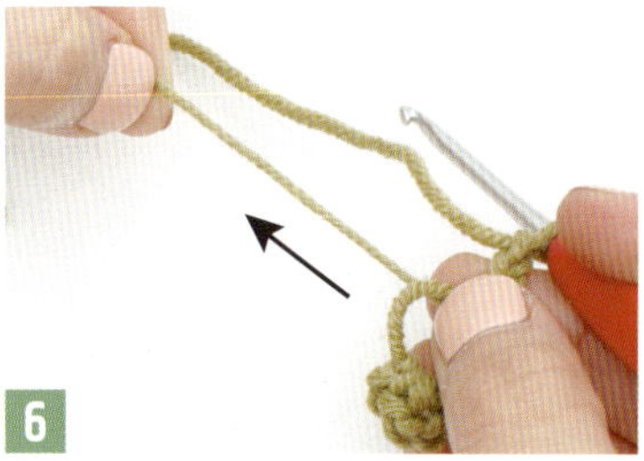

짧은 실을 쭉 잡아당겨 원형을 모아줍니다.

첫 번째 짧은뜨기 머리에 빼뜨기합니다.

1단이 완성된 모습입니다.

2단을 뜨기 위해 기둥코(사슬 1코)를 만듭니다.

첫 번째 코에 짧은뜨기합니다.

사슬 아래 공간에 짧은뜨기를 1번 뜹니다.

모서리를 만들기 위해 사슬 2코를 뜹니다.

다시 사슬 아래 공간에 짧은뜨기를 1번 뜹니다. 한 모서리에 [짧은뜨기 1번, 사슬 2코, 짧은뜨기 1번]이 떠진 모습입니다.

다음 짧은뜨기 머리에 짧은뜨기를 1번 뜹니다.

동일한 방식으로 모서리 부분을 만들어줍니다.

같은 방식으로 4세트를 뜬 후 빼뜨기한 모습입니다.

12단까지 같은 방식으로 떠 바닥을 완성합니다.

tip. 13단부터 바스켓 옆면이 잘 구분되도록 다른 컬러의 실을 사용했습니다.

기둥코(사슬 1코)를 세운 후 짧은뜨기 머리마다 짧은뜨기를 1번씩 뜹니다.

좌측 면을 모두 뜬 모습입니다.

모서리 부분 사슬 2코를 건너뛰고 다음 면의 코에 짧은뜨기를 뜹니다.

tip. 사각 형태의 모서리 부분은 코를 줄여야 각이 잘 살아납니다.

모서리를 건너뛰고 짧은뜨기를 뜬 모습입니다.

같은 방식으로 끝까지 뜬 후 빼뜨기합니다.

빼뜨기를 한 후 기둥코(사슬 1코)를 만듭니다.

첫 번째 코에 짧은뜨기를 뜹니다.

전 단의 짧은뜨기 머리에 짧은뜨기를 하는 겹짧은뜨기를 할 예정입니다. 바늘이 들어가는 위치를 확인하세요.

tip. 전 단의 짧은뜨기 머리에 짧은뜨기를 하는 것을 '겹짧은뜨기'라 합니다. 겹짧은뜨기는 짧은뜨기보다 아랫부분에서 뜨기 때문에 실을 늘려가면서 떠야 편물이 오그라들지 않습니다.

실을 걸고 나와 짧은뜨기를 뜹니다.

[짧은뜨기 1번, 겹짧은뜨기 1번] 1세트를 완성한 모습입니다.

동일한 방법으로 2세트를 완성한 모습입니다. 마지막까지 반복한 후 빼뜨기로 마무리합니다.

기둥코(사슬 1코)를 만듭니다.

홀수단은 짝수단과 반대로 뜹니다. 첫 코에 겹짧은뜨기를 뜹니다.

전 단에서 짧은뜨기한 코에 겹짧은뜨기를 뜹니다.

전 단에서 겹짧은뜨기한 코에 짧은뜨기를 뜹니다.

1세트가 떠진 모습입니다. 도안을 따라 27단까지 뜬 후 빼뜨기로 마무리합니다.

크라운 보틀워머

도안 20p

방울 모양으로 완성되는 피코뜨기 기법으로 포인트를 준 보틀워머예요.
피코뜨기로 뜬 방울 모양이 왕관을 연상하게 해요.
여름철 얼음을 담은 물병 표면에 물기가 생길 때, 밋밋한 물병을 더 예쁘게 보이고 싶을 때 유용하답니다.

READY

뜨개 기법 매직링, 사슬뜨기, 한길긴뜨기, 한길긴뜨기늘리기, 한길긴1코교차뜨기(사이 사슬 1코), 피코뜨기, 빼뜨기

준비물 피사코튼 2볼, 모사용코바늘 4/0호, 돗바늘, 가위

SIZE

HOW TO MAKE

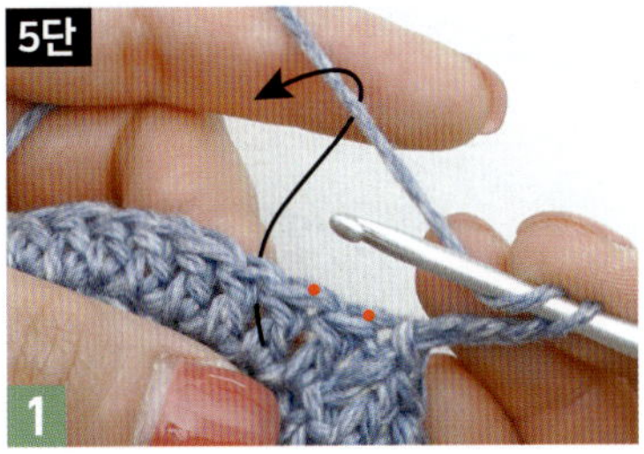

기둥코(사슬 3코)를 만든 후 2코를 건너뛰어 3번째 코에 한길긴뜨기를 뜹니다.

tip. 5단부터는 5코 단위로 무늬를 낼 예정입니다.

뜨지 않은 두 코가 가운데에 남겨져 있습니다.

사슬 1코를 만들고 건너뛴 2코 중 우측 코에 한길긴뜨기를 뜹니다.

한길긴1코교차뜨기(사이 사슬 1코)가 완성되었습니다. X자 무늬로 만들어졌습니다.
【70p】

tip. 순서를 바꿔 뜨므로 꽈배기 형태가 됩니다.

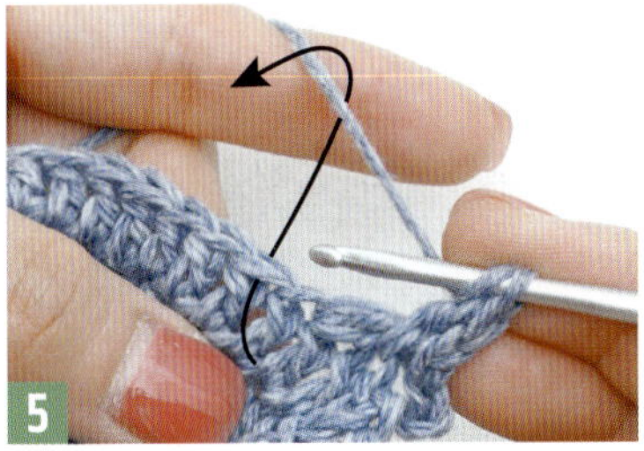

네 번째 코에 한길긴뜨기를 뜹니다.

5코 단위의 무늬가 생겼습니다. 동일한 방법으로 끝까지 반복합니다.

테이블매트

도안 22p

따뜻한 식탁을 연출해주는 테이블매트예요.
완성하는 데 시간이 조금 걸리는 편이지만 완성하면 다양한 받침으로 사용할 수 있는 아이템이에요. 매트의 가장자리를 다른 색 실로 배색해도 멋지답니다. 평평하게 펴져야 예쁘기 때문에 완성 후, 세탁 후에는 꼭 스팀 다림질을 해주세요.

READY

뜨개 기법 사슬뜨기, 짧은뜨기, 한길긴뜨기, 피코뜨기, 빼뜨기
준비물 라스베가스 3볼, 모사용코바늘 4/0호, 돗바늘, 가위

SIZE

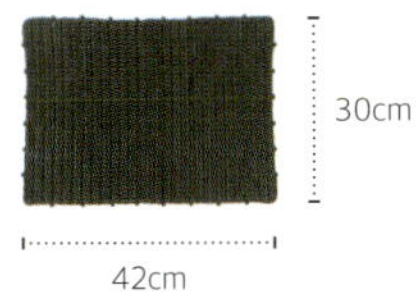

HOW TO MAKE

41단 마지막 과정에서 실을 끊지 않고 기둥코(사슬 1코)를 만든 후 단을 주워 짧은뜨기합니다.

한길긴뜨기 다리 사이로 편하게 바늘을 넣어 짧은뜨기합니다.

짧은뜨기한 모습입니다.

사슬 1코를 만듭니다.

다음 한길긴뜨기 다리에 짧은뜨기를 1번 뜹니다.

동일한 방식으로 뜨다가 사슬 구멍을 만나면 짧은뜨기 후 피코뜨기를 시작합니다.

피코뜨기를 할 예정입니다. 먼저 사슬 3코를 만듭니다.

뿌리 부분의 실을 주워 빼뜨기하여 피코뜨기를 완성합니다. 【70p】

같은 방식으로 모서리까지 뜹니다. 화살표 방향을 잘 보고 모서리가 꺾이는 지점에서 코를 놓치지 않도록 주의하세요.

꺾이는 부분의 첫 코에 짧은뜨기한 모습입니다.

각 코에 짧은뜨기를 1코씩 뜹니다.

사슬 공간을 만나면 피코뜨기합니다. 같은 방식으로 한 바퀴를 둘러 빼뜨기로 마무리합니다.

가죽손잡이 썸머백 ★★☆☆☆ 도안 24p

가죽 패치로 손잡이에 포인트를 준 가방이에요. 굵은 실로 떠 앉은 자리에서 금방 가방을 완성할 수 있어요. 패브릭얀과 같은 굵은 실과 포인트가 되는 얇은 실을 함께 잡고 뜨면 따로 배색을 하지 않아도 단조롭지 않은 가방으로 완성할 수 있어요.

READY

뜨개 기법 사슬뜨기, 짧은뜨기, 짧은뜨기늘리기, 겹짧은뜨기, 이랑뜨기, 빼뜨기

준비물 패브릭얀 500g, 트윙클 1볼, 가죽패치, 점보코바늘 10mm, 돗바늘, 가위

[완성 이미지는 패브릭얀과 트윙클 2가닥을 함께 잡고 뜬 형태입니다.]

SIZE

HOW TO MAKE

가죽패치 부착

원하는 크기로 가죽패치를 자르고 접어서 손잡이에 댄 후 패치 끝부분을 안쪽으로 말아 접어줍니다.

뒤쪽 패치에 바늘을 넣어 실을 걸어줍니다.

앞쪽으로 바늘을 가져와 접은 패치를 한 번에 통과시킵니다.

이 때 사진과 같이 바늘의 뒤쪽으로 실을 위치시켜주세요.

실을 살살 잡아 당기면 세로선이 생깁니다.

좌측으로 1cm 정도 이동하여 바늘을 통과시킵니다.

마찬가지로 실은 바늘의 뒤쪽으로 위치시켜 줍니다.

사진과 같이 가로선이 생깁니다.

동일한 방법으로 일정한 간격을 유지하며 바느질합니다.

바늘을 빼기 전 반드시 실을 바늘의 뒤쪽으로 놓는 것을 잊지마세요.

동일한 방법으로 끝까지 반복하여 매듭 지은 후 실을 끊어 마무리합니다.

사각 그물 캔들커버 ★★☆☆☆ 도안 26p

사각형 그물 모양이 생기는 캔들커버예요.
1, 2, 3, 4단 모두 뜨개 기법이 달라 지루하지 않게 뜰 수 있고 완성된 모양도 재미있어 한 가지 색으로만 떠도 근사한 캔들커버가 된답니다. 바닥을 뜨지 않아 밑이 뚫린 형태라 뜨는 시간도 짧아요.

READY
뜨개 기법 사슬뜨기, 짧은뜨기, 한길긴뜨기, 한길긴뜨기늘리기, 빼뜨기
준비물 포지타노 1볼, 모사용코바늘 5/0호, 돗바늘, 가위

SIZE

HOW TO MAKE

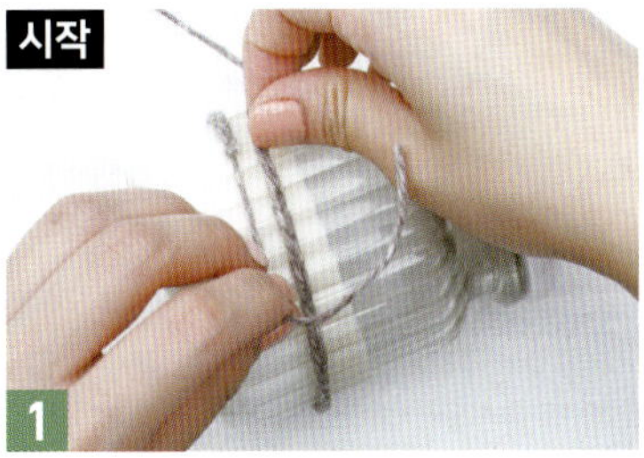

가지고 있는 캔들의 지름에 맞춰 2의 배수가 되도록 사슬을 만듭니다.

tip. 실이 늘어나므로 전체 사슬을 팽팽하게 당긴 상태로 캔들을 둘렀을 때 양끝이 겨우 닿는 정도가 좋습니다.

여기에서는 사슬 48코를 만들었습니다.

사슬 첫 코에 빼뜨기하여 커다란 원형을 만듭니다.

기둥코(사슬 3코)와 사슬 1코를 만듭니다. 총 사슬 4코가 만들어진 모습입니다.

한 코를 건너뛰고 한길긴뜨기 1번, 사슬 1코를 뜹니다.

[한길긴뜨기 1번, 사슬 1코]를 끝까지 반복합니다.

빼뜨기로 1단을 마무리합니다.

1단의 첫 번째 사슬 공간에 바늘을 넣어 빼뜨기합니다.

시작코가 사슬 공간으로 옮겨졌습니다.

기둥코(사슬 1코)를 만듭니다.

사슬 공간 안에 짧은뜨기합니다.

사슬 2코를 만들어 다음 사슬 공간에 짧은뜨기합니다.

같은 방식으로 반복하는 모습입니다.

한 바퀴 돌아 빼뜨기로 마무리한 모습입니다.

마찬가지로 2단의 첫 번째 사슬 공간에 빼뜨기하여 시작코를 옮긴 후 기둥코(사슬 3코)와 사슬 1코를 만듭니다.

다음 사슬 공간에 한길긴뜨기 1번, 사슬 1코를 뜹니다.

같은 방식으로 반복하는 모습입니다.

한 바퀴 돌아 빼뜨기로 마무리한 모습입니다.

마찬가지로 3단 첫 번째 사슬 공간에도 빼뜨기하여 시작코를 옮깁니다.

기둥코(사슬 3코)를 만듭니다.

동일한 사슬 공간에 한길긴뜨기를 1번 더 뜹니다.

모든 사슬 공간마다 한길긴뜨기를 2번씩 뜨고 빼뜨기로 마무리합니다. 1~4단과 동일한 방법으로 5~8단까지 떠 빼뜨기로 마무리합니다.

tip. 가지고 있는 캔들의 높이에 맞게 단을 조절하면서 뜹니다.

15

눈꽃 러그 방석 ★★☆☆☆ 도안 28p

눈꽃 모양을 닮은 러그 방석이에요.
비슷한 톤으로 여러 개를 떠 거실 바닥에 두어도 멋지고 소파나 의자에 두어도 그 자체로 멋진 인테리어가 된답니다.

READY

뜨개 기법 매직링, 사슬뜨기, 짧은뜨기, 짧은뜨기늘리기, 한길긴뜨기, 한길긴뜨기늘리기, 한길긴뜨기줄이기, 피코뜨기, 빼뜨기

준비물 패브릭얀 600g, 점보코바늘 10mm, 돗바늘, 가위

SIZE

42cm

HOW TO MAKE

시작, 1단

1

매직링으로 원형을 만들고 원 안에 기둥코(사슬 3코), 한길긴뜨기를 14번을 떠 빼뜨기로 마무리한 모습입니다. 【52p】

2단

2

기둥코(사슬 3코)와 사슬 1코를 만듭니다. 총 사슬 4코가 만들어진 모습입니다.

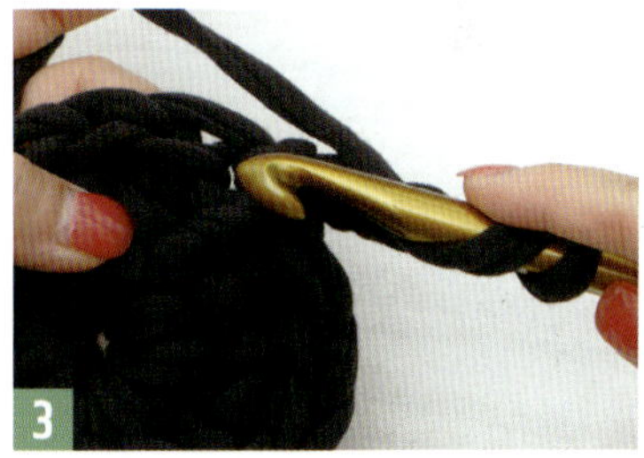

3

두 번째 코에 한길긴뜨기를 뜹니다.

4

같은 방식으로 사슬뜨기와 한길긴뜨기를 반복해 빼뜨기로 마무리합니다.

3단

5

3단을 뜨기 위해 기둥코(사슬 3코)를 만듭니다.

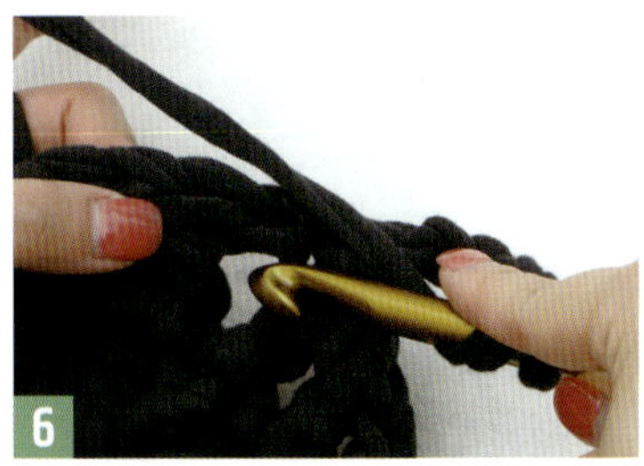

6

사슬 공간에는 한길긴뜨기늘리기 1번, 한길긴뜨기머리에는 한길긴뜨기를 1번씩 뜹니다.

같은 방식으로 반복해 원형을 한 바퀴 돕니다.

빼뜨기로 마무리하여 3단을 완성한 모습입니다.

4단을 뜨기 위해 기둥코(사슬 3코)를 만듭니다.

한 코를 건너뛰고 그 다음 코에 한길긴뜨기를 뜬 모습니다.

사슬 2코를 만듭니다. 한길긴뜨기줄이기를 할 예정입니다.

방금 한길긴뜨기를 떴던 코에 미완성한길긴뜨기를 뜹니다. 【64p】

한 코를 건너뛰고 그 다음 코에 미완성한길긴뜨기를 마무리합니다. 바늘에 실 3가닥이 걸렸을 때 실을 한 번에 빼냅니다.

삼각 형태로 위쪽이 모인 모양으로 만들어졌습니다.

동일한 방식으로 끝까지 뜬 모습입니다.

사슬 1코를 만들고 첫 번째 코에 짧은뜨기하여 마무리합니다.

tip. 시작코의 위치를 우측으로 옮기기 위해 빼뜨기하지 않고 짧은뜨기로 마무리합니다.

짧은뜨기로 마무리하여 첫 코가 우측으로 이동한 모습입니다.

5단을 뜨기 위해 기둥코(사슬 3코)를 만듭니다.

사슬 2코를 만든 후 사슬 공간에 한길긴뜨기를 2번 뜹니다.

사슬 공간에 한길긴뜨기를 2번 뜬 모습입니다.

[사슬 2코, 한길긴뜨기 2번]을 끝까지 반복한 후 빼뜨기로 마무리합니다.

6단을 뜨기 위해 기둥코(사슬 3코)를 만듭니다.

사슬 공간에 한길긴뜨기를 1번 뜹니다.

도안을 따라 한길긴뜨기를 끝까지 뜹니다.

빼뜨기로 마무리합니다.

기둥코(사슬 1코)를 만든 후 짧은뜨기 2번, 짧은뜨기늘리기 1번을 뜹니다.

피코뜨기를 할 예정입니다. 먼저 사슬 3코를 만듭니다. 【70p】

첫 번째 사슬을 떴던 코에서 빼뜨기합니다. [짧은뜨기 2번, 짧은뜨기늘리기 1번, 피코뜨기 1번]을 반복해 빼뜨기로 마무리합니다.

10

심플스퀘어 러그 방석 ★★☆☆☆ 도안 13p

반듯하고 단정한 정사각형 방석이에요.
정사각형 모양의 특성상 코가 일정하지 않으면 완성된 모양이 예쁘지 않아요.
편물을 뜰 때는 항상 일정한 힘을 유지해 단마다 길이와 높이가 일정하게 뜨는 것이 좋아요.

READY

뜨개 기법 사슬뜨기, 짧은뜨기, 한길긴뜨기, 한길긴2코늘리기(사이 사슬 1코), 빼뜨기

준비물 패브릭얀 600g, 점보코바늘 10mm, 돗바늘, 가위

SIZE

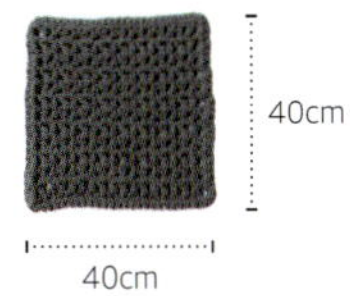

HOW TO MAKE

도안을 따라 12단까지 뜬 후 실을 끊지 않고 바로 테두리를 만듭니다. 기둥코(사슬 1코)를 만듭니다.

마지막으로 떴던 한길긴뜨기 다리 공간에 편하게 바늘을 넣습니다.

짧은뜨기를 뜹니다.

다리에 짧은뜨기를 2번 뜬 모습입니다.

우측 테두리를 끝까지 뜬 후 사슬 1코를 만듭니다.

tip. 모서리 부분이 오그라들지 않도록 사슬을 1코씩 추가해줍니다.

1단의 첫 코를 찾아 짧은뜨기합니다.

tip. 첫 코가 짧은뜨기로 가려져 있으니 빠트리지 않고 잘 찾아서 떠야 코가 줄지 않습니다.

모든 사슬머리에 짧은뜨기를 1번씩 뜹니다.

tip. 모든 사슬머리를 빠뜨리지 않고 뜹니다.

나머지 테두리도 동일한 방식으로 끝까지 떠 빼뜨기로 마무리합니다.

04
09

트라이앵글 가랜드 ★★☆☆☆ 도안 30p

트라이앵글 모티브를 연결해 만든 가랜드예요. 단마다 색이 다른 실로 떠 가랜드를 만들어보세요. 원색을 사용하면 발랄한 느낌을, 파스텔 톤을 사용하면 사랑스러운 느낌을, 무채색 톤을 사용하면 모던한 느낌을 연출할 수 있답니다.

READY

뜨개 기법 매직링, 사슬뜨기, 짧은뜨기, 긴뜨기, 한길긴뜨기, 한길긴뜨기늘리기, 빼뜨기

준비물 코튼볼 3볼, 모사용코바늘 5/0호, 돗바늘, 가위

SIZE

HOW TO MAKE

매직링으로 원형을 만들고 기둥코(사슬 3코)를 만듭니다.

원형 안에 한길긴뜨기를 4번 뜨고(기둥코 포함 총 5코) 사슬 3코를 떠 모서리를 만듭니다.

같은 방식으로 3세트를 만든 모습입니다.

tip. 마지막 모서리를 만들기 전 단계입니다.

사슬 1코를 만든 후 첫 번째 코에 긴뜨기하여 마무리합니다.

tip. 빼뜨기로 마무리하지 않고 긴뜨기로 마무리합니다.

긴뜨기로 마무리하여 첫 코가 모서리 중앙으로 이동한 모습입니다.

2단을 뜨기 위해 기둥코(사슬 3코)를 만듭니다.

한길긴뜨기 다리 부분에 한길긴뜨기를 2번 뜹니다.

기둥코를 포함한 모든 한길긴뜨기 머리에는 한길긴뜨기를 1번씩 뜹니다.

모서리 사슬 공간은 [한길긴뜨기 3번, 사슬 3코, 한길긴뜨기 3번]씩 뜹니다.

동일한 방식으로 마지막까지 뜹니다. 마무리는 사슬 1코를 만든 후 첫 코에 긴뜨기합니다.

컬러를 바꿀 예정이라면 긴뜨기 마지막 단계에서 새로운 실을 꺼내오세요.

기둥코(사슬 3코)를 만들고 동일한 방식으로 4단까지 뜹니다.

원하는 길이만큼 사슬을 만듭니다. 여기에서는 사슬 40코를 떴습니다.

모티브 1장을 잡고 모서리에 바늘을 넣습니다.

모서리에 짧은뜨기를 뜹니다.

상단 부분의 한길긴뜨기머리마다 짧은뜨기를 1번씩 뜹니다.

상단 부분에 짧은뜨기한 모습입니다.

모티브와 모티브를 연결할 예정입니다. 사슬 10코를 만듭니다.

새로운 모티브의 모서리에 바늘을 넣어 동일한 방법으로 짧은뜨기를 뜨기 시작합니다.

짧은뜨기를 뜬 모습입니다.

두 번째 모티브까지 연결한 모습입니다. 동일한 방식으로 모든 모티브를 연결합니다.

태슬 장식 달기

원하는 태슬 길이의 2배 정도가 되는 물체에 실을 20회 감고 실을 잘라 빼냅니다.

새로운 실을 넉넉하게 잘라 실뭉치 중앙을 2회 묶습니다.(세게 묶지 않아도 됩니다.)

태슬을 부착할 연결 끈 사슬 사이에 실을 통과시킵니다.

tip. 돗바늘을 이용하면 편리합니다.

통과시킨 실을 중앙을 묶은 실에 통과시킵니다.

2회 묶어 단단히 고정시킵니다.

실 뭉치를 절반으로 접어 잘 정리합니다.

새로운 실로 태슬 윗부분을 단단하게 8번 감습니다.

2번 매듭지어 단단하게 고정합니다.

단단히 묶는 과정에서 튀어나온 실은 돗바늘로 잘 숨깁니다.

끝부분을 가위로 자르고 깔끔하게 다듬습니다.

태슬이 완성된 모습입니다.

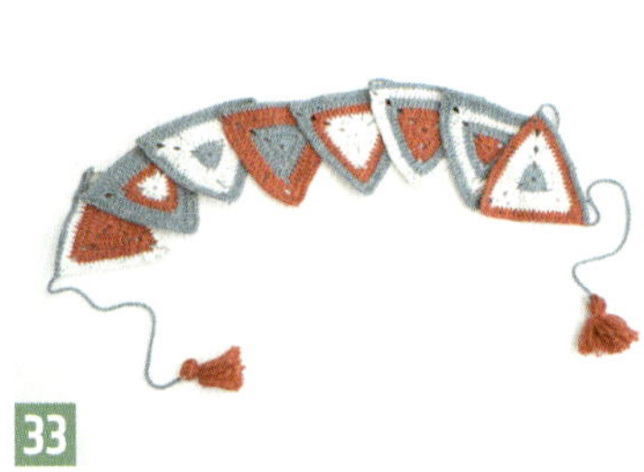

가랜드 양끝에 태슬이 달린 모습입니다.

ine on the sea

스트라이프 가랜드 ★★☆☆☆

도안 32p

삼각형 모티브에 스트라이프로 배색한 가랜드예요.
스트라이프 가랜드는 알록달록한 원색으로 배색해도 예쁘지만 2~3가지 무채색으로 배색해도 예쁘답니다.
가랜드에 들어가는 여러 가지 모티브는 서로 다르게 배색해야 함께 엮었을 때 더 예뻐요.

READY

뜨개 기법 사슬뜨기, 짧은뜨기, 짧은뜨기늘리기, 겹짧은뜨기, 빼뜨기

준비물 비엔나 2볼, 모사용코바늘 5/0호, 돗바늘, 가위

SIZE

HOW TO MAKE

시작하기 전 단을 줍는 위치를 확인합니다.

14단의 마지막 짧은뜨기를 뜰 때 테두리를 두를 검정실을 빼와 기둥코(사슬 1코)를 만듭니다.

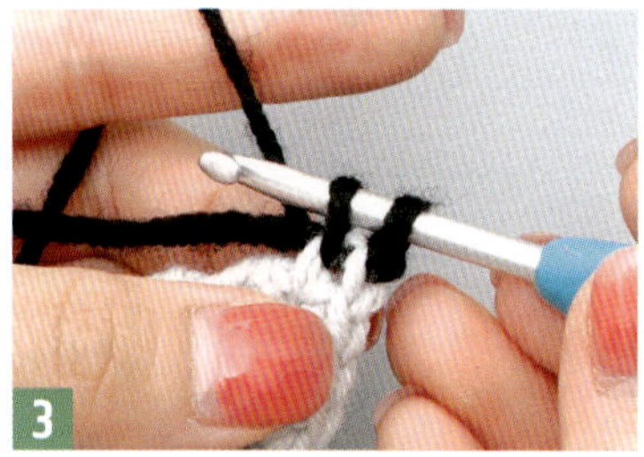

가장 윗단에 바늘을 넣어 짧은뜨기를 뜹니다.

가장 윗단은 모서리가 될 부분이므로 코를 늘리기 위해 같은 자리에 짧은뜨기를 1번 더 뜹니다.

다음 단부터는 짧은뜨기를 1번씩 뜹니다.

한 면을 모두 뜬 모습입니다.

삼각형 편물 첫 코에 짧은뜨기를 3번 뜹니다.

짧은뜨기를 3번 뜬 모습입니다.

동일한 방식으로 삼각형 편물의 테두리를 모두 뜬 모습입니다.

tip. 첫 코에 빼뜨기하여 테두리 1단을 마무리합니다.

기둥코(사슬 1코)를 만듭니다. 이제부터는 모든 코에 겹짧은뜨기를 뜰 예정입니다.

tip. 전 단에서 뜬 위치에 한 번 더 짧은뜨기를 뜹니다.

전 단에서 뜬 위치를 찾아 겹짧은뜨기를 뜹니다. 동일한 방식으로 끝까지 뜬 후 빼뜨기로 마무리합니다.

tip. 도안의 모서리 코 늘림 부분을 잘 확인하면서 지나치는 부분 없이 겹짧은뜨기로 마무리하세요.

라라 네트백 ★★☆☆☆ 도안 34p

구멍이 뚫려 여름에도 시원하게 들고 다닐 수 있는 네트백이에요. 사슬과 짧은뜨기로 그물 모양을 만들어
다른 가방보다 완성 시간이 짧아요. 그물 모양 가방은 잘 늘어나기 때문에 느슨하게 뜨지 않고 쫀쫀하게 뜨는 것이 좋아요.
가방이 덜 늘어나게 하고 싶거나 무거운 물건을 넣고 다니고 싶다면
가방 안쪽에 천을 덧대어 안감을 만들면 가방의 형태를 유지할 수 있답니다.

READY
뜨개 기법 매직링, 사슬뜨기, 짧은뜨기, 짧은뜨기늘리기, 빼뜨기
준비물 라스베가스 3볼, 모사용코바늘 4/0호, 돗바늘, 가위

SIZE

HOW TO MAKE

도안을 따라 10단까지 원형 바닥을 만든 모습입니다. 이제부터 그물무늬로 바디를 뜰 예정입니다.

기둥코(사슬 1코)를 만들고 첫 번째 코에 짧은뜨기합니다.

사슬 6코를 만듭니다.

한 코를 건너뛰고 짧은뜨기합니다.

그물이 1개 만들어졌습니다.

같은 방식으로 떠 나가는 모습입니다.

끝까지 돌아왔다면 첫 번째 짧은뜨기 머리에 빼뜨기합니다.

첫 번째 그물을 만든 사슬 6코 중 3코에 각각 빼뜨기합니다.

tip. 다음 단의 첫 코가 사슬 공간의 중앙에서 시작하도록 3번 빼뜨기하는 과정입니다.

빼뜨기를 3번 뜬 후 첫 코가 아치의 중앙으로 옮겨진 모습입니다.

기둥코(사슬 1코)를 만듭니다.

같은 자리에 짧은뜨기를 뜹니다.

tip. 여기에서는 사슬 머리를 줍지 않고 사슬 공간 아래에 바늘을 편하게 넣어 뜹니다.

짧은뜨기한 모습입니다.

다음 그물을 뜨기 위해 사슬 6코를 만듭니다.

옆 사슬 공간으로 이동하여 짧은뜨기합니다.

그물무늬가 만들어졌습니다. 도안을 따라 동일한 방법으로 그물뜨기를 완성합니다.

라탄 슬리퍼 ★★☆☆☆ 도안 36p

치앙마이 실로 만들어 라탄 소재 느낌이 나는 실내 슬리퍼예요.
발바닥 부분을 접어 앞코에 넣으면 접이식 슬리퍼가 되어 휴대하기도 편리하답니다.
겹짧은뜨기로 무늬를 내 밋밋하지 않고 발등의 태슬이 포인트가 되어 실내에서 신기 아까운 근사한 슬리퍼예요.

READY
뜨개 기법 매직링, 사슬뜨기, 짧은뜨기, 짧은뜨기늘리기, 겹짧은뜨기, 빼뜨기
준비물 치앙마이 4볼, 모사용코바늘 5/0호, 돗바늘, 가위

SIZE

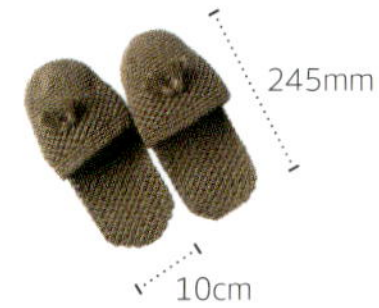

HOW TO MAKE

도안을 따라 28단까지 원통형으로 뜬 모습입니다. 29단부터는 발바닥 부분을 만들 예정입니다.

기둥코(사슬 1코)를 만듭니다.

편물을 뒤집습니다.

첫 코에 짧은뜨기를 뜹니다.

두 번째 코에 겹짧은뜨기를 뜹니다. 【69p】

도안을 따라 짧은뜨기와 겹짧은뜨기를 반복하며 15코를 뜬 모습입니다. 마지막은 짧은뜨기로 끝납니다.

30단은 29단과 반대로 첫 코를 겹짧은뜨기로 시작하여 짧은뜨기와 번갈아 뜹니다. 동일한 방식으로 단이 바뀔 때마다 편물을 뒤집어가며 떠 완성합니다.

프릴 러그 ★★½☆☆ 도안 38p

가장자리가 물결모양으로 완성되어 한 가지 실로 떠도 밋밋하지 않은 러그예요.
거실 러그로 쓸 수 있을 만큼 크기가 크지만 사용되는 뜨개 기법이 어렵지 않아 초보자도 어렵지 않게 완성할 수 있어요.
맨 마지막 단만 색을 다르게 하거나 짝수단, 홀수단에 사용하는 실 색을 다르게 하면
전혀 다른 분위기의 러그를 완성할 수 있답니다.

READY

뜨개 기법 매직링, 사슬뜨기, 짧은뜨기, 한길긴뜨기, 한길긴뜨기늘리기(2코, 3코, 5코), 한길긴4코늘리기(사이 사슬 1코), 빼뜨기

준비물 글로우패브릭얀 1000g, 점보코바늘 10mm, 돗바늘, 가위

[과정 이미지는 이해하기 쉽게 일반 실과 모사용코바늘로 작업하였습니다.]

SIZE

105cm

HOW TO MAKE

매직링으로 원형을 만들고 기둥코(사슬 3코)와 사슬 1코를 만듭니다.

원형 안에 한길긴뜨기를 1번 뜬 후 사슬 1코를 만듭니다. 이 과정을 10회 더 반복하여 총 12세트를 만든 후 첫 코에 빼뜨기합니다.

왼쪽 사슬 공간에 빼뜨기를 1회 더하여 시작 코의 위치를 옮겨줍니다.

기둥코(사슬 3코)를 만듭니다.

동일한 사슬 공간에 한길긴뜨기를 1번 뜬 후 사슬 1코를 만듭니다.

다음 사슬 공간부터는 한길긴뜨기늘리기 후 사슬을 1코씩 만듭니다.

6번 과정을 반복하여 끝까지 뜬 후 빼뜨기 합니다.

빼뜨기를 2회 더하여 시작코의 위치를 옮겨 줍니다.

tip. 전 단의 한길긴뜨기 머리에 빼뜨기를 한 번, 사슬 공간에 빼뜨기를 한 번 떠 시작코의 위치를 옮겨줍니다.

기둥코(사슬 3코)를 만듭니다.

기둥코를 만든 사슬 공간 위치에 한길긴뜨기를 2번 더 뜬 후 사슬 1코를 만듭니다.

다음 사슬 공간부터는 한길긴3코늘리기 후 사슬을 1코씩 만듭니다.

11번 과정을 반복하여 끝까지 뜬 후 빼뜨기 합니다.

빼뜨기를 3회 더하여 시작코의 위치를 옮긴 후 기둥코(사슬 3코)를 만듭니다.

tip. 전 단의 한길긴뜨기 머리마다 빼뜨기를 1번씩(총 2회), 사슬 공간에 빼뜨기를 1번 떠 시작코의 위치를 옮겨줍니다.

기둥코를 만든 사슬 공간 위치에 한길긴뜨기 1번, 사슬 1코, 한길긴뜨기 2번을 더 뜬 후 사슬 1코를 만듭니다.

다음 사슬 공간부터는 한길긴뜨기 2번, 사슬 1코, 한길긴뜨기 2번씩 뜬 후 사슬 1코를 만듭니다.

15번 과정을 반복하여 끝까지 뜬 후 빼뜨기로 마무리합니다.

tip. 동일한 방법으로 도안을 따라 16단까지 뜬 후 빼뜨기로 마무리합니다.

주방매트 ★★☆☆☆ 도안 40p

편물 가장자리에 술을 달아 포인트를 준 주방매트예요.
술을 만드는 방법을 익히면 파우치와 가방은 물론 쿠션 같은 소품에도 포인트를 줄 수 있답니다.

READY | **뜨개 기법** 사슬뜨기, 짧은뜨기, 한길긴뜨기, 한길긴4코늘리기(사이 사슬 1코), 빼뜨기
준비물 린넨100 5볼, 모사용코바늘 7/0호, 돗바늘, 가위

SIZE

HOW TO MAKE

술 장식 달기

1 A4 사이즈 정도의 책 가로 면에 실을 5회 감습니다.

2 책에서 실을 빼내어 절반으로 접습니다.

3 접은 실의 윗부분을 장식할 편물 공간의 아래에서 위로 넣습니다.

4 만들어진 고리로 실 끝부분을 넣어 매듭을 짓습니다.

5 실 끝 부분을 가위로 다듬어 마무리합니다.

블록 스티치 쿠션 ★★☆☆☆

도안 42p

올록볼록 재미있는 느낌을 주는 블록 스티치 쿠션이예요.
메인 컬러와 배색하는 컬러에 따라 느낌이 다르게 연출된답니다. 소파나 거실에 어울리는 컬러를 조합해보세요.
쿠션의 사이즈에 맞게 도안을 조절하기도 쉬워요.

READY

뜨개 기법 사슬뜨기, 짧은뜨기, 한길긴뜨기, 한길긴3코늘리기

준비물 포지타노(메인 컬러) 4볼, 포지타노(배색 컬러) 4볼, 나무단추 3개, 쿠션솜 40cm, 모사용코바늘 5/0호, 돗바늘, 가위

SIZE

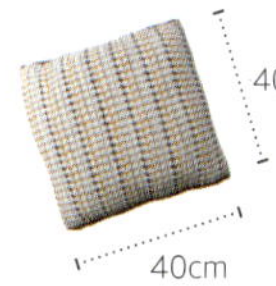

HOW TO MAKE

첫 번째 코와 두 번째 코 사이에 실을 걸어준 후 기둥코(사슬 1코)를 만듭니다.

tip. 모든 배색 컬러는 우측에서 좌측으로 떠줍니다.

짧은뜨기를 뜹니다.

사슬 2코를 만듭니다.

3코를 지나 네 번째 코와 다섯 번째 코 사이에 짧은뜨기를 뜹니다.

3~4번 과정을 끝까지 반복한 모습입니다.

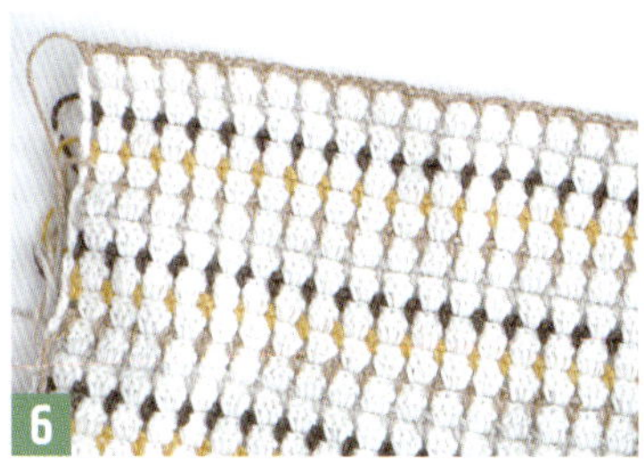

실을 잘라 마무리합니다.

기둥코(사슬 3코)를 만듭니다.

사슬 공간 아래에 바늘을 편하게 넣어줍니다.

사슬 공간 아래에 한길긴뜨기를 3번 뜹니다.

모든 사슬 공간에 한길긴뜨기를 3번씩 뜹니다.

마지막 코에도 잊지 않고 한길긴뜨기를 1번 떠 마무리합니다.

메인 컬러를 끝까지 뜬 모습입니다.

다시 우측으로 돌아가 배색 컬러를 시작합니다.

앞에서 설명한 것과 동일한 방법으로 배색 컬러를 끝까지 뜬 후 실을 잘라 돗바늘로 마무리합니다. 【80p】

PARIS
LA TOUR EIFFEL

여권커버 ★★☆☆☆ 도안 44p

사슬뜨기와 짧은뜨기만으로 만들 수 있는 여권커버예요.
두 가지 색으로 배색하고 버튼홀 스티치로 가장자리를 마무리해주면 세련된 커버가 완성된답니다.
모서리 부분은 버튼홀 스티치를 두 번 해주어야 모서리에 힘이 생기고 완성도도 높아진다는 것을 기억하세요.

READY

뜨개 기법 사슬뜨기, 짧은뜨기

준비물 포지타노 2볼, 모사용코바늘 5/0호, 돗바늘, 가위

SIZE

18cm

13cm

HOW TO MAKE

단이 시작되는 위치에 기둥코(사슬 1코)를 만든 모습입니다.

사용하지 않는 컬러의 실은 사진과 같이 실 사이에 숨겨가며 가지고 다닙니다.

짧은뜨기를 2번 뜬 후 세 번째 짧은뜨기에서는 미완성 상태로 남겨둡니다. 배색을 원하는 위치 바로 전 단계에서 배색할 실을 빼내올 예정입니다.

tip. 짧은뜨기 마지막 단계(실을 빼내오는 단계)에서 멈춘 상태를 '미완성짧은뜨기'라고 합니다.

배색할 흰색 실을 꺼내왔습니다. 회색 컬러는 3코까지 떠진 상태입니다.

흰색 실로 배색할 예정이므로 회색 컬러 실은 사이에 숨겨가며 뜹니다.

tip. 컬러별로 앞/뒤 위치가 바뀌지 않도록 임의로 위치를 정해주세요. 정해진 위치에서만 실을 사용하면 꼬이지 않습니다.

흰색 실로 1코 뜬 모습입니다.

흰색 컬러로 총 3코만 뜰 예정이므로 2코를 뜬 후 3번째 코에서는 미완성짧은뜨기를 합니다.

회색 실을 꺼내와 짧은뜨기를 마무리합니다. 흰색 컬러로 3코 떠진 모습입니다.

이해하기 쉽게 도안에 표시된 대로 섹션을 나누어 흰색 실로 표시한 상태입니다. 한 쪽 면을 접어 꿰맬 준비를 합니다.

편물을 뒤집어 앞쪽 편물에 바늘을 넣습니다.

실을 천천히 당겨줍니다.

첫 스티치를 만들 차례입니다. 우측 끝부분 편물에 바늘을 넣어 편물 2장을 한꺼번에 통과합니다.

실은 바늘의 좌측 뒤로 보냅니다.

바늘을 빼냅니다.

스티치 1개가 만들어졌습니다.

가장자리 부분은 단단하게 만들기 위해 같은 위치에 스티치를 1번 더 만듭니다.

좌측으로 2코 옮겨 바늘을 넣습니다.

동일한 방법으로 실을 바늘의 좌측 뒤로 보냅니다.

바늘을 빼냅니다. 두 번째 스티치가 만들어졌습니다.

동일한 방식으로 편물을 접어가며 꿰매줍니다.

목걸이 카드지갑 ★★☆☆☆

도안 46p

사원증과 명함, 카드까지 넣을 수 있는 목걸이 지갑이에요. 중간중간 사슬로 공간을 만들어주어 답답하거나 더워보이는 느낌이 없어 사계절 내내 사용할 수 있어요. 목걸이를 만들 인조가죽 끈이 없어도 걱정하지 마세요. 지갑을 만들고 남은 실을 활용해 사슬뜨기로 목걸이 끈을 만들어주면 좀 더 따뜻한 느낌이 나는 작품으로 완성할 수 있답니다.

READY

뜨개 기법 사슬뜨기, 짧은뜨기, 짧은뜨기늘리기, 한길긴뜨기, 빼뜨기

준비물 린넨100 10g, 인조가죽 끈, 모사용코바늘 6/0호, 돗바늘, 가위

SIZE

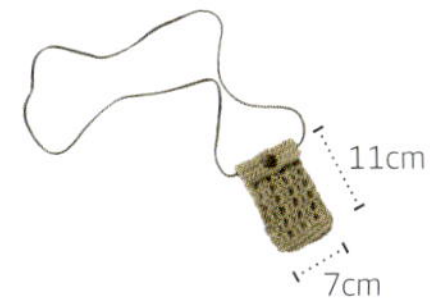

HOW TO MAKE

우측 상단 위치의 구멍에 끈을 묶을 예정입니다. 끈이 안에서 밖으로 나가도록 방향을 잡습니다.

끈이 풀리지 않도록 단단하게 매듭지어줍니다. 매듭은 자연스럽게 안쪽으로 들어가게 됩니다.

좌측 상단도 같은 방법으로 끈을 묶어줍니다. 마찬가지로 끈이 안에서 밖으로 나가도록 방향을 잡습니다.

같은 방식으로 묶으면 매듭이 안쪽으로 들어갑니다.

미니 숄 ★★★☆☆ 도안 48p

찬바람이 불어오는 계절 어깨를 포근하게 감싸주는 미니 숄이에요.
크지 않아 휴대하기도 좋고 무릎담요 대용으로도 사용할 수 있답니다.
뜨개 기법이 단순하고 두꺼운 실로 금방 뜰 수 있어 초보자도 쉽게 완성할 수 있어요.

READY
뜨개 기법 사슬뜨기, 짧은뜨기, 한길긴뜨기, 빼뜨기
준비물 클라우드얀 2볼, 점보코바늘 10mm, 돗바늘, 가위

SIZE

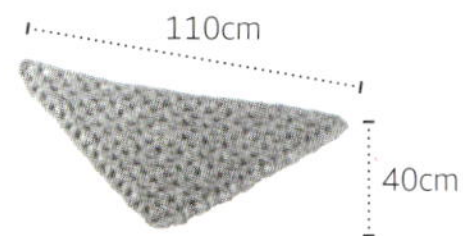

HOW TO MAKE

시작

사슬 69코를 만듭니다.

1단

사슬 5코를 추가로 뜹니다. 총 74코가 만들어졌습니다.

10번째 코에 짧은뜨기합니다.

사슬 4코를 만듭니다.

시작 단의 사슬 3코를 건너뛰고 4번째 코에 짧은뜨기합니다. 이 과정을 마지막 4코가 남을 때까지 반복합니다.

마지막 4코가 남은 상태입니다.

사슬 2코를 만든 후 마지막 코에 한길긴뜨기로 마무리합니다.

한길긴뜨기로 1단을 마무리한 모습입니다. 이 과정에서 양끝 코가 줄어들게 됩니다.

2~16단

사슬 5코를 만듭니다.

편물을 뒤집습니다.

다음 사슬 공간에 짧은뜨기합니다. 1단과 동일한 방법으로 마지막 사슬 전까지 뜹니다.

tip. 코를 줍지 않고 사슬 공간에 편하게 바늘을 넣으세요.

마지막 사슬 공간이 남은 모습입니다. 사슬 2코를 뜬 후 1단의 가운데 사슬코에 한길긴뜨기로 마무리합니다.

tip. 한길긴뜨기로 마무리할 때는 사슬 공간에 뜨지 않고 가운데 사슬(3번째)코에 한길긴뜨기로 마무리해야 반듯한 역삼각형 모양으로 숄이 완성됩니다.

1단의 가운데 코에 한길긴뜨기로 마무리한 모습입니다. 동일한 방식으로 16단까지 완성합니다.

17단

마지막 17단을 뜨기 위해 사슬 5코를 만들고 실을 잘라줍니다.

돗바늘에 실을 꿰어 아랫단 사슬 가운데(3번째)코에 넣어줍니다.

깔끔하게 마무리된 모습입니다. 남은 실은 잘 숨겨줍니다.

바스티유 클러치 ★★☆☆☆ 도안 50p

탄탄한 패브릭얀으로 만들어진 사계절 클러치입니다.
간단한 소지품만 챙기고 싶을 때 간편하게 활용이 가능합니다. 모노톤의 컬러로 완성하게 되면
어느 코디에나 무난하게 잘 어울리며, 컬러풀한 컬러로 완성하면 밋밋한 패션에 포인트 주기에 안성맞춤입니다.

READY
뜨개 기법 사슬뜨기, 짧은뜨기, 이랑뜨기, 빼뜨기
준비물 패브릭얀 500g, 트윙클 1볼, 점보코바늘 12mm, 스냅단추 2쌍, 돗바늘, 가위

[완성 이미지는 패브릭얀과 트윙클 2가닥을 함께 잡고 뜬 형태입니다.]

SIZE

HOW TO MAKE

테두리 연결-덮개

1 편물을 끝까지 뜬 후 실을 자르지 않고 사진과 같이 접어줍니다. 입구에서부터 6번째 코를 찾아주세요.

2 6번째 코에 바늘을 넣은 모습입니다.

3 1번 과정에서 자르지 않고 남겨두었던 실을 꺼내옵니다. 편물의 일부가 살짝 연결되었습니다.

4 왼쪽으로 이동하면서 남은 코마다(총 5코) 빼뜨기를 떠줍니다.

5 모서리까지 빼뜨기로 마무리되었다면 둥근 모서리로 만들기 위해 사슬 1코를 만들어줍니다.

6 도안을 따라 덮개 윗면까지 빼뜨기로 마무리하고 사슬 1코를 만들어준 모습입니다.

반대쪽 모서리도 동일하게 사슬 1코를 만들어줍니다.

4번 과정과 동일한 방식으로 빼뜨기를 6번 떠줍니다.

덮개 부분 테두리를 모두 뜬 모습입니다. 모서리가 둥글게 완성되었습니다.

테두리 연결-옆면

오른쪽 옆면을 연결할 예정입니다. 도안을 따라 가방 바디가 될 부분의 편물을 겹친 상태로 빼뜨기로 연결합니다.

도안을 따라 가방의 오른쪽 옆면을 빼뜨기로 연결해줍니다.

가방의 오른쪽 옆면이 연결된 모습입니다.

실을 잘라 편물의 안쪽으로 잘 숨겨줍니다.

가방의 왼쪽 옆면 하단에도 실을 걸어 도안을 따라 빼뜨기로 연결해줍니다.

가방의 왼쪽 옆면까지 연결했다면 실을 자른 후 바늘을 당겨 실을 빼줍니다.

16

가방 덮개의 빼뜨기 부분과 만나는 지점에서 돗바늘로 마무리합니다.

단추 부착

17

덮개와 몸통 가장자리에 스냅단추 1쌍을 부착합니다. 반대편에도 스냅단추 1쌍을 부착합니다.

18

일반 실과 바늘을 이용해 튼튼하게 달아 마무리합니다.

하비스트 복조리백 ★★☆☆☆

도안 52p

귀여운 복조리 모양의 크로스백이에요. 몸통과 입구 부분의 뜨개 기법을 달리해 한 가지 실로만 떠도 단조롭지 않고 멋스러워요. 늘어짐이 없는 라탄 소재의 실을 사용하고 안감까지 만들어주면 무거운 물병을 넣어도 쳐지지 않고 복조리 모양을 예쁘게 유지할 수 있어요.

READY

뜨개 기법 매직링, 사슬뜨기, 짧은뜨기, 짧은뜨기늘리기, 짧은뜨기줄이기, 겹짧은뜨기, 되돌아짧은뜨기, 빼뜨기

준비물 치앙마이 2볼, 안감 면, 가방 바닥 부자재, 모사용코바늘 5/0호, 돗바늘, 가위, 일반 실과 바늘

SIZE

HOW TO MAKE

스트랩

편물을 절반으로 접어 스트랩을 만들 위치에 단수링을 걸어 표시합니다.

tip. 272p 새우뜨기를 참고해 원하는 길이만큼 가방끈을 만들어줍니다.

돗바늘을 이용하여 가방 안쪽에 스트랩을 꿰매어 연결합니다.

tip. 가방 바닥 부자재를 둥글게 잘라 바닥에 꿰매면 바닥이 처지지 않습니다.

안감

안감을 3cm 정도 올라오게 넣은 후 움직이지 않도록 시침핀으로 고정시킵니다.

45단의 아래쪽 위치에 바늘을 넣어 박음질하여 마무리합니다.

tip. 일반 실과 바늘을 사용합니다.

라라스퀘어백 ★★☆☆☆ 도안 54p

체인 장식과 태슬이 멋스러운 사각 크로스백이에요. 한 번에 뜨는 납작한 형태가 아닌 사각 편물들을 연결하여 완성하는 형태라 입체감 있고 가방의 형태도 더 잘 잡히는 디자인이에요. 사계절 내내 들 수 있고 어느 옷에나 잘 어울려 매일매일 들고 다니기 좋답니다.

READY

뜨개 기법 사슬뜨기, 짧은뜨기, 이랑뜨기, 이랑뜨기늘리기, 이랑뜨기줄이기, 빼뜨기

준비물 라스베가스 3볼, 모사용코바늘 5/0호, 체인 120cm, 스냅단추 1쌍, 돗바늘, 가위

SIZE

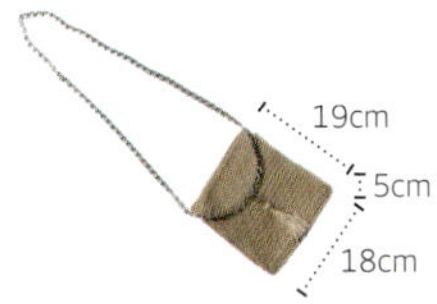

HOW TO MAKE

덮개 우측 부분부터 실을 걸어 짧은뜨기로 테두리 뜨기를 시작합니다.

tip. 기둥코를 만들지 않고 짧은뜨기로 바로 뜹니다.

덮개 편물 왼쪽과 오른쪽 부분은 1단마다 짧은뜨기를 1코씩 뜹니다.

덮개 편물 상단 부분은 1코마다 짧은뜨기를 1코씩 뜹니다.

덮개 좌측 끝까지 짧은뜨기로 테두리를 만든 모습입니다.

마지막 단에 짧은뜨기를 한 후 빼뜨기하여 테두리 뜨기를 마무리합니다.

덮개 가장 바깥쪽 사슬 머리를 1가닥씩 주워가며 연결해줍니다. 체인을 덮개 뒤쪽에 놓고 돗바늘로 체인 1칸에 3땀씩 연결해줄 예정입니다.

tip. 덮개를 열어 안쪽을 마주본 상태로 시작합니다. 사슬 머리 전부가 아닌 1가닥(사슬 반코)만 주워가며 연결해주세요.

사슬 머리 1가닥씩 주워가며 쭉 연결해준 모습입니다.

체인 1칸에 3땀을 뜬 모습입니다.

모든 체인에 3땀씩 연결하며 진행해줍니다.

끝까지 연결한 후 양끝에 체인을 걸어 스트랩을 만듭니다.

파이니네트백 ★★☆☆☆ 도안 56p

상큼한 파인애플을 닮은 귀여운 크로스백이에요.
밋밋한 옷에 포인트를 주기에도 좋고 크로스 끈을 짧게 만들어 아이들 가방으로 만들어도 귀여운 아이템이에요.
파이니네트백에는 일반 단추보다 갈색 떡볶이단추로 마무리해주는 게 가장 잘 어울린답니다.

READY

뜨개 기법 매직링, 사슬뜨기, 짧은뜨기, 긴뜨기, 한길긴뜨기, 한길긴뜨기늘리기(2코, 3코, 4코), 한길긴뜨기줄이기, 두길긴뜨기, 빼뜨기

준비물 피사코튼 2볼, 모사용코바늘 5/0호, 돗바늘, 가위, 떡볶이단추(25mm) 1개

SIZE

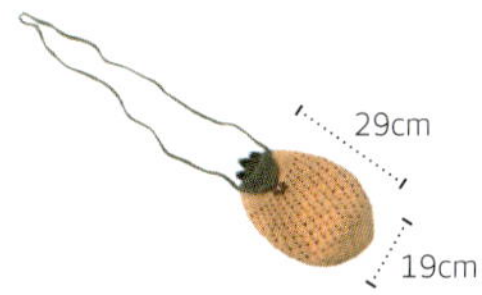

HOW TO MAKE

기둥코(사슬 1코)를 만듭니다.

한길긴뜨기 머리마다 짧은뜨기를 1번씩 뜹니다.

V자 입구가 시작되는 부분입니다.

가장 위쪽의 한길긴뜨기 다리에는 짧은뜨기를 3번 뜹니다.

한길긴뜨기 다리에 짧은뜨기를 3번 뜬 모습입니다.

V자 입구 마지막 기둥을 제외한 모든 사슬 공간과 한길긴뜨기 기둥에 짧은뜨기를 2번씩 뜹니다.

V자 입구 마지막 한길긴뜨기 다리에는 짧은뜨기를 3번 뜨고 머리에는 짧은뜨기를 1번 뜬 후 빼뜨기로 마무리합니다.

완성한 가방 덮개를 원하는 위치에 대어 봅니다.

돗바늘에 실을 꿰어 일자로 감침질합니다. 【104p】

끝까지 감침질하고 바늘을 뒤쪽으로 보내줍니다.

감침질한 뒷모습입니다. 아래쪽 둥근 부분은 고정되지 않은 상태입니다.

우측 하단부터 동일한 방법으로 감침질하여 연결합니다.

끝까지 연결했다면 실을 안쪽에 잘 숨겨 마무리합니다.

단추 고리를 만들 예정입니다. 뚜껑 앞쪽 중앙 부분에 실을 걸어줍니다.

사슬 7코를 만든 후 실을 자르고 실 끝을 돗바늘에 꿰어줍니다.

고리를 만들기 위해 실을 걸었던 위치에 바늘을 넣습니다.

고리가 만들어졌습니다.

덮개 안쪽에서 실을 2회 묶어 마무리합니다.

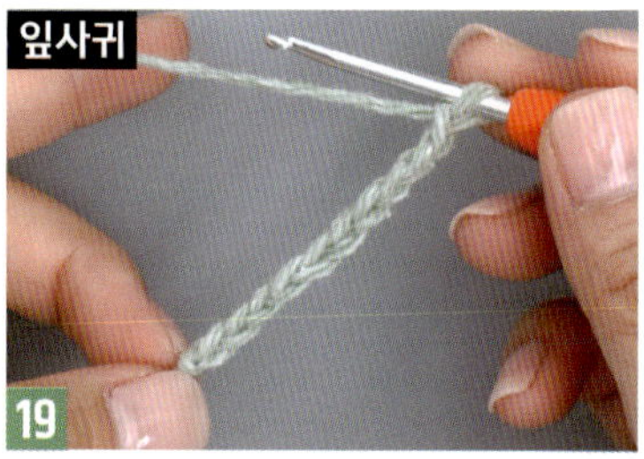

사슬 10코를 만듭니다.

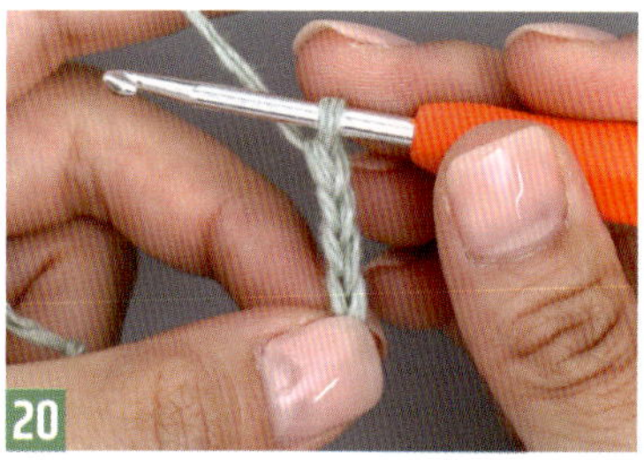

두길긴뜨기를 뜨기 위해 기둥코(사슬 4코)를 더 만듭니다.

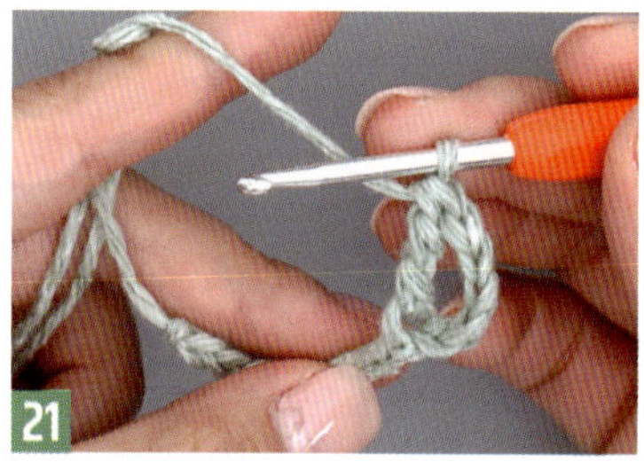

사슬 반 코(1가닥)를 주워 코에 두길긴뜨기를 뜹니다.

두길긴뜨기 3번(기둥코 포함), 한길긴뜨기 3번을 뜬 모습입니다.

다음 코에 긴뜨기를 2번 뜹니다.

남은 두 코에 짧은뜨기를 2번 뜨고 사슬 1코를 만들어줍니다.

편물을 180도 돌려 반대편을 뜨기 시작합니다.

동일한 방법으로 도안을 따라 반대편과 대칭이 되도록 끝까지 떠줍니다.

도안을 따라 잎사귀 3장이 만들어졌습니다. (작은 잎사귀 2장, 큰 잎사귀 1장) 사진과 같은 모양으로 편물을 연결할 예정입니다.

편물마다 마무리되지 않은 남은 실로 옆면을 감침질합니다.

산 모양으로 연결된 모습입니다.

가방 덮개 뒷부분에 연결한 잎사귀를 대 모양을 체크합니다.

사진과 같은 위치에 잎사귀를 부착할 예정입니다.

덮개에 잎사귀를 감침질해 마무리합니다.

실을 원하는 스트랩 길이의 2배만큼 자릅니다. 덮개 왼쪽 모서리 부분에 실을 안에서 밖으로 빼냅니다.

실을 뺀 모습입니다.

덮개 오른쪽 모서리 부분도 마찬가지로 실을 안에서 밖으로 빼냅니다.

왼쪽과 오른쪽 실 끝을 모아 매듭을 짓습니다.

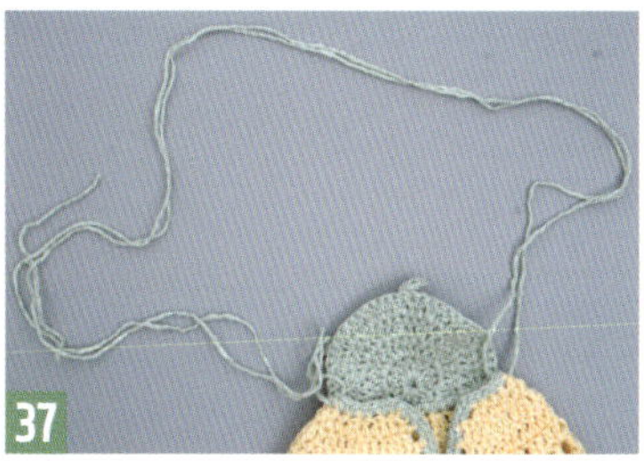

사진과 같이 두 겹의 실이 위치하게 되었습니다.

오른쪽 모서리에서 나오는 실 2가닥을 함께 잡고 새 실을 걸어줍니다.

기둥코를 만들지 않고 짧은뜨기를 시작합니다.

짧은뜨기를 떠 나가는 모습입니다. 반대편 끝까지 짧은뜨기로 스트랩을 뜬 후 남은 실을 숨겨 마무리합니다.

와플 컵홀더 ★★★☆☆ 도안 62p

올록볼록한 격자 무늬가 와플을 쏙 빼닮은 컵홀더예요. 입체적인 무늬라 컵을 더 편하게 잡을 수 있답니다. 주방 인테리어 소품으로도 근사한 이 컵홀더는 컵의 크기에 따라 시작하는 사슬 수를 3의 배수로만 맞추면 어떤 모양의 컵에도 꼭 맞는 사이즈로 완성할 수 있어요.

READY

뜨개 기법 사슬뜨기, 짧은뜨기, 한길긴뜨기, 한길긴앞걸어뜨기, 한길긴뒤걸어뜨기, 되돌아짧은뜨기, 빼뜨기

준비물 피사코튼 1볼, 모사용코바늘 4/0호, 돗바늘, 가위

SIZE

HOW TO MAKE

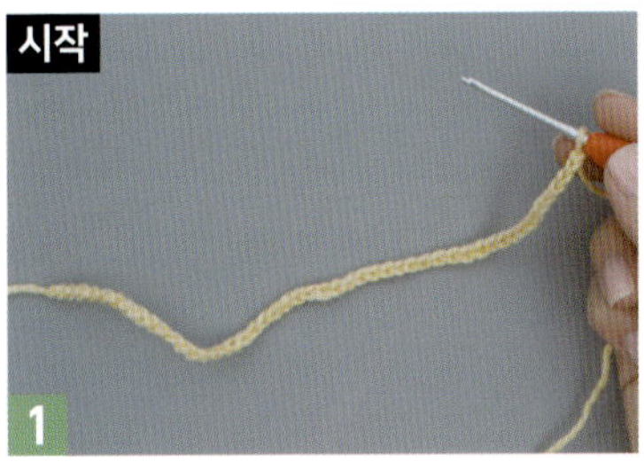

사슬 48코를 만듭니다.

첫 코에 빼뜨기합니다.

커다란 원형이 만들어졌습니다.

기둥코(사슬 3코)를 만듭니다.

모든 사슬에 한길긴뜨기한 후 첫 코에 빼뜨기하여 1단을 마무리합니다. 기둥코를 포함해 총 48코가 됩니다.

기둥코(사슬 3코)를 만듭니다.

편물을 뒤집어 젖힌 후 전 단에서 떴던 한길긴뜨기 다리를 잡아 한길긴뒤걸어뜨기를 뜹니다. 【74p】

tip. '한길긴뒤걸어뜨기'는 전 단의 머리가 아닌 다리를 감아 뜨는 기법입니다. 뒤걸어뜨기이므로 기둥 뒤쪽에서 바늘을 넣고 뜹니다.

한길긴뒤걸어뜨기 2코를 뜬 모습입니다.

도안을 따라 한길긴뜨기 1번, 한길긴뒤걸어뜨기 2번을 반복한 후 빼뜨기한 모습입니다.

기둥코(사슬 3코)를 만듭니다.

한길긴뜨기 2코를 뜹니다.

전 단에서 떴던 한길긴뜨기 다리를 걸어 한길긴앞걸어뜨기를 뜹니다. 【73p】

tip. '한길긴앞걸어뜨기'도 마찬가지로 전 단의 머리가 아닌 다리를 감아 뜨는 기법입니다. 앞걸어뜨기이므로 다리 앞쪽에서 바늘을 넣고 뜹니다.

앞걸어뜨기를 하여 코가 앞 쪽으로 돌출된 모습입니다.

도안을 따라 한길긴앞걸어뜨기 1번, 한길긴뜨기 2번을 반복한 후 빼뜨기한 모습입니다.

짝수단은 2단과 동일한 방법으로, 홀수단은 3단과 동일한 방법으로 8단까지 떠줍니다.

기둥코(사슬 1코)를 만든 후 모든 코에 짧은뜨기를 뜹니다.

빼뜨기로 마무리한 모습입니다.

되돌아짧은뜨기를 하기 위해 기둥코(사슬 1코)를 만듭니다.

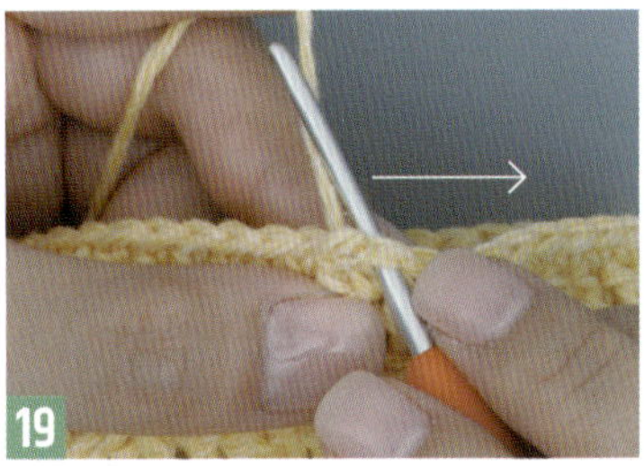

왼쪽 방향이 아닌 오른쪽 방향으로 짧은뜨기를 할 예정입니다. 마지막 코에 바늘을 넣습니다.

tip. 왼쪽 방향이 아닌 오른쪽 방향으로 짧은뜨기 하는 것을 '되돌아짧은뜨기'라고 합니다.

실을 가지고 나와 짧은뜨기를 뜹니다.

tip. 실을 살짝 늘리면서 뜨면 완성된 모양이 더 예쁩니다.

1코가 완성된 모습입니다.

되돌아짧은뜨기로 끝까지 반복해서 뜬 후 실을 잘라 빼냅니다.

돗바늘에 실을 꿰어 실을 뒤쪽으로 보냅니다.

tip. 빼뜨기로 마무리해도 좋습니다.

편물 안쪽에 실을 숨겨 마무리합니다.

플라워 드림캐처 ★★★☆☆

도안 64p

하늘하늘한 레이스와 깃털이 바람에 흔들거리는 모습이 아름다운 드림캐처예요.
드림캐처는 원형 틀 안의 매듭지어진 실들이 악몽을 걸러내 좋은 꿈만 꾸게 해준다는 의미가 담겨있어요.
링 아래 늘어뜨리는 레이스와 깃털에 따라 다른 느낌을 연출할 수 있어요. 뜨개 실로 나뭇잎 모양을 만들어도 예쁘답니다.

READY

뜨개 기법 매직링, 사슬뜨기, 짧은뜨기, 한길긴뜨기, 한길긴뜨기줄이기, 한길긴2코구슬뜨기, 빼뜨기

준비물 포지타노 1볼, 메탈 링, 레이스 끈, 인조가죽 끈, 공단 리본, 깃털, 모사용코바늘 4/0호, 돗바늘, 가위, 양면테이프

SIZE

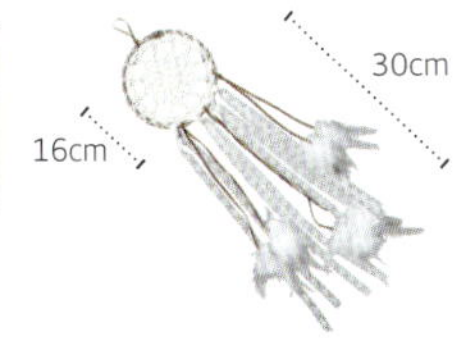

HOW TO MAKE

링

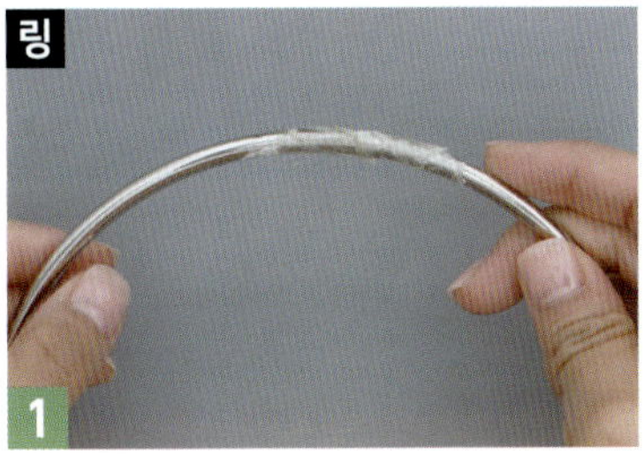

1 링 한쪽에 양면테이프를 감아줍니다.

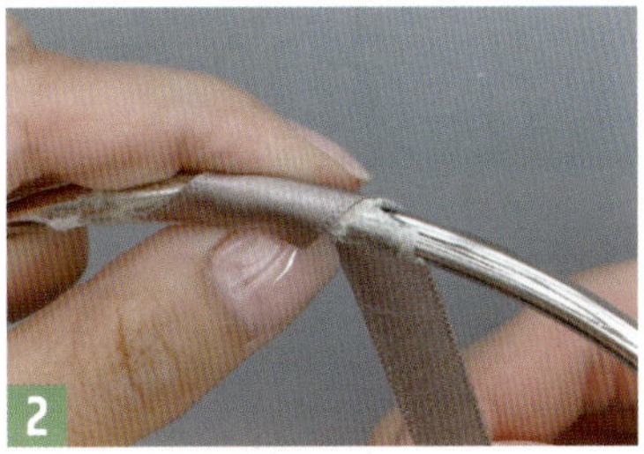

2 원하는 컬러의 리본을 넉넉한 길이로 잘라 링에 감아줍니다.

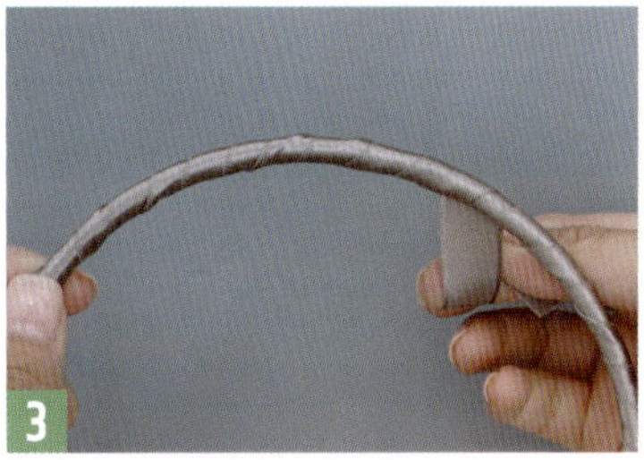

3 양면테이프를 감은 곳까지 감아 고정한 후 리본을 잘라줍니다.

tip. 리본 끝부분이 떨어져 지저분하게 보이지 않도록 양면테이프나 접착제를 이용해 꼼꼼하게 마무리해주세요.

7단

4 6단까지 완성한 편물을 링과 연결할 예정입니다. 사슬 5코를 만듭니다.

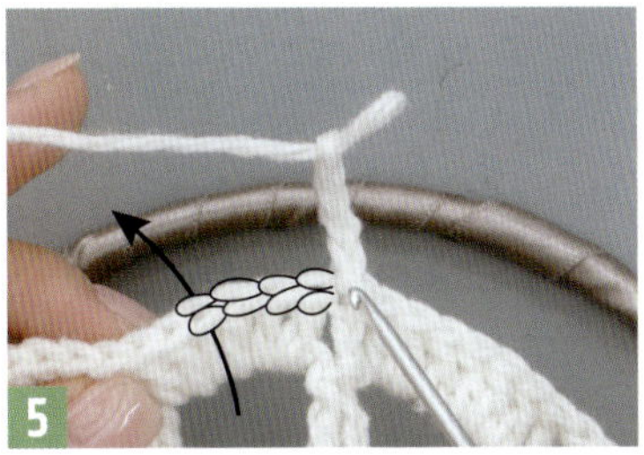

5 코를 살짝 늘려둔 채 바늘을 뺍니다. 3코를 건너뛰고 네 번째 코에 바늘을 넣을 예정입니다.

6 네 번째 코에 바늘을 넣은 모습입니다.

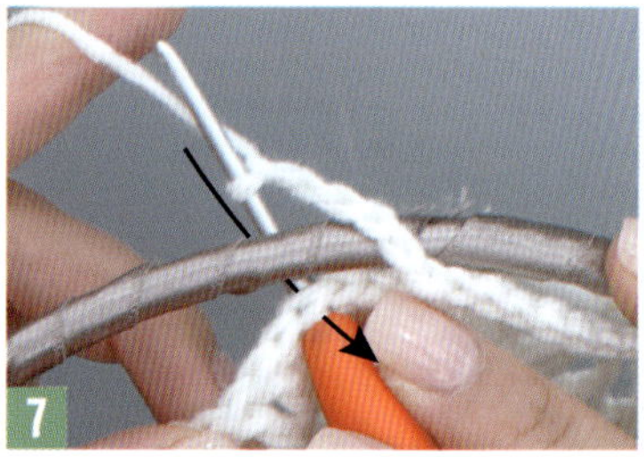

늘려둔 코에 바늘을 넣고 잡아뺍니다.

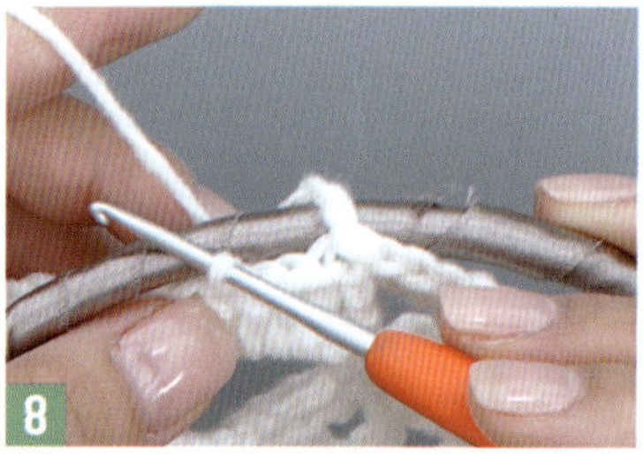

사슬이 연결되면서 링과 함께 고정된 모습입니다.

동일한 방법으로 끝까지 반복합니다.

끝까지 뜨고 실을 자른 후 돗바늘을 이용해 실을 뒤쪽으로 잘 숨겨줍니다.

리본을 원하는 길이로 접어 준비합니다. 꼭 절반으로 접지 않아도 좋습니다.

접은 끝 부분을 원하는 위치의 링 공간에 끼워줍니다.

고리 사이로 레이스 리본 아랫부분을 빼오면 사진과 같이 링에 고정됩니다.

레이스 리본을 원하는 위치에 원하는 길이로 자유롭게 꾸며줍니다.

인조가죽 끈도 레이스 리본과 동일한 방법으로 연결합니다.

인조가죽 끈의 끝 부분은 깃털로 장식할 예정입니다.

글루건 또는 스테이플러로 인조가죽 끈과 깃털을 붙여주세요.

tip. 스테이플러로 연결할 경우 깃털을 여러 장 겹쳐 풍성하게 만들어주면 스테이플러를 숨길 수 있습니다.

드림캐처를 매달 수 있는 고리를 만들 예정입니다. 인조가죽 끈을 원하는 고리 길이만큼 잘라 반으로 접어줍니다.

중간에 매듭을 지어줍니다.

고리가 앞 쪽으로 나오도록 위치시킨 후 끈을 뒤쪽으로 보냅니다.

드림캐처 뒤쪽에서 2회 매듭지어줍니다.

가위로 깔끔하게 잘라 마무리합니다.

소프트 티슈커버 ★★★☆☆ 도안 66p

보송보송한 앙고라 소재로 포근한 분위기를 내는 소품입니다.
실용성은 물론이고, 인테리어 소품으로도 활용도가 높습니다. 코끝 시린 겨울 날씨에 따스한 감성을 더해보세요.

READY
뜨개 기법 사슬뜨기, 한길긴뜨기, 한길긴5코늘리기, 빼뜨기
준비물 소프트스완 2볼, 모사용코바늘 8/0호, 돗바늘, 가위

SIZE

HOW TO MAKE

사슬 50코를 만든 후 첫 번째 코에 빼뜨기하여 커다란 원형을 만듭니다.

기둥코(사슬 3코)를 만든 후, 사슬 반 코를 주워가며 한길긴뜨기를 10번 뜹니다.

12번째 코에 사슬 반 코를 주워 한길긴뜨기를 5번 뜹니다. 모서리 각이 만들어진 모습입니다.

다음 코에 사슬 반 코를 주워 한길긴뜨기를 1번 뜹니다.

다음 코에 사슬 반 코를 주워 한길긴뜨기를 5번 뜹니다. 두 번째 모서리 각이 만들어진 모습입니다.

도안을 따라 동일한 방법으로 1단을 끝까지 뜬 후 빼뜨기하면 사진과 같이 완성됩니다.

도안을 따라 기둥코(사슬 3코)를 만들고 모서리를 제외한 부분에 한길긴뜨기를 1번씩 뜹니다.

모서리는 전 단 모서리의 가운데 코를 찾아 한길긴뜨기를 5번 떠 모서리 각을 만들어줍니다.

2단의 모서리에 각이 생긴 모습입니다.

2단이 완성된 모습니다.

tip. 동일한 방식으로 3~4단까지 뜹니다. 5단부터는 모서리 부분 포함 모든 코에 한길긴뜨기를 1번씩 뜬 후 빼뜨기로 마무리합니다.

도토리 책갈피 ★★★☆☆

도안 47p

앙증맞은 도토리 책갈피예요.
독서의 계절, 가을 분위기와 잘 맞는 도토리 책갈피는 책 읽는 기분을 더 들뜨게 만들어 줍니다.
금방 완성할 수 있어 선물용으로도 좋아요.

READY

뜨개 기법 매직링, 짧은뜨기, 짧은뜨기늘리기, 긴뜨기, 한길긴뜨기, 빼뜨기

준비물 피사코튼(2가지 컬러) 각각 10g씩, 모사용코바늘 5/0호, 돗바늘, 가위

SIZE

HOW TO MAKE

매직링을 만든 후 기둥코(사슬 1코)를 만들고 짧은뜨기를 6번 떠 원형을 만듭니다.

기둥코(사슬 1코)를 만든 후 코마다 한길긴뜨기늘리기를 합니다.

빼뜨기로 마무리합니다.

3~5단은 도안을 따라 늘리기 없이 한 코에 짧은뜨기를 1번씩 떠 오목한 모양으로 완성합니다.

도안을 따라 동일한 방식으로 3단까지 떠 도토리 모자 부분을 만들어줍니다.

사슬뜨기로 원하는 길이만큼 끈을 만들어줍니다. 끝부분은 나뭇잎 모양을 만들어줄 예정입니다.

나뭇잎

7 마지막으로 뜬 사슬의 반 코만 주워 빼뜨기 합니다.

8 두 번째 코에 짧은뜨기를 뜹니다.

9 세 번째 코에 긴뜨기를 뜹니다.

10 네 번째 코에 한길긴뜨기를 뜹니다.

11 대칭이 되도록 한길긴뜨기, 긴뜨기, 짧은뜨기를 1번씩 떠 나뭇잎을 완성합니다.

12 사슬 1코를 뜨고 반대쪽 사슬 반 코 위치로 이동합니다.

13 먼저 떴던 나뭇잎 반쪽과 동일한 방법으로 뜹니다.

14 대칭이 되게 떠서 나뭇잎이 완성되었습니다. 실을 잘 숨겨 마무리합니다.

연결

15 사슬 끝부분을 도토리 안쪽으로 넣습니다.

쭉 당겨서 사슬뜨기 부분까지 안쪽으로 들어오게 합니다.

커다랗게 매듭지어 바깥으로 빠지지 않게 합니다.

남은 실들을 안쪽에 잘 넣어 통통하게 만듭니다.

도토리 모자의 남은 실을 돗바늘에 꿰어 바디와 연결하기 시작합니다.

차근차근 옆으로 이동하며 감침질로 연결합니다. 【104p】

tip. 콧수가 1:1로 딱 맞아떨어지지 않으니, 맞닿아 있는 코에 울지 않게만 연결하면 됩니다.

끝까지 연결했다면 도토리에 바늘을 통과시킵니다.

실이 바깥으로 나왔습니다.

실을 바짝 잘라 마무리합니다.

네키 목도리 ★★★☆☆ 도안 68p

고리에 쏙 넣기만 하면 고정이 되는 네키 목도리는 겨울철 필수 아이템이에요.
크기는 작지만 목을 따뜻하게 만들어 몸 전체를 훈훈하게 만들어 주는 고마운 제품입니다.

READY | **뜨개 기법** 사슬뜨기, 짧은뜨기, 한길긴뜨기, 한길긴뜨기늘리기, 한길긴뜨기줄이기
준비물 포지타노 2볼, 모사용코바늘 5/0호, 돗바늘, 가위

SIZE

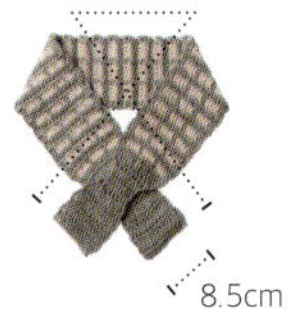

HOW TO MAKE

15단-배색

1 세 번째 코부터 실 색을 바꿔야 하므로 두 번째 코 한길긴뜨기 가장 마지막 단계에서 새 실을 꺼내옵니다. [75p]

2 새로운 색의 실을 꺼낸 모습입니다.

3 한길긴뜨기를 3번 뜨고 네 번째 한길긴뜨기 마지막 단계에서 다시 회색실을 꺼내옵니다.

tip. 사용하지 않는 컬러의 실은 가운데에 숨겨가며 뜹니다.

4 회색 실을 꺼내온 모습입니다.

5 회색 실로는 1코만 뜰 예정이므로 한길긴뜨기 마지막 단계에서 다시 분홍색 실을 꺼내옵니다.

6 분홍색 실을 꺼내온 모습입니다.

동일한 방식으로 도안을 따라 끝까지 뜬 모습입니다.

다음 단을 뜨기 위해 기둥코(사슬 3코)를 만듭니다.

16단은 회색 실로만 뜰 예정이므로 분홍색 실을 함께 가지고 다니며 떠줍니다.

tip. 첫 코에서 분홍색 실을 끌어올릴 때 뒷면에서 끌어올려주어야 앞면에 표시가 나지 않아요.

분홍색 실을 끌어올려 함께 떠가는 모습입니다.

뒷면에 분홍색 실이 끌어올려진 모습입니다.

분홍색 실을 가지고 다니며 끝까지 뜬 모습입니다.

기둥코(사슬 1코)를 만든 모습입니다. 다시 분홍색 실을 끌어올릴 예정입니다.

분홍색 실을 뒤쪽에서 끌어올려 뜹니다.

귀도리 ★★★☆☆ 도안 70p

칼바람 부는 한겨울, 귀여운 귀도리로 귀를 보호해보세요.
보온성도 좋지만 귀여움을 한층 업그레이드할 수 있어 겨울마다 사랑받는 제품이에요.
아이들은 물론 성인에게도 꼭 필요한 필수품이랍니다.

READY

뜨개 기법 매직링, 사슬뜨기, 짧은뜨기, 한길긴뜨기, 한길긴뜨기늘리기, 한길긴3코구슬뜨기, 빼뜨기

준비물 파머스마켓 2볼, 수면사 1볼, 모사용코바늘 7/0호, 9/0호, 돗바늘, 가위

SIZE

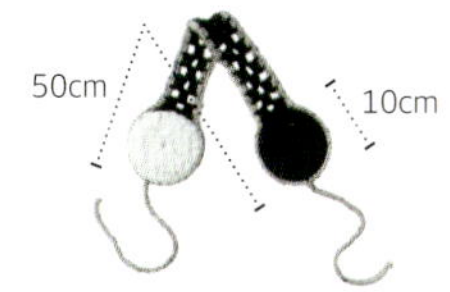

HOW TO MAKE

매직링을 만든 후 기둥코(사슬 3코)를 만듭니다.

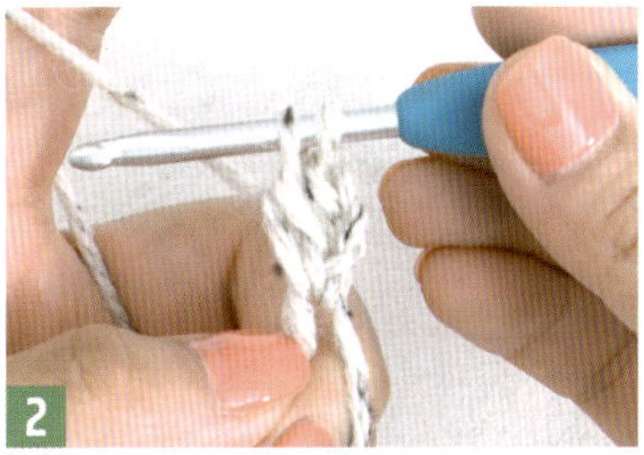

미완성한길긴뜨기를 1번 뜹니다.

미완성한길긴뜨기를 1번 더 떠 기둥코 포함 총 3코를 만든 모습입니다.

실을 걸고 한 번에 빼내 한길긴3코구슬뜨기를 완성합니다.

사슬 2코를 만듭니다.

[한길긴3코구슬뜨기 1번, 사슬 1코]를 반복합니다.

도안을 따라 동일한 방법으로 뜨다가 마지막 한길긴3코구슬뜨기를 뜬 후 사슬 1코를 만들고 짧은뜨기로 마무리합니다.

tip. 짧은뜨기로 마무리하면 빼뜨기로 마무리하는 것보다 다음 단 시작코의 위치가 오른쪽으로 살짝 이동하게 됩니다.

기둥코(사슬 3코)를 만듭니다.

전 단의 사슬 공간에 한길긴뜨기를 3번 뜹니다.

모든 사슬 공간마다 한길긴뜨기를 3번씩 뜹니다.

기둥코(사슬 3코)를 만듭니다.

다음 코에 한길긴뜨기를 2번 떠 한길긴뜨기 늘리기를 완성합니다.

한길긴뜨기 1번, 한길긴뜨기늘리기 1번을 끝까지 반복한 후 빼뜨기로 마무리한 모습입니다.

기둥코(사슬 3코)를 만듭니다.

tip. 귀마개 편물과 연결해 뜹니다.

한길긴뜨기를 2번 뜹니다.

사슬 2코를 만듭니다.

2코를 지나 세 번째 코부터 한길긴뜨기를 3번 뜹니다.

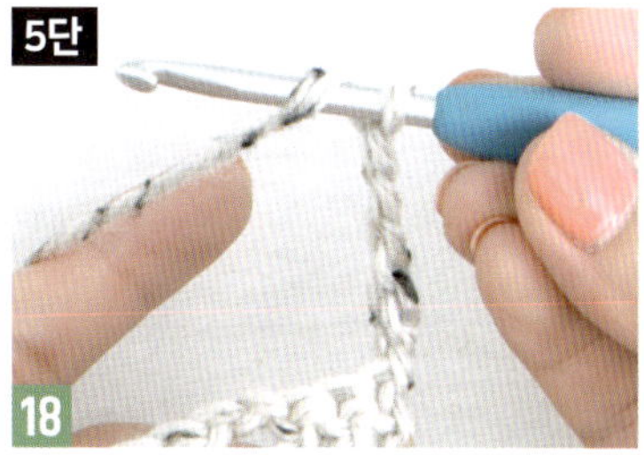

기둥코(사슬 3코)를 만들고 사슬 2코를 뜹니다.

전 단 사슬 공간 아래에 바늘을 넣어줍니다.

한길긴뜨기를 2번 뜹니다.

사슬 2코를 만듭니다.

마지막 코에 한길긴뜨기를 뜹니다.

도안을 따라 동일한 방식으로 22단까지 뜬 모습입니다. 실을 10cm 정도 남기고 잘라 돗바늘로 마무리합니다. 【80p】

귀마개(원형 편물)를 1장 더 뜬 후 돗바늘로 연결합니다.

23에서 남긴 실을 돗바늘에 꿰어 귀마개 편물에 감침질합니다. 【104p】

총 8코를 감침질하여 연결합니다.

실을 숨겨 마무리합니다.

3단 부분에 실을 새로 걸고 기둥코(사슬 1코)를 만듭니다.

짧은뜨기를 3번 뜹니다.

한길긴뜨기 다리 부분으로 넘어가 뜨기 시작합니다.

도안을 따라 짧은뜨기 2번, 사슬 1코를 반복해 뜹니다.

머리 밴드 부분이 끝나고 동그라미 편물이 시작되는 위치부터는 짧은뜨기로 귀마개 정중앙까지 떠줍니다.

사슬 50코를 만듭니다.

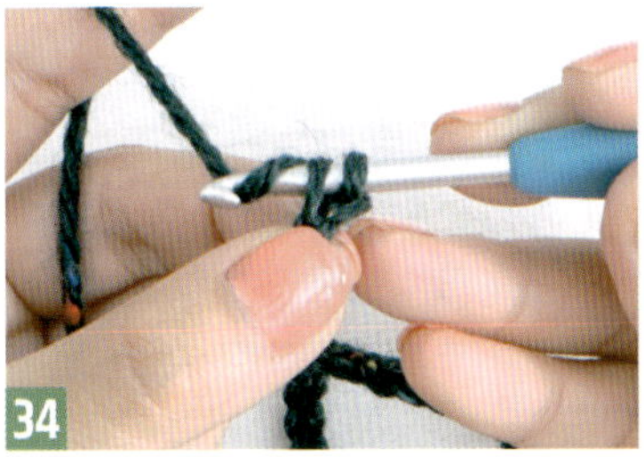

기둥코(사슬 1코)를 만든 후 다시 빼뜨기하며 돌아갑니다.

50개의 사슬에 빼뜨기를 하여 돌아온 모습입니다.

귀마개 편물에 계속해서 짧은뜨기를 뜹니다. 앞의 과정과 동일하게 반복하여 마무리합니다.

지퍼 파우치 ★★★☆☆ 도안 72p

짧은뜨기의 길이 조절을 이용해 재미있는 패턴을 만들 수 있답니다.
겹짧은뜨기의 활용으로 도톰한 편물이 완성되어 소지품을 보호하기에 더욱 좋은 파우치입니다.
취향에 따라 원하는 컬러로 자유롭게 배색해 보세요.

READY

뜨개 기법 사슬뜨기, 짧은뜨기, 겹짧은뜨기, 빼뜨기

준비물 비엔나 3볼, 안감 파우치, 모사용코바늘 7/0호, 돗바늘, 가위, 일반 실과 바늘

SIZE

HOW TO MAKE

기둥코(사슬 1코)를 만들고 사슬 1코를 더 만들어줍니다. 총 사슬 2코가 만들어진 모습입니다.

전 단의 첫 코를 지나 두 번째 코에 짧은뜨기를 뜹니다.

세 번째 코에는 한 단 더 아래에서 짧은뜨기를 뜹니다.

tip. 전 단의 코의 머리에 짧은뜨기하는 것을 '겹짧은뜨기'라고 합니다. 【69p】

네 번째 코에는 두 단 더 아래에서 짧은뜨기를 뜹니다.

총 6코가 될 때까지 한 단씩 더 아래로 내려가면서 짧은뜨기를 뜹니다.

단을 내려가며 짧은뜨기를 할 때에는 내려가는 길이에 맞게 실을 늘려가며 떠주세요.

tip. 실을 늘려가면서 떠야 편물이 울지 않아요. 반대로 실을 너무 많이 늘리면 단을 내려가며 뜬 부분만 실이 헐거워지니 길이를 확인해가면서 떠 나가세요.

6코가 모두 떠진 모습입니다.

8~12단

도안을 따라 동일한 방법으로 뜨면서 한 바퀴 돌아와 빼뜨기로 마무리한 후 기둥코(사슬 1코)를 만듭니다.

같은 색의 실로 뜨는 남은 다섯 단은 모두 짧은뜨기로 뜰 예정입니다.

tip. 사슬 공간을 뜰 때는 사슬 공간 아래에 바늘을 넣고 편하게 뜹니다.

겹짧은뜨기로 뜨고 있는 모습입니다.

안감 연결

도안을 따라 완성한 후 파우치 안쪽에 안감 파우치를 넣어줍니다. 안감 파우치를 편물 안에 넣고 시침핀으로 고정합니다.

일반 실과 바늘을 이용해 부착합니다.

박음질로 마무리합니다.

트와이닝 파우치 ★★★☆☆

도안 74p

여러가지 컬러를 이용해 배색하고 체크 스티치로 마무리해 보다 도톰한 편물로 완성이 되는 파우치입니다.
별도의 누빔처리가 없어도 소품을 안전하게 보호할 수 있어
휴대폰 등 예민한 전자제품도 수납하기에 좋습니다.

READY

뜨개 기법 사슬뜨기, 짧은뜨기, 이랑뜨기, 빼뜨기

준비물 피사코튼 3볼, 안감 파우치, 모사용코바늘 7/0호, 돗바늘, 가위, 일반 실과 바늘

[실 2가닥을 함께 잡고 뜹니다.]

SIZE

20cm

25cm

HOW TO MAKE

실을 바꿔 빼뜨기한 후 기둥코(사슬 1코)를 세운 모습입니다.

커스터드색 실로 이랑뜨기를 6번 뜰 예정입니다.

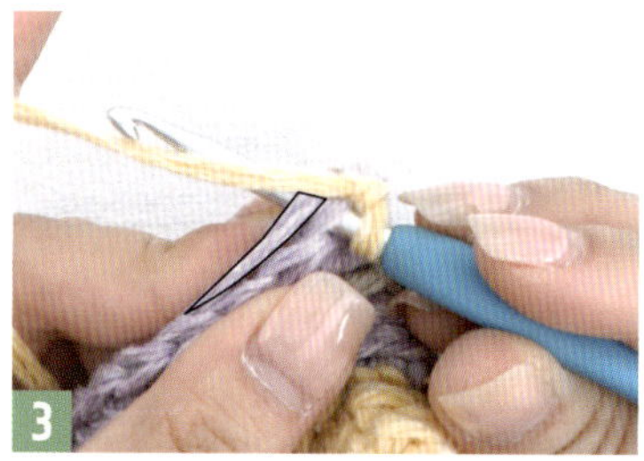

사용하지 않는 실은 사진처럼 사이에 계속 가지고 다니면서 떠주면 깔끔하게 마무리됩니다.

기둥코를 세우고 이랑뜨기를 7번 뜬 모습입니다.

실 색을 바꿔주기 위해 8번째 코 이랑뜨기 마지막 과정에서 라벤더색 실을 가지고 나옵니다.

마찬가지로 사용하지 않는 커스터드색 실은 계속 가지고 다니면서 숨겨가며 떠줍니다.

라벤더색 실로 이랑뜨기를 6번 뜰 예정입니다.

이랑뜨기를 5번 뜬 후 미완성이랑뜨기 마지막 과정에서 커스터드색 실을 가지고 나옵니다.

배색이 되어가고 있는 모습입니다.

도안을 따라 한 바퀴를 뜬 후 라벤더색 실로 바꿔 빼뜨기로 마무리합니다.

12단은 라벤더색 실로만 뜰 예정이므로 커스터드색 실을 가지고 다니지 않아도 됩니다.

파우치 앞면부터 시작합니다. 오트밀색 실을 돗바늘에 끼운 후 도안을 따라 스티치 위치 위에서 아래로 바늘을 넣습니다.

사슬을 한 가닥씩 주워줍니다.

실을 통과시키면 스티치가 생기게 됩니다.

끝까지 실을 통과시킨 모습입니다.

편물을 뒤집고 반대쪽 같은 위치에 실을 통과시켜 스티치를 넣을 예정입니다.

스티치를 놓고 있는 모습입니다.

끝까지 실을 통과시킨 후 바로 옆단으로 바늘을 옮겨 되돌아갑니다.

반대 면까지 되돌아왔습니다. 2가닥 모두 편물 안쪽으로 보내줍니다.

편물 안쪽에서 잘 묶어 고정시켜줍니다.

일반 실과 바늘을 이용해 박음질합니다.

1코씩 이동하면서 박음질합니다.

선인장 ★★★☆☆

도안 76p

작지만 확실한 인테리어 효과를 내는 선인장 세트입니다.
여러가지 편물을 따로 떠서 연결해야 하는 번거로움이 있지만 개별적인 편물의 난이도는 높지 않은 편이어서 천천히 여유롭게 만들면 재미있는 작업이 될 거예요.

READY

뜨개 기법 매직링, 사슬뜨기, 짧은뜨기, 짧은뜨기늘리기, 이랑뜨기, 한길긴뜨기, 한길긴뜨기늘리기, 한길긴이랑뜨기, 되돌아짧은뜨기, 빼뜨기

준비물 라스베가스 2볼, 치앙마이 1볼, 피사코튼 1볼, 폼폼, 여분 실 조금, 솜, 모사용코바늘 4/0호, 7/0호, 돗바늘, 가위

SIZE

HOW TO MAKE

길쭉이-한길긴이랑뜨기

V자 모양의 코 머리에서 뒷부분 코 1가닥만 주워 뜨는 '한길긴이랑뜨기'를 할 예정입니다.

앞 코가 아닌 뒷부분 코 1가닥만 주은 모습입니다.

뒷부분 코를 주워 뜨면 울퉁불퉁한 편물이 만들어집니다.

도안을 따라 길쭉이 선인장을 끝까지 뜬 모습입니다.

길쭉이-마무리

코에서 바늘을 빼지 않은 상태로 편물을 반으로 접은 후 반대쪽 기초코에 바늘을 넣습니다.

빼뜨기로 실을 꺼내옵니다.

7 옆 코로 이동하여 코를 줍습니다.

8 빼뜨기를 뜹니다.

9 도안을 따라 동일한 방식으로 끝까지 빼뜨기를 뜬 모습입니다.

10 실을 당겨 빼낸 후 30cm 정도 남기고 가위로 잘라줍니다.

11 두 단에 1코씩 세로로 서 있는 코가 있습니다. 돗바늘에 실을 꿰어 세로로 서 있는 코를 모두 줍습니다.

12 두 단에 한 코씩 코를 줍는 모습입니다.

13 끝까지 코를 주워 편물을 오므려줍니다.

tip. 동글이 선인장의 경우 양쪽 끝을 모두 오므려주세요.

마무리

14 솜을 충분히 넣어 통통하게 채워줍니다.

15 남은 실은 선인장 꼭대기 부분의 코에 꼼꼼하게 숨겨줍니다.

실을 편물 안쪽으로 통과시켜 다시 바깥쪽으로 빼냅니다.

나온 실을 바짝 잘라 마무리합니다.

선인장과 흙이 될 편물을 마주잡습니다. 흙 편물 실을 돗바늘에 꿰어 아래에서 위로 통과시킵니다.

선인장의 실을 주울 때는 한 가닥만 잡아 이음새가 두꺼워지지 않도록 합니다.

옆으로 이동해 반대쪽으로 바늘을 넣습니다.

tip. 콧수가 1:1로 정확하게 맞아떨어지지 않으므로 맞닿는 위치의 실을 잘 주워나갑니다.

솜을 채운 화분을 준비합니다. 화분의 실을 돗바늘에 꿰어 바깥쪽에서 안쪽으로 통과시킵니다.

반대편으로 바늘을 꺼냅니다.

한 칸씩 이동하며 끝까지 꿰매어 완성합니다.

핸드워머 ★★★☆☆

도안 80p

추운 날씨에 보온성과 편리성을 모두 잡고 싶다면 핸드워머를 만들어보세요.
따뜻하면서도 손가락이 자유로워 활동을 방해하지 않습니다.
교차뜨기로 케이블 무늬를 내는 재미있는 뜨기법으로 지루하지 않아요.

READY

뜨개 기법 사슬뜨기, 한길긴뜨기, 한길긴앞걸어뜨기, 한길긴변형교차뜨기, 빼뜨기

준비물 비엔나 2볼, 모사용코바늘 7/0호, 돗바늘, 가위

SIZE

HOW TO MAKE

사슬 34코를 만든 후 시작코에 빼뜨기하여 원형을 만든 모습입니다.

기둥코(사슬 3코)를 만든 후 모든 코에 한길긴뜨기를 1번씩 떠 빼뜨기로 마무리합니다.

교차뜨기할 예정이므로 한 코를 지나 두 번째 코 다리 부분에 먼저 바늘을 넣습니다.

한길긴앞걸어뜨기를 할 예정이므로 코의 머리가 아닌 다리 부분을 감아 뜹니다.

지나쳤던 코를 뜰 예정입니다. 도안을 따라 머리를 주워 뒤쪽에서 뜰 예정입니다.

떠둔 코를 살짝 젖히면 뜨지 않았던 전 코의 머리가 보입니다.

코 머리를 줍기 쉽지 않으니 코를 젖혀가면서 떠줍니다.

꽈배기 무늬가 생겼습니다.

다음 코 역시 교차되도록 뜰 예정이므로 한 코를 지나 두 번째 코를 먼저 뜹니다.

tip. 한길긴뜨기 머리를 주워 편하게 뜹니다.

지나쳤던 코를 뜰 예정입니다. 도안을 따라 앞쪽에서 뒤쪽으로 기둥을 주워 뜰 예정입니다.

앞쪽에서 편하게 한길긴앞걸어뜨기를 합니다.

꽈배기무늬가 연달아 생긴 모습입니다.

크리스마스 트리 ★★★☆☆

도안 82p

폭신한 솜이 가득 차 있는 트리 모형입니다.
커다란 트리 장식이 어려울 때, 조그맣게 만들어 크리스마스 분위기를 낼 수 있어요.
빤짝이 실이나 단추 등 원하는 부자재를 이용하여 꾸미고 조명과 함께 놓아두면 근사한 장식이 된답니다.

READY

뜨개 기법 매직링, 사슬뜨기, 한길긴뜨기, 한길긴뜨기늘리기, 한길긴5코늘리기, 한길긴이랑뜨기, 빼뜨기

준비물 비엔나 3볼(레드1, 그린2), 수세미실 조금(골드, 실버), 솜 80g, 모사용코바늘 5/0호, 돗바늘, 가위

SIZE

20cm

13cm

HOW TO MAKE

프릴

1 트리의 뾰족한 부분이 아래로 향하도록 합니다. 단마다 사슬이 나와있는 라인을 찾아줍니다.

2 두 번째 사슬 라인에서 사슬 1가닥을 코바늘로 줍습니다.

3 새 실을 꺼내옵니다.

4 왼쪽 사슬 1코를 건너뛰고 두 번째 코에 한길긴5코늘리기를 합니다.

5 한 코에 한길긴뜨기가 5번 떠진 모습입니다.

6 왼쪽 사슬 2코를 건너뛰고 세 번째 코에 바늘을 넣어줍니다.

빼뜨기하여 마무리합니다.

프릴 1개가 만들어진 모습입니다.

도안을 따라 동일한 방법으로 한길긴5코늘리기와 빼뜨기를 반복해 프릴을 완성합니다.

원형 바닥 연결

프릴까지 완성한 트리 안쪽에 솜을 넉넉히 채워줍니다.

tip. 팽팽해질 정도로 넉넉히 채워야 완성된 모양도 예쁘고 잘 넘어지지도 않아요.

원형 바닥 편물을 트리의 바닥에 맞대어줍니다.

원형 바닥을 뜬 실을 돗바늘에 꿰어 감침질합니다. 트리 몸통 가장 아랫단의 사슬 1코를 주워 먼저 꿰맵니다.

좌측으로 이동하며 끝까지 감침질 한 후 실을 안쪽으로 숨겨 마무리합니다. 【104p】

스퀘어락백 ★★★☆☆ 도안 86p

모던하고 심플한 디자인의 가방입니다.
정장이나 캐주얼 등 어떤 코디에 매치해도 손색이 없습니다.
바닥이 직사각형 모양으로 넉넉하게 잡히기 때문에 크기에 비해 많은 물건을 수납할 수 있답니다.

READY

뜨개 기법 사슬뜨기, 짧은뜨기, 빼뜨기
준비물 라스베가스 4볼, D링 3개, 잠금버클 1개, 스냅단추 1쌍, 가방 바닥 부자재, 단수링, 모사용코바늘 8/0호, 돗바늘, 가위

[완성 이미지는 얇은 실(라스베가스) 2가닥을 함께 잡고 뜬 형태입니다.]

SIZE

HOW TO MAKE

D링 연결

가방 윗면을 평평하게 접어 양쪽 끝에 실이나 단수링으로 표시합니다.

tip. 코를 세어보고 정확히 대칭이 되도록 표시하는 것이 좋아요.

D링을 달 위치에 빨간색 실로 표시한 모습입니다.

3코 중 중앙에 D링을 두고, 안쪽에서 실을 통과시켜 바깥쪽으로 꿰어줍니다.

한 단 아래로 바늘을 넣습니다.

다시 코를 통과하여 실을 바깥쪽으로 빼냅니다. 실이 D링을 감추면서 연결됩니다.

다시 한 단 아래로 바늘을 넣습니다. 1코에 세 번씩 꿰맵니다.

1코당 세 번씩 총 3코를 꿰맨 모습니다.

편물을 돌려 실을 안쪽으로 넣고 지금까지 꿰매었던 부분에 통과시킵니다.

2회 반복해 D링이 단단하게 고정되도록 합니다.

반대쪽도 동일한 방법으로 버클을 꿰매어 부착합니다.

스트랩 부착용 D링 달기

실이나 단수링으로 입구 정가운데에 표시합니다.

정가운데에서 오른쪽으로 4코를 비워두고 5번째 코에 D링을 이전과 동일한 방식으로 부착합니다.

10

무스탕 복조리백 ★★★☆☆ 도안 88p

인조가죽 바닥을 이용해 더 튼튼하고 쉽게 완성할 수 있어요.
수면사를 이용해 원하는 모양으로 무스탕 무늬를 내어보세요.
무스탕 무늬가 들어갈 때마다 흐뭇한 미소가 지어지는 재미있는 제품입니다.

READY
뜨개 기법 사슬뜨기, 짧은뜨기, 되돌아짧은뜨기, 새우뜨기, 빼뜨기
준비물 비엔나 4볼, 수면사 조금, 타원형 가방 바닥 부자재(가로 23cm, 높이 13cm), D링 2개, 복조리 안감, 모사용코바늘 6/0호, 돗바늘, 가위

SIZE

HOW TO MAKE

시작, 바닥 연결

1 타원형 가방 바닥을 준비합니다.

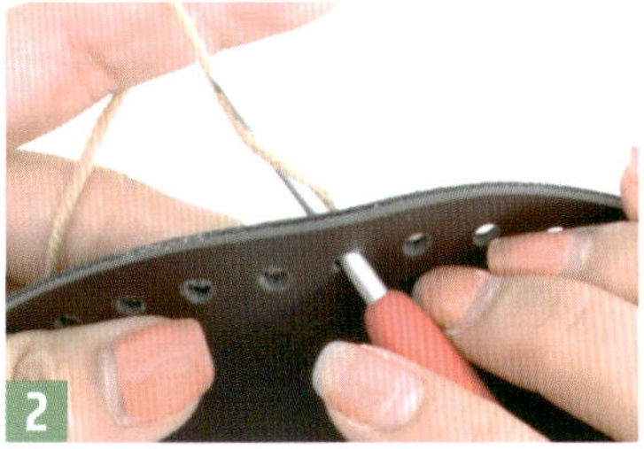
2 구멍에 코바늘을 넣어 실을 가지고 나옵니다.

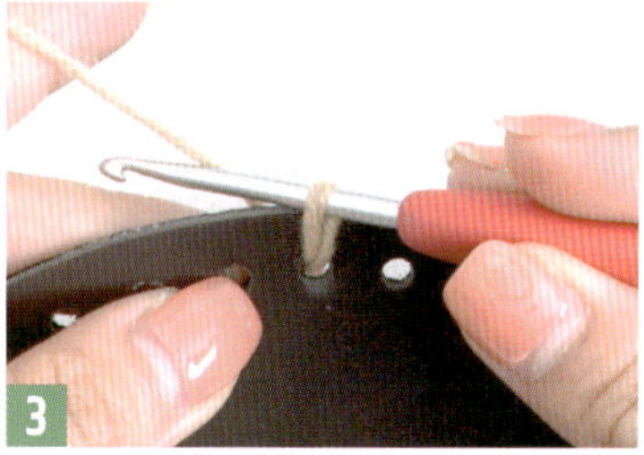
3 실을 가지고 나온 모습입니다.

4 기둥코(사슬 1코)를 만든 후 사슬 2코를 만들어줍니다.

5 다음 구멍에(왼쪽 방향) 바늘을 넣어줍니다.

6 실을 살짝 늘려주며 짧은뜨기를 뜹니다.

사슬 2코를 만들어줍니다.

동일한 방식으로 끝까지 반복합니다.

tip. 끝까지 반복한 후 빼뜨기해 가방 몸통 1단을 바로 뜨기 시작합니다.

가방 끈(새우뜨기)

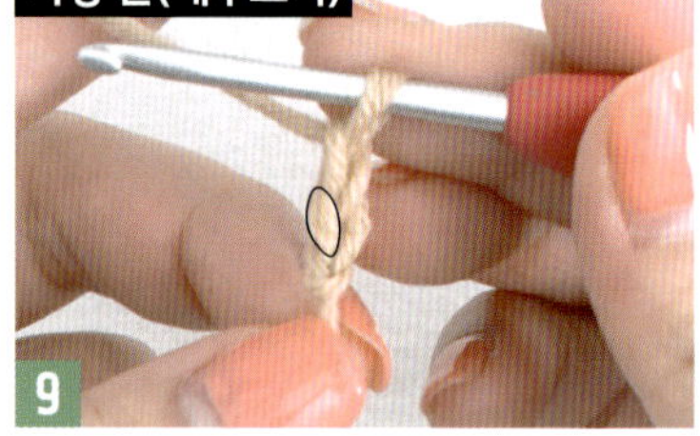

사슬 2코를 만듭니다. 첫 번째 사슬 1가닥을 주워줍니다.

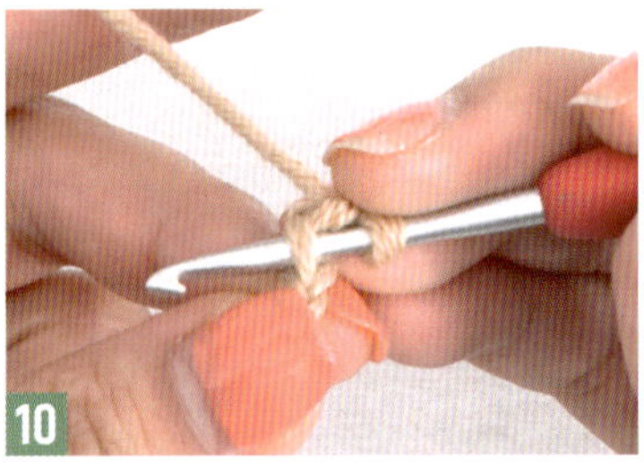

짧은뜨기를 뜹니다.

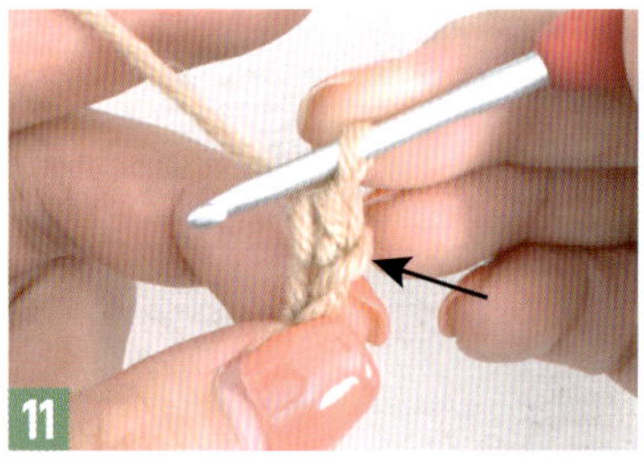

우측에 생긴 1가닥을 주워줍니다.

짧은뜨기를 뜹니다.

이번에는 우측에 2가닥이 생겼습니다.

2가닥을 모두 주워 짧은뜨기를 뜹니다.

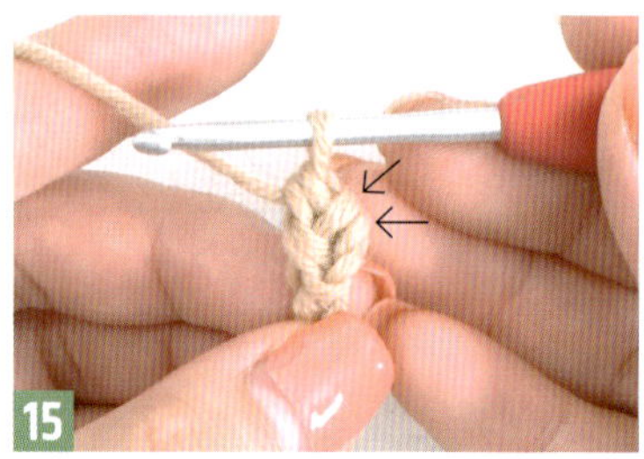

이제부터는 계속 우측에 2가닥씩 생깁니다.

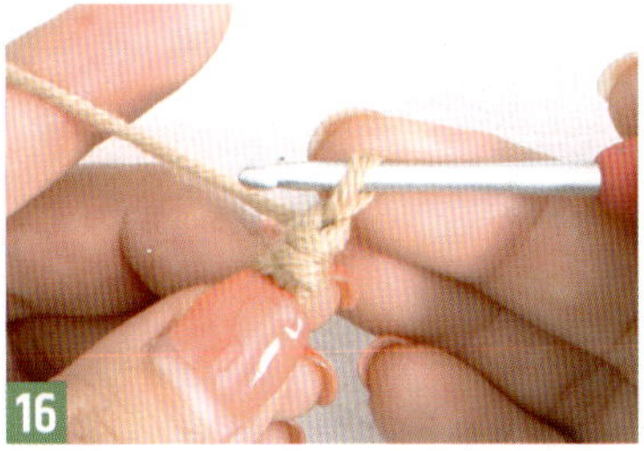

가방 끈을 시계방향으로 돌려가면서 2가닥을 잡아가며 계속 짧은뜨기를 뜹니다.

편물이 점점 길어지면서 가방 끈 형태가 만들어집니다. 원하는 길이까지 만든 후 양끝에 테슬을 만들어 부착합니다. 【169p】

tip. 가방 끈은 어깨에 대어보면서 길이를 조정해 완성하세요.

미니 블랭킷 ★★★★☆ 도안 90p

뜨개 블랭킷은 인테리어 용으로도, 보온용으로도 사용하기 좋은 제품이지만
커다란 크기의 블랭킷은 휴대용으로 소지하기에는 쉽지 않습니다.
사무실이나 대중교통 수단 등 외부에서 활용할 때에는 가방에 쏙 들어가는 작은 크기의 블랭킷을 활용해 보세요.

READY

뜨개 기법 매직링, 사슬뜨기, 한길긴뜨기, 한길긴뜨기늘리기, 빼뜨기

준비물 코튼볼 5볼, 모사용코바늘 6/0호, 돗바늘, 가위

SIZE

50cm

HOW TO MAKE

3단

도안을 따라 2단까지 뜬 모습입니다.

기둥코(사슬 3코)를 만들고 사슬 2코를 더 만들어줍니다. 사슬이 총 5코 만들어진 모습입니다.

기둥코를 뜬 코에 한길긴뜨기를 1번 더 뜹니다. 역삼각형 모양의 공간이 만들어진 모습입니다.

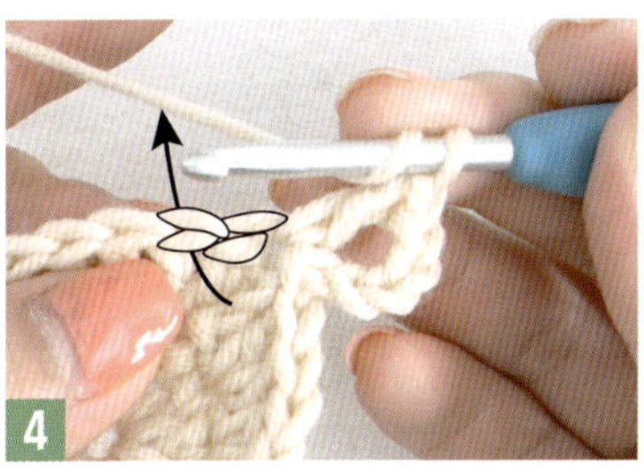

실을 걸고 한 코를 건너뛴 코에 바늘을 넣습니다.

한길긴뜨기를 1번 뜬 후 사슬 2코를 만듭니다.

한길긴뜨기를 뜬 같은 코에 한길긴뜨기를 1번 더 뜹니다.

도안을 따라 같은 방식으로 끝까지 반복한 후 빼뜨기로 마무리합니다.

사슬 공간에서 4단을 시작하기 위해 사슬 공간에 빼뜨기를 한 번 더 해 시작코 위치를 옮겨줍니다.

시작코가 왼쪽으로 이동한 모습입니다.

기둥코(사슬 3코)를 만듭니다.

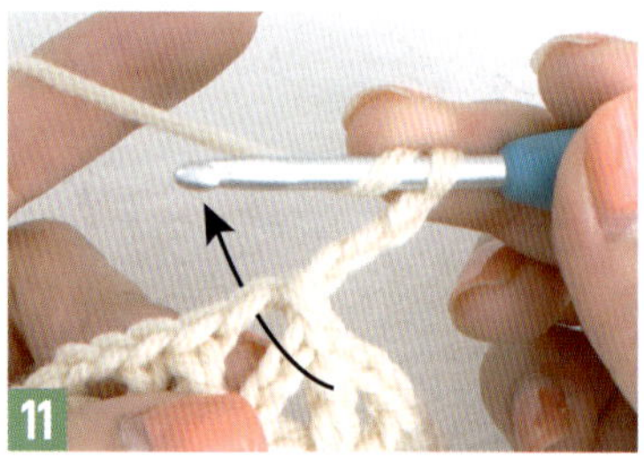

사슬 공간에 한길긴뜨기를 1번 뜹니다.

사슬 2코를 만듭니다.

동일한 사슬 공간에 한길긴뜨기를 2번 더 뜹니다.

도안을 따라 같은 방식으로 끝까지 반복한 후 빼뜨기로 마무리합니다.

tip. 컬러를 바꿀 때마다 실을 잘라주세요.

도안을 보고 시작 부분을 확인한 후 새로운 색 실을 걸어 기둥코(사슬 3코)를 만듭니다.

사슬 공간에 한길긴뜨기 2번, 사슬 2코, 한길 긴뜨기 2번을 떠줍니다.

다음 코에 한길긴뜨기를 1번 뜹니다.

2코를 지나쳐 세 번째 코에 한길긴뜨기를 1번 뜹니다.

도안을 따라 같은 방식으로 끝까지 반복합니다.

끝까지 반복한 후 빼뜨기로 마무리합니다.

왼쪽 한길긴뜨기 머리에 빼뜨기를 한 번 더 해 시작코를 왼쪽으로 옮긴 후 기둥코(사슬 3코)를 만듭니다.

한길긴뜨기를 1번 뜹니다.

사슬 공간에 한길긴뜨기 2번, 사슬 2코, 한길 긴뜨기 2번을 뜹니다.

왼쪽 두 코에 한길긴뜨기를 각각 1번씩 총 2회 뜬 모습입니다. 동일한 방식으로 끝까지 떠 빼뜨기로 마무리합니다.

만두 모자 ★★☆☆☆

도안 92p

원형이 아닌 평면 편물을 만들어 완성하는 모자입니다.
코의 늘림이나 줄임도 없어 만드는 방식이 훨씬 심플하다는 장점이 있습니다.
만두처럼 모이는 상단 부분은 귀여운 느낌을 내는 포인트가 된답니다.

READY

뜨개 기법 사슬뜨기, 긴뜨기이랑뜨기
준비물 바그다드 3볼, 모사용코바늘 10/0호, 돗바늘, 가위

SIZE

HOW TO MAKE

편물 연결

편물을 완성한 후 반을 접어 연결 부분을 잡아줍니다.

앞 뒤 편물 각각 한 가닥씩 1:1로 코를 주워 가며 끝까지 감침질합니다.

원통 형태가 만들어졌습니다. 돗바늘에 새 실을 걸어 위에서 다섯 번째 코를 줍습니다. 이랑뜨기를 하고 남은 사슬을 주워주면 두 단에 1코씩 주울 수 있습니다.

tip. 이해하기 쉽게 녹색 실을 사용했습니다. 실제 작업 시에는 모자와 같은 색 실로 완성하세요.

모자를 한 바퀴 돌 때까지 코를 줍습니다.

한 바퀴 돌아왔다면 실을 당겨 모아줍니다.

실을 2회 꽉 묶은 후 안쪽에 잘 숨겨 마무리합니다.

꽈배기 양말 ★★★★☆

도안 94p

겨울만 되면 차가워지는 두 발을 따뜻하게 보온해보세요.
쫀쫀한 일반 양말이 답답하게 느껴진다면 포근하고도 보드라운 뜨개 양말이 더 만족스럽게 느껴지실 거예요.
단수 조절을 하면 내 발에 딱 맞는 양말로 만들 수 있습니다.

READY

뜨개 기법 매직링, 사슬뜨기, 한길긴뜨기, 한길긴뜨기늘리기, 한길긴뜨기줄이기, 한길긴앞걸어뜨기, 빼뜨기

준비물 포그니울 2볼, 모사용코바늘 7/0호, 돗바늘, 가위

SIZE

HOW TO MAKE

도안을 따라 18단까지 뜬 모습입니다.

도안을 따라 실을 새로 거는 위치에 코바늘을 넣습니다.

기둥코(사슬 3코)를 만듭니다.

왼쪽 방향으로 한길긴뜨기를 뜹니다.

한길긴뜨기로 뜬 발바닥 모습입니다.

8코를 남기고 한길긴뜨기를 24번 뜬 모습입니다.

기둥코(사슬 3코)를 만듭니다.

편물을 뒤집어 한길긴뜨기를 뜹니다.

24단까지 모두 뜬 상태입니다. 실을 20cm 정도 남기고 자른 후 마무리합니다.

돗바늘에 실을 꿰어줍니다.

발등의 코를 1:1로 주워주며 감침질해 마무리합니다. 【104p】

무스탕 버킷햇 ★★★★☆

도안 96p

평범한 뜨개 편물에 뽀글뽀글 수면사를 한땀씩 꿰매어주면 예쁜 무스탕 무늬를 낼 수 있습니다.
도톰한 실로 다소 큼직하게 제작되는 모자는 쌀쌀한 날씨에도 푹 눌러 쓸 수 있어 보온성이 매우 좋습니다.

READY
뜨개 기법 매직링, 사슬뜨기, 짧은뜨기, 짧은뜨기늘리기, 빼뜨기
준비물 바그다드 2볼, 수면사 조금, 모사용코바늘 10/0호, 돗바늘, 가위

SIZE

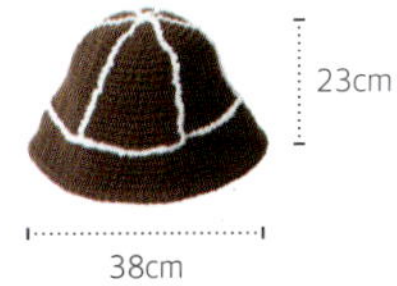

HOW TO MAKE

무늬 넣기

1 모자 형태가 완성된 모습입니다. 8번째 단에 무스탕 무늬를 넣을 예정입니다.

2 수면사를 돗바늘에 꿰어 8번째 단 안에서 밖으로 꺼내옵니다.

3 좌측으로 이동하며 박음질합니다.

4 사진과 같이 바늘을 넣어줍니다.

5 실을 너무 많이 당기면 볼륨감이 없어지므로 모자가 오그라들지 않도록 여유 있게 실을 잡아줍니다.

6 손으로 살짝 당겨주면서 볼륨을 살려가며 박음질합니다.

계속 박음질을 합니다.

볼륨이 살아있도록 계속 신경 쓰면서 박음질해줍니다.

무스탕 무늬가 원형으로 만들어진 모습니다.

방금 만든 무늬 부분에 실을 끼워 세로 방향으로 박음질을 시작합니다.

동일한 방식으로 정수리 부분까지 올라갑니다.

정수리까지 올라 왔다면 가로질러서 원하는 방향으로 자유롭게 박음질하여 완성합니다.

크리스마스 수세미 ★★★★★ 도안 98p

즐거운 크리스마스를 기념하여 지인들에게 정성이 담긴 수세미 선물해보세요.
따뜻한 마음과 함께 전해진 수세미는 실용성까지 있어 유용한 선물이 될 거예요.

READY

뜨개 기법 매직링, 사슬뜨기, 한길긴뜨기, 한길긴뜨기늘리기, 빼뜨기

준비물 수세미실 3볼, 모사용코바늘 7/0호, 돗바늘, 가위

SIZE

12cm

HOW TO MAKE

매직링을 만든 후 한길긴뜨기 16코를 뜬 모습입니다.

첫 코에 빼뜨기하는 과정에서 새로운 색 실을 꺼내옵니다.

기둥코(사슬 3코)를 만듭니다.

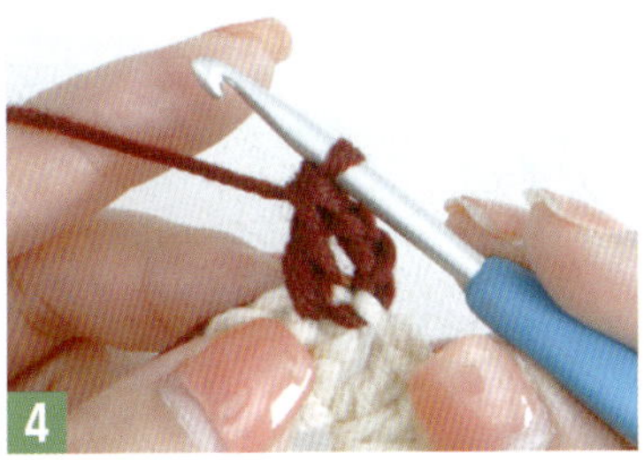

기둥코를 세운 위치에 한길긴뜨기를 1번 더 뜹니다.

다음 코는 한길긴뜨기를 2번 뜨고 마지막 코는 미완성 상태로 둡니다.

새로운 색 실을 꺼내옵니다.

한길긴뜨기늘리기를 2회 뜨되 마지막 단계에서 빨간색 실을 꺼내옵니다.

빨간색 실을 꺼내온 모습입니다.

같은 방식으로 끝까지 배색한 모습입니다.

3단

빨간색 실로 기둥코(사슬 3코)를 만듭니다.

다음 코에 한길긴뜨기늘리기를 합니다.

한길긴뜨기 1번, 한길긴뜨기늘리기 1번을 뜹니다. 마지막 코는 미완성 상태로 둡니다.

녹색 실로 바꾸고 꺼내옵니다.

[한길긴뜨기 1번, 한길긴뜨기늘리기 1번]을 총 2회 뜹니다.

마지막 코는 미완성 상태로 남겨두고 빨간색 실로 바꾸고 꺼내옵니다.

빨간색 실을 꺼내 온 모습입니다. 같은 방식으로 끝까지 뜹니다.

사계모티브 블랭킷 ★★★★★ 도안 100p

큼직한 컬러 모티브를 조각조각 이어 만드는 블랭킷입니다.
모티브에 별도로 배색이 들어가지 않아 만들기가 수월해요. 심플하면서도 고풍스러운 느낌을 내는 모티브는 작게 만들면 컵받침이나 냄비받침으로도 활용이 가능하답니다.

READY

뜨개 기법 매직링, 사슬뜨기, 짧은뜨기, 긴뜨기, 한길긴뜨기, 한길긴3코구슬뜨기, 빼뜨기

준비물 피사코튼 10볼, 모사용코바늘 4/0호, 돗바늘, 가위

SIZE

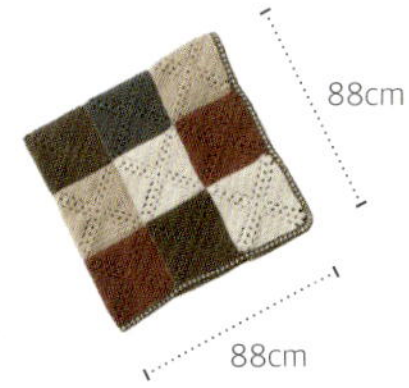

HOW TO MAKE

매직링을 만든 후 기둥코(사슬 3코)를 만듭니다.

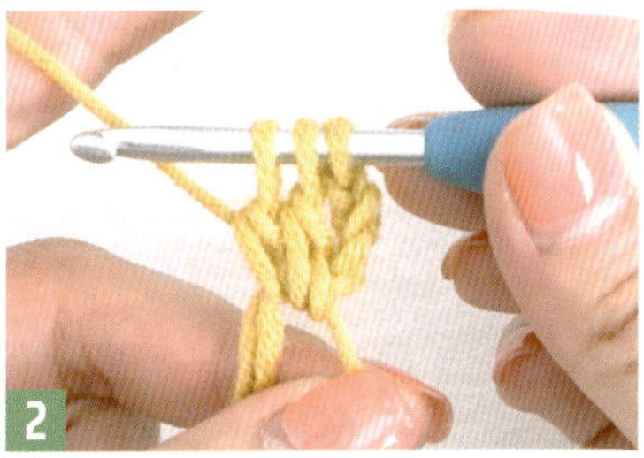

한길긴3코구슬뜨기를 하기 위해 미완성한 길긴뜨기 2회를 더 뜹니다. [66p]

실을 한 번에 꺼내와 한길긴3코구슬뜨기를 완성합니다.

사슬 2코를 만듭니다.

동일한 방식으로 한길긴3코구슬뜨기를 완성합니다.

사슬 2코를 만듭니다.

도안을 따라 같은 방법으로 끝까지 완성한 후 중앙을 조여줍니다.

빼뜨기하지 않고 사슬 1코를 만들어줍니다.

첫 코에 짧은뜨기로 마무리합니다.

tip. 빼뜨기가 아닌 짧은뜨기로 마무리하면 시작 코의 위치가 오른쪽으로 살짝 이동하게 됩니다.

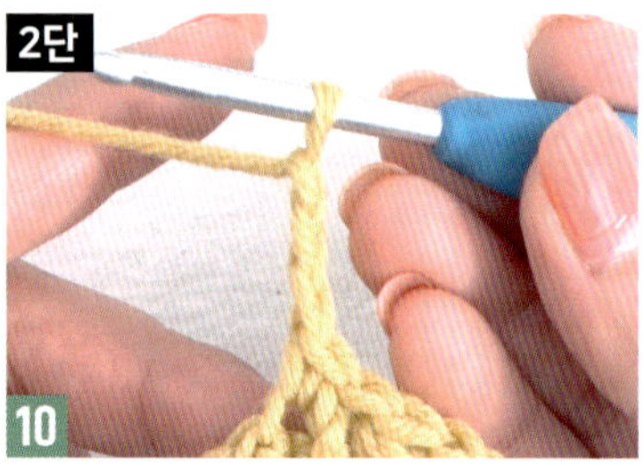

기둥코(사슬 3코)를 만듭니다.

한길긴3코구슬뜨기를 하기 위해 모서리 공간에 미완성 한길긴뜨기를 2번 뜹니다.

한 번에 실을 꺼내와 모서리가 될 부분의 한길긴3코구슬뜨기를 1번 완성한 모습입니다.

사슬 1코를 만듭니다.

다음 사슬 공간에 한길긴뜨기를 3번 뜨고 사슬 1코를 만듭니다.

다음 사슬 공간에 바늘을 넣어줍니다.

한길긴3코구슬뜨기를 1번 뜹니다

사슬 3코를 만듭니다.

동일한 사슬 공간에 한길긴3코구슬뜨기를 1번 더 뜹니다.

다음 사슬 공간에 한길긴뜨기를 3번 뜹니다.

도안을 따라 같은 방식으로 마지막 한길긴3코구슬뜨기까지 완성합니다.

사슬 1코를 만들어줍니다.

첫 코에 긴뜨기로 마무리합니다. 다음 단도 같은 방식으로 떠 나갑니다.

퍼프모티브 블랭킷 ★★★★★ 도안 102p

몸 전체를 덮을 수 있는 커다란 크기가 안정감을 주며 도톰한 기법 덕분에 보온성도 더욱 좋은 대형 블랭킷입니다.
어울리지 않을 것만 같은 컬러들도 단마다 배색하여 마구 섞어보세요.
의외로 조화로운 느낌을 내며 독특한 개성을 뽐내기도 한답니다.

READY

뜨개 기법 매직링, 짧은뜨기, 사슬뜨기, 한길긴뜨기, 한길긴3코늘리기, 긴3코구슬뜨기, 빼뜨기

준비물 뉴트위드 9볼(청록2, 오렌지2, 네이비2, 머스타드1, 그레이1, 오트밀1), 모사용코바늘 8/0호, 돗바늘, 가위

SIZE

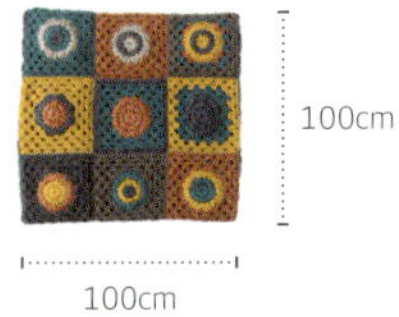

HOW TO MAKE

매직링을 만든 후 기둥코(사슬 1코)를 만듭니다.

코를 위쪽으로 쭉 늘려줍니다.

매직링 안으로 미완성긴뜨기를 2번 더 뜰 예정입니다.

미완성긴뜨기를 1번 뜬 모습입니다.

실을 감아줍니다.

미완성긴뜨기를 1회 더 뜹니다.

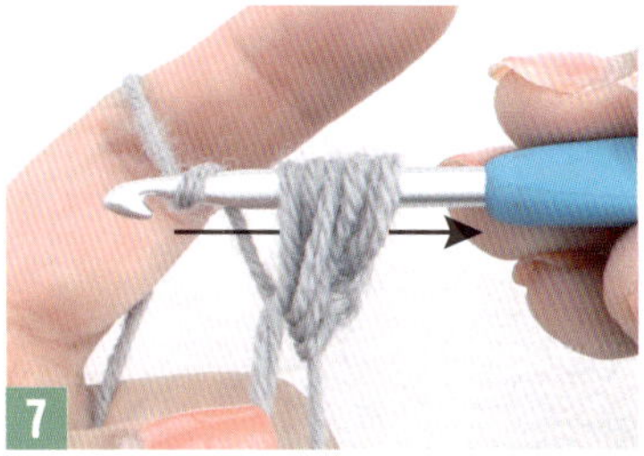

기둥코, 미완성긴뜨기를 2번 뜬 상태에서 실을 한 번에 꺼내옵니다.

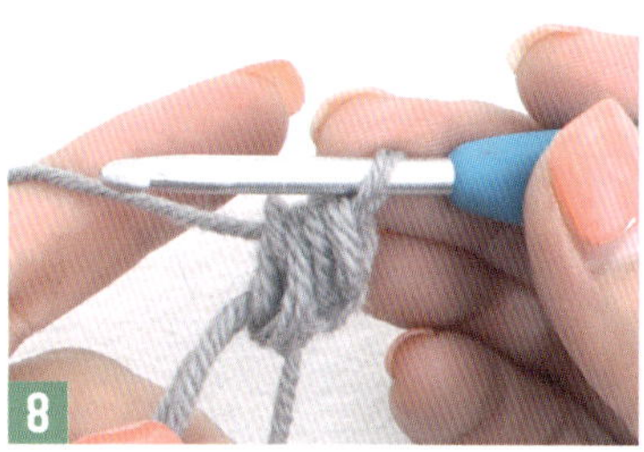

긴3코구슬뜨기가 완성되었습니다.

사슬 1코를 만듭니다.

매직링 안으로 미완성긴뜨기를 3번 뜹니다.

실을 걸어 한 번에 꺼내옵니다. 긴3코구슬뜨기가 총 2번 떠진 모습입니다.

사슬 1코를 만듭니다.

도안을 따라 같은 방법으로 긴3코구슬뜨기를 8번 완성한 모습입니다.

빼뜨기하여 마무리합니다.

코를 위쪽으로 쭉 늘려줍니다.

아래쪽 사슬 공간에 긴3코구슬뜨기를 1번 뜹니다.

사슬 1코를 만든 후 긴3코구슬뜨기를 한 사슬 공간에 긴3코구슬뜨기를 1번 더 뜹니다.

같은 방식으로 끝까지 뜬 후 빼뜨기합니다.

편물을 위아래로 나란히 두고 감침질로 연결할 예정입니다.

모서리 3코 중에 가운데 코를 먼저 잡아 연결합니다.

아래쪽 모티브 모서리 가운데 코 바깥 사슬 1가닥에 바늘을 넣어줍니다. 작업 전 실을 끼우기만 하는 단계입니다.

이제부터 감침질을 시작할 예정입니다. 위쪽 모티브 모서리 가운데 코를 찾아줍니다.

위, 아래 모티브 모서리 가운데 코를 찾아 바늘을 넣습니다.

tip. 아래에 있는 모티브는 동일한 코에 두 번 뜨는 셈이 됩니다.

왼쪽 방향의 코로 이동합니다.

바깥 사슬을 한 코씩 주워 실을 통과시킵니다.

좌측으로 이동하면서 감침질한 모습입니다. 옆에 위치할 새로운 모티브를 가져온 모습입니다.

마찬가지로 위, 아래 모티브 모두 모서리 가운데 코를 찾아 바늘을 통과시킵니다.

모티브와 모티브 사이는 실이 늘어지기 쉬우므로 꼼꼼하게 당겨줍니다.

모서리 코까지 모두 감침질한 모습입니다.

세로 방향을 이을 차례입니다. 가로 방향을 모두 이은 후 편물을 90도로 돌립니다.

가로 잇기와 동일한 방법으로 한 장을 모두 감침질합니다.

모서리까지 꼼꼼하게 감침질합니다.

사이가 벌어지지 않도록 실을 약간 당겨줍니다.

중앙 모서리까지 감침질합니다. 기존에 감침질했던 실이 이미 통과해 있는 위치입니다.

모티브 사이가 잘 연결되었습니다. 왼쪽 끝까지 감침질해 마무리합니다.

LOLLI-PUP
Candy
There's a sucker born every minute
"WHAT'S YOURS IS MINE" INC.

슬로우모먼츠

"느려서 더 소중한 순간"

슬로우모먼츠는 정성의 힘을 믿습니다. 형편이 넉넉지 못했던 옛날, 핸드메이드 제품이란 생활과 분리해서 생각할 수 없는 실용 제품이었습니다. 하지만 이제는 일상의 즐거움을 위해, 또 소중한 사람에게 정성을 선물하고자 수공예 제품을 만듭니다. 예비 엄마가 곧 태어날 아이를 위해, 연말에 사랑하는 사람을 위해, 오랜 친구의 생일을 축복하기 위해 조금 더 따뜻한 마음을 전할 수 있는 방법을 찾는 것과 같이, 우리는 값비싼 기성품보다 더 가치 있는 제품을 점점 더 추구하고 있습니다. 슬로우모먼츠는 더 많은 사람들이 손끝에서 탄생하는 것들에 감동할 수 있도록 아름다운 손뜨개 문화를 개발하는 데 일조하고자 합니다.

너와 나, 그리고 세대와 세대를 잇다

여성들의 '섬세한 손길'이 가계에 보탬이 됩니다. 어린 시절, 생활에 필요한 제품들을 직접 만드셨던 분들이 바로 우리들의 할머니, 그리고 어머니였습니다. 슬로우모먼츠는 잠재되어 있는 그 분들의 재능이 재탄생될 수 있도록 지원하고 있습니다. 현재 제공하는 많은 수의 제품들은 지역의 주부들이 직접 한 땀 한 땀 개발한 상품들입니다. 슬로우모먼츠의 손뜨개 교육과 컨설팅, 그리고 유통 활동을 통해 여성들의 경제활동과 사회활동을 동시에 가능케 합니다. 따뜻한 손뜨개 제품을 통해 더 많은 사람들이 서로서로 연결되며 행복해지기를 소망합니다.

사이트 www.slowmoments.co.kr
인스타그램 @slowmoments_

EDITOR'S PICK

Crochet 크로셰

빨강 파랑 알록달록 귀엽고 화려한 색감의 뜨개도 좋지만 은은한 배색으로 완성해 오래 두고 사용해도 질리지 않는 뜨개도 좋지 않을까요? 이 책에 나오는 대부분의 작품은 봄, 여름, 가을, 겨울 매일매일 사용해도 질리지 않고 어디에 매치해도 조화롭게 잘 어울리는 색감으로 배색해 완성한 작품들입니다. 일상생활에서 사용하는 실용 소품인 만큼 어떤 공간에 걸어두어도, 어떤 패션과 함께 매치해도 튀거나 촌스러워 보이지 않는 세련된 색과 감각적이고 심플한 디자인으로 사랑받고 있는 슬로우모먼츠의 인기 작품들을 모았습니다.

약 1년간 50가지의 크고 작은 작품들과 이 책에서 사용되는 모든 뜨개 기법을 과정 사진으로, 동영상으로 꼼꼼하게 작업해주신 박정현 선생님께 진심으로 감사드립니다. 상세한 사진과 동영상으로 초보자 분들에게는 코바늘 뜨개 입문서로, 숙련자 분들에게는 50가지의 폭넓은 작품으로 취향과 필요에 맞게 선택할 수 있는 실용서로 완성될 수 있었습니다. 어떤 작업보다 긴 시간 동안 작업과 수정을 반복하면서 보기 편한 책으로 디자인해주신 김보라 디자이너, 무려 50가지의 도안과 일러스트를 완벽하게 작업해주신 이지선 디자이너, 타이트한 일정에도 여전히 프로답게 예쁜 사진을 찍어주신 김남헌 포토그래퍼에게도 감사를 전합니다.

'느려서 더 소중한 순간'이라는 슬로우모먼츠의 의미처럼 내 손으로 직접 만드는 기쁨과 즐거움을 많은 분들이 느낄 수 있는 책으로 다가가기를 희망합니다.

2019년 3월, 더테이블 기획편집팀